Jeyn Roberts · Dark Inside

D1455412

Jeyn Roberts

D4RK INSIDE

Aus dem Englischen übersetzt von Bea Reiter

ISBN 978-3-7855-7396-9
1. Auflage 2012
Copyright © 2011 by Jeyn Roberts
Die Originalausgabe ist 2011 bei Macmillan Children's Books, a division of
Macmillan Publishers Limited, London, unter dem Titel *Dark Inside* erschienen.
Published by arrangement with Rights People, London
© für die deutsche Ausgabe 2012 Loewe Verlag GmbH, Bindlach
Aus dem Englischen übersetzt von Bea Reiter
Umschlagfotos: © Getty Images
Umschlaggestaltung: Franziska Trotzer
Printed in Germany

www.loewe-verlag.de

Für meine Eltern, Don und Peggy Roberts.
Eure Liebe und Unterstützung kennt keine Grenzen.

NICHTS

Ich stehe am Rand des Abgrunds. Hinter mir jagen tausend Ungeheuer. Ihre Tarnung verändert sich mit jeder Bewegung.

Wenn sie in einen Spiegel schauen, sehen sie dann ihr wahres Ich?

Meine Arme sind weit ausgebreitet. Vor mir ist nichts. Niemand hat gewusst, wie die Menschheit enden würde. Sicher, es gab viele Hypothesen: Feuer, Hochwasser, Seuchen und so weiter. Sie haben den Himmel nach Heuschrecken abgesucht und auf den Regen gewartet. Sie haben Städte gebaut, die Wälder zerstört und das Wasser vergiftet. Warnzeichen, die in den Ruinen früherer Zivilisationen zurückgelassen worden waren, wurden falsch gedeutet. Natürlich kann man den Sünden der Menschheit die Schuld am Untergang geben. Aber wer hätte gedacht, dass er so grau sein würde? So leer.

Gibt es wirklich einen Weg zurück? Einen Weg zurück in eine Zeit vor unserer?

Hallo? Ist da jemand?

Tut mir leid, falsch verbunden.

Mir geht noch so vieles durch den Kopf, aber ich habe keine Zeit mehr dafür. Ich wusste, dass sie mich finden würden. Ich leuchte im Mondlicht. Meine dunkle Seite war zu hell, um sie für immer zu verstecken. Irgendwann finden sie uns alle. Sie sind uns klar überlegen und meine Chancen stehen bei null.

Vor mir ist nichts. Keine hellen Lichter, keine Dunkelheit. Keine Energie. Nur nichts.

Es gibt keine Zukunft, denn auch unsere Vergangenheit existiert nicht mehr. Unsere Gegenwart besteht nur noch aus dem Kampf ums Überleben und dieser Kampf wird bald zu Ende sein.

Dafür haben *sie* gesorgt.

Ich bin **Nichts**.

Ich bin das Leben.

Ich bin Schmerz.

Ich knie mich auf die Erde und schreibe meine letzten Worte. Ich würde sie laut aussprechen, doch es ist niemand mehr da, der sie hören könnte.

DAS SPIEL IST AUS.

MASON

»Deine Mutter hatte einen Unfall.«

Noch nie hatte ihm etwas solche Angst eingejagt.

Die Sonne schien. Es war ein schöner Tag. Anfang September. Er hatte gelacht. Die Schule hatte gerade wieder angefangen. Jemand erzählte einen Witz. Die erste Unterrichtsstunde war vorbei und Mason ging zu seinem Schließfach, als der Schulleiter auf ihn zukam. Ihn von seinen Freunden wegzog und die fünf Worte aussprach.

Deine Mutter hatte einen Unfall.

Zwanzig Minuten später kam Mason am Royal Hospital an. Er hatte nicht selbst fahren dürfen, sein Wagen stand noch auf dem Schulparkplatz. Mr Yan, der Geologielehrer, war gefahren. Mason kannte ihn gar nicht. Er war nie auf die Idee gekommen, Geologie zu belegen. Doch so etwas war jetzt nicht mehr wichtig.

Draußen brannte die Sonne vom Himmel. Es war heiß. Obwohl die Tage schon wieder kürzer wurden, hatten die Mädchen auffallend wenig an. Warmes Licht drang durch das Fenster des Hondas und heizte Masons Jeans auf. Er überlegte kurz, ob er seinen Kapuzenpulli ausziehen sollte, doch der Gedanke war viel zu platt. Viel zu normal. Wie konnte er jetzt daran denken, dass ihm vielleicht zu warm werden würde? Wie egoistisch war das denn?

Der Lehrer bot an, ihn ins Krankenhaus zu begleiten, doch Mason schüttelte den Kopf. Nein. Sein Kopf bewegte sich auf und ab, als er gefragt wurde, ob er es allein schaffe. Ja. Er solle auf jeden Fall in der Schule anrufen, wenn er jemanden brauche, um nach Hause zu kommen. Ja. Als Mr Yan davonfuhr, fiel Mason auf, dass sein weißer Honda Civic eine Delle in der Stoßstange hatte.

Jemand ist bei Rot über die Ampel gefahren und mit ihr zusammengestoßen. Seitenaufprall. Deine Mutter saß allein im Wagen. Sie liegt im Krankenhaus. Wir bringen dich hin. Du kannst jetzt nicht fahren – du stehst unter Schock.

Schock? Nannte man das so?

Irgendwie schaffte er es, das Krankenhaus zu betreten. Eine Frau an der Aufnahme sagte ihm, wo er hinmusste. Sie aß einen Bagel. Auf ihrem Ärmel prangte ein Kaffeefleck. Tiefe Falten hatten sich in ihre Stirn eingegraben und um ihren Mund lag ein verkniffener Zug. Sie wies in Richtung des Aufenthaltsbereichs und sagte ihm, er solle warten. Es waren zu viele Leute da. Mehr als der Warteraum fassen konnte. Für einen Mittwochvormittag war eine Menge los. Mason fand keinen Sitzplatz. Er zwängte sich in die schmale Lücke zwischen einem Getränkeautomaten und der Wand. Von dort konnte er alles sehen und hören.

Vor den Fenstern zuckten die Warnlichter von Rettungswagen. Sanitäter stürmten herein und schoben Tragen in die Notaufnahme. Ärzte auf den Gängen riefen hektisch Anweisungen und Krankenschwestern rannten mit Klemmbrettern und Verbandsmaterial hin und her. Der kleine Warteraum war völlig überfüllt. Niemand lächelte. Die meisten Leute starrten vor sich hin ins Leere, einige unterhielten sich im Flüsterton miteinander. Eine Frau, die ein Stück von Mason entfernt saß, machte ständig ihre Handtasche auf und zu. Ihre Augen waren rot und verschwollen, und als sie Mason ansah, stiegen ihr Tränen in die Augen und liefen über ihr Gesicht. Ihre Hände umklammerten eine rosa Decke, die mit Blut beschmiert war.

Mason starrte auf seine Füße. Er wollte nichts mehr sehen. Sein Schnürsenkel ging auf.

Irgendwann rief ein Arzt seinen Namen.

»Sie bringen sie gerade in den OP«, klärte der Arzt ihn auf. »Du kannst jetzt nur noch warten. Wenn du möchtest, rufen wir jemanden an. Gibt es jemanden aus der Familie, dem wir Bescheid geben sollen?«

Es gab niemanden. Nur Mom und ihn. Sein Vater war vor fünf Jahren gestorben, als Mason zwölf gewesen war.

»Wird sie wieder gesund?«

»Wir tun, was wir können.«

Das war keine Antwort. Es verhieß nichts Gutes.

Eine Krankenschwester brachte ihm Kaffee. Der Pappbecher verbrannte ihm die Finger. Dennoch setzte er den Becher an die Lippen und trank einen großen Schluck. Verbrannte sich die Zunge. Mason bemerkte es kaum. Er stellte den Kaffee auf den Boden neben sich und vergaß ihn sofort wieder.

Sein Telefon klingelte. Die anderen starrten ihn wütend an. Eine Mutter mit zwei kleinen Kindern warf ihm einen Blick zu, als wäre er das Böse in Person. An der Wand hing ein Schild mit dem Hinweis, Mobiltelefone auszuschalten. In der Notaufnahme waren keine elektronischen Geräte erlaubt. Warum war ihm das Schild nicht schon vorher aufgefallen? Er drückte die Ausschalttaste, ohne den Anruf entgegenzunehmen. Es gab sowieso nichts zu sagen.

Noch mehr Rettungswagen hielten vor dem Krankenhaus, pausenlos stürmten Sanitäter mit ihren Tragen durch die Tür. Im Warteraum, der sowieso schon aus allen Nähten platzte, brach das Chaos aus. Wo kamen nur die vielen Leute her? Inzwischen standen sogar einige auf dem Gang. Niemand schien zu wissen, was los war.

Über den Köpfen einer asiatischen Familie war ein Fernseher an die Wand montiert. Die Großmutter der Familie lag auf einer Krankentrage, die man an die Wand neben dem Stationstresen geschoben hatte. Die Pfleger wussten nicht, was sie mit ihr anfangen sollten. Auf den Gängen begannen sich die Tragen mit Verletzten zu stauen. Das Krankenhaus schien keinen Platz mehr zu haben.

Der Fernseher war auf einen Lokalsender eingestellt, in dem gerade eine Talkshow lief. Jemand gab ein Interview, in dem es um einen neuen Film ging. Der Ton war leise gestellt und nur ganz wenige der Wartenden beachteten den Fernseher überhaupt. Mason sah eine Weile zu, dankbar für die Ablenkung, obwohl er kein Wort verstehen konnte. Er saß immer noch auf dem Boden neben dem Getränkeautomaten. Als er einen Blick auf seine Uhr warf, stellte er fest, dass es schon fast zwei war. Er war seit vier Stunden hier und hatte keine Ahnung, was los war. Wurde seine Mutter immer noch operiert? Er überlegte, ob er eine der Krankenschwestern fragen sollte, doch als er die Schlange aus mindestens zwanzig Leuten sah, die lautstark versuchten, sich Gehör zu verschaffen, verwarf er den Gedanken sofort wieder. Niemand bekam Informationen, warum also sollte man bei ihm eine Ausnahme machen?

»Mason Dowell?«

Der Arzt war vor ihm stehen geblieben und Mason hatte es

nicht einmal bemerkt. Er hielt immer noch das Klemmbrett von vorhin in der Hand und verzog keine Miene. Nachdem er ein paarmal geblinzelt hatte, blieb sein müder Blick an den Formularen vor ihm hängen.

»Geht es ihr gut?« Die Worte sprudelten aus ihm heraus. Er hasste den Klang seiner Stimme. Schrill. Atemlos. Verängstigt.

»Fürs Erste.« Der Arzt wollte ihn nicht ansehen. »Wir haben die inneren Blutungen stoppen können, aber sie ist noch nicht bei Bewusstsein. Jetzt können wir nur noch warten. Ich glaube, es ist das Beste, wenn du jetzt gehst und dich ein wenig ausruhst. Ich versuche, jemanden zu finden, der dich nach Hause bringt.«

»Kann ich zu ihr?«

»Das hätte jetzt keinen Sinn. Sie würde es gar nicht merken. Wir sind gerade sehr beschäftigt. Geh nach Hause und iss etwas. Telefonier mit deinen Freunden. Komm heute Abend wieder, dann kannst du zu ihr.«

Jemand schrie auf.

Beide drehten sich um, um zu sehen, was los war. Im Warteraum war es schlagartig still geworden. Alle starrten auf den Fernseher. Jemand stürzte zu dem Gerät und stellte den Ton lauter.

Mason brauchte ein paar Sekunden, bis er begriff, was er sah. Statt der Talkshow lief jetzt eine Nachrichtensendung, in der live vor Ort berichtet wurde. Löschfahrzeuge und Streifenwagen blockierten die Sicht auf ein völlig zerstörtes Gebäude. Die Feuerwehrleute versuchten, die Flammen zu löschen, die aus den Trümmern schlugen. Grelle Warnlichter zuckten und überall rannten Leute herum, die wegen der Rauch- und Staubwolken jedoch nicht zu erkennen waren.

»Ich wiederhole«, sagte die Stimme der Nachrichtenreporterin aus dem Off. »In der Highschool von Saskatoon hat sich eine schreckliche Tragödie ereignet. Channel Nine liegen noch keine Details vor, aber wir vermuten, dass vier Männer und drei Frauen, die alle Sprengstoff mit sich führten, um 13.30 Uhr die Schule betraten. Die Bomben wurden in der Sporthalle, der Cafeteria und etwa fünf Klassenräumen gezündet. Es liegen noch keine Informationen darüber vor, wer den Anschlag begangen hat oder ob es eine Verbindung zu einer Terrororganisation gibt. Wie viele Opfer zu beklagen sind, ist noch unklar, man geht jedoch davon aus, dass die Zahl der Toten in die Hunderte geht. Einige der Leichen werden jetzt gerade herausgebracht.«

Die Kamera schwenkte auf das Gebäude, aus dem Rettungskräfte schwarze Leichensäcke trugen. Die Glastür war zerstört, der Eingang zur Hälfte eingestürzt. Vor wenigen Stunden war Mason durch diese Tür gegangen.

»Das ist meine Schule!«, rief er.

Niemand hörte ihm zu.

»So etwas habe ich noch nie gesehen«, sagte die Reporterin. Ihre Stimme zitterte und klang gepresst. Sie las nicht mehr von ihrem Skript ab; die Worte, die ihr über die Lippen kamen, waren ihre eigenen. »Die Schule ist völlig zerstört. Es ist nichts mehr da. Was sind das nur für Ungeheuer, die so etwas tun?« In ihren Augen glitzerten Tränen.

Die Kamera schwenkte nach links und holte einen Polizisten ins Bild. Sein angespanntes Gesicht wurde in Großaufnahme gezeigt. »Wenn Sie oder Bekannte von Ihnen Kinder an dieser Schule haben: Kommen Sie bitte nicht her! Ich wiederhole: Kommen Sie nicht her! Sie können uns hier nicht helfen, aber es gibt eine Telefonnummer, bei der Sie anrufen können.« Auf dem Bildschirm wurden lokale Telefonnummern eingeblendet. »Ich wiederhole: Kommen Sie nicht her! Die Rettungskräfte haben zu tun und können sich nicht um Sie kümmern.«

Die Kamera schwenkte auf den Parkplatz mit Hunderten Autos, deren Besitzer nicht mehr kommen würden. Neben einem zerschmetterten Ford Pick-up, der mit Trümmern übersät war, entdeckte Mason seinen Toyota Corolla. Es war merkwürdig, aber sein Auto sah völlig unbeschädigt aus. Es schien nicht einmal einen Kratzer zu haben.

»Das ist meine Schule«, sagte er noch einmal.

»Mason?« Der Arzt legte Mason eine Hand auf die Schulter. »Du solltest jetzt besser nach Hause gehen.«

»Ja, in Ordnung.« Mason hatte das Gefühl, als würde das gesamte Gewicht des Krankenhauses auf seinen Schultern lasten. Er musste hier raus und einige Anrufe machen. Er musste herausfinden, was passiert war.

»Ich werde jemanden holen, der dich nach Hause fährt.« Der Arzt sah sich im Wartezimmer um. »Warte hier. Ich werde nachsehen, wer jetzt mit dem Dienst aufhört. In zwanzig Minuten bin ich wieder da.«

»Nein, lassen Sie. Ich schaff das schon alleine.« Mason zog den Reißverschluss seines Kapuzenpullovers hoch. Wenn er sich beeilte, könnte er in knapp einer halben Stunde bei der Schule sein.

»Ich glaube nicht …«

»Schon in Ordnung.« Mason ging einige Schritte rückwärts. »Es ist nicht so weit. Ich muss jetzt los. In ein paar Stunden bin ich wieder da. Ich werde … ähm … ich werde was essen. So wie Sie gesagt haben. Mich ausruhen. Duschen.«

Der Arzt lächelte. »Also gut. Wir sehen uns dann heute Abend. Deine Mutter kann froh sein, dass sie dich hat.«

Draußen war es immer noch hell und warm. Sonnig. Schön. Sollte es nicht dunkler sein? Mason stolperte über den Bordstein und wäre um ein Haar vor einen einfahrenden Rettungswagen gestürzt. Er wich zurück, als das Rot der Warnlichter auf ihn fiel und das Fahrzeug vorbeiraste. Sein Mobiltelefon rutschte aus der Tasche seines Kapuzenpullovers, doch er konnte es gerade noch auffangen, bevor es auf den Boden fiel. Als er es einschaltete, fiel ihm ein, dass vorhin jemand angerufen hatte. Er hatte eine neue Nachricht.

»Hey, Alter!« Die Stimme auf der Mailbox gehörte seinem Freund Tom. »Ich hab das mit deiner Mom gehört. Tut mir wirklich leid. Ich hoffe, es geht ihr gut. Ich ruf dich sofort an, wenn die Stunde vorbei ist. Sag mir, ob du noch im Krankenhaus bist, dann komm ich hin. Ich muss aufhören. Der Trainer lässt mich sonst wieder ein paar Runden zusätzlich drehen, wenn ich schon wieder zu spät komme.«

Ein Piepton ertönte und eine Stimme fragte ihn, ob er die Nachricht beantworten, speichern oder löschen wolle.

Runden drehen. Sporthalle.

Sprengstoff.

Tom war in der Sporthalle gewesen, zusammen mit den anderen. Leute, mit denen er aufgewachsen war. Alle Freunde, die sein Leben teilten. Er hätte auch in der Sporthalle sein sollen. Er wäre dort gewesen, wenn diese furchtbaren fünf Worte nicht gewesen wären. Hatte ihm seine Mutter das Leben gerettet?

Er scrollte durch sein Handy, bis er Toms Nummer hatte. Dann tippte er auf den Button und hielt das Telefon ans Ohr. Wartete darauf, dass es läutete. Nichts passierte. Der Anruf wurde nicht zur Mailbox geleitet. Es gab nicht einmal eine Ansage, die ihm mitteilte, er solle es später noch einmal versuchen.

Mason brach den Versuch ab und sah die Liste mit Telefoneinträgen durch. Dutzende Nummern, alles Freunde, und jeder Einzelne von ihnen war in der Schule gewesen. Wenn er eine dieser Nummern anrief, würde er dann wieder nur Rauschen hören? Er hatte nicht den Mut, es auszuprobieren.

Nachdem er ein Taxi angehalten hatte, stieg er ein und bat den Fahrer, ihn zu dem Seven-Eleven zu fahren, der einen Häuserblock von der Schule entfernt war. Den Rest wollte er zu Fuß gehen. Nervös fuhr er sich mit den Fingern durch sein zerzaustes braunes Haar und versuchte, sich abzulenken; alles nur, um nicht auf dem Rücksitz um sich zu treten und zu schreien.

Er musste es selbst sehen. Er musste Gewissheit haben. Dass es tatsächlich geschehen war, würde er erst glauben, wenn er es mit seinen eigenen Augen gesehen hatte.

ARIES

Der Mann im Bus war verrückt.

Jedenfalls sah es so aus. Er schaukelte auf seinem Platz vor und zurück und stammelte etwas in einer Sprache, die Aries nicht verstand. Zweimal stand er auf und ging durch den Gang zwischen den Sitzen hindurch, wobei er alle paar Schritte den Kopf schüttelte und sich die Ohren zuhielt. Schließlich ließ er sich auf den Platz direkt vor ihr fallen und suchte etwas in seinen Jackentaschen.

»Was ist denn mit dem los?«, raunte Sara ihr ins Ohr. Ihre Augen waren weit aufgerissen und sie drückte sich so weit wie möglich in die Lehne ihres Sitzes. Dann wickelte sie eine Haarsträhne um ihren Zeigefinger, was sie nur tat, wenn sie nervös war.

»Ich glaube, er ist psychisch krank«, flüsterte Aries zurück. Sie sah sich um, wobei sie den Blicken der anderen auswich, die sich alle Mühe gaben, so zu tun, als gäbe es den Verrückten gar nicht. Einige Reihen vor ihr saß ein Junge, der etwa in ihrem Alter war. Er beobachtete sie. In der Hand hielt er ein aufgeschlagenes Buch, doch er schien nicht zu lesen. Seine dunklen Augen verschwanden fast hinter seinen langen Haaren. Als er sie angrinste, wandte sie den Blick ab. Ihre Wangen brannten.

»Solche Leute sollte man gar nicht in den Bus lassen«, sagte Colin, der hinter ihnen saß. Er war der beste Beweis, dass es auch männliche Drama-Queens gab, doch Sara betete ihn an. Aries fand ihn arrogant und etwas zu selbstverliebt. Sie hielt es nur Sara zuliebe mit ihm aus. Das war sie ihr als beste Freundin schuldig. Sie hatten schon im Sandkasten miteinander gespielt und für Sara würde sie durchs Feuer gehen. Colin ging ihr mächtig auf die Nerven, aber wegen Sara konnte sie gar nicht anders, als nett zu ihm sein. Sie wusste, dass sie Sara in den langen Jahren ihrer Freundschaft schon weitaus mehr zugemutet hatte.

Es war einer jener schönen Abende in Vancouver, an denen es einmal nicht regnete. Sie waren gerade auf dem Weg zur Highschool von Clayton Heights, wo sie *Alice im Wunderland* proben wollten. Aries spielte Alice, und Colin beschwerte sich immer noch darüber, dass Ms Darcy, ihre Schauspiellehrerin, ausgerechnet dieses Stück ausgesucht hatte. In *Alice im Wunderland* gab es keine männliche Hauptrolle und Colin war fest entschlossen, die ganze Welt wissen zu lassen, dass man ihn übergangen hatte.

»Und wenn er uns etwas tut?«, fragte Sara. Sie spielte die Herzkönigin, eine Rolle, von der sie scherzhaft behauptete, sie sei extra für sie geschaffen worden. Sara konnte einfach nicht verstehen, warum kleine Mädchen Prinzessinnen sein wollten, wo sie doch Königinnen sein konnten. Selbst an ihrem Handy baumelte ein kleiner, mit funkelnden Schmucksteinen besetzter Anhänger in Form einer Krone.

»Er wird euch nichts tun«, behauptete Colin, während er die Arme um Sara schlang und ein überlegenes Gesicht machte. »Nicht, solange ich hier bin.«

Plötzlich fing der Mann an, lautstark zu fluchen. Die Schimpfwörter trieben fast allen Insassen des Busses die Röte ins Gesicht. Auch Colins Wangen verfärbten sich und mit einem Mal wirkte er gar nicht mehr so selbstsicher. Er ließ Sara los, lehnte sich zurück und sah nach oben. Die Werbeanzeigen im Bus zu lesen, schien auf einmal erheblich wichtiger zu sein, als Sara die Angst zu nehmen.

Aries verdrehte genervt die Augen und drückte auf den Summer vor ihr. An der nächsten Haltestelle mussten sie raus. Dann konnte Colin aussteigen, ohne dass allzu offensichtlich wurde, was für ein Feigling er doch war. In dem Moment, in dem sie in der Schule ankamen, würde Colin vermutlich lautstark behaupten, dass er um ein Haar aufgesprungen wäre, um sich mit dem Verrückten im Bus anzulegen. Dann würde Sara lächeln, ihm einen Kuss auf die Wange drücken und so tun, als wäre er tatsächlich der Held, der er sein wollte. Und Aries würde so höflich sein, Colins Geschichte zu bestätigen, die Wahrheit aber für sich behalten. Jungs konnten manchmal so unfassbar dämlich sein.

Sie sah noch einmal zu dem merkwürdigen Jungen hin. Er beobachtete sie immer noch. Das Buch hatte er weggelegt, aber er stand nicht auf. Ein Bein lag lässig auf dem Sitz und mit den schlanken Fingern trommelte er selbstvergessen auf seinem Knie herum. Er sah so ernst aus. Sie fragte sich, ob sie ihn nicht schon irgendwo gesehen hatte. Ging er vielleicht auf dieselbe Schule wie sie? Sie war sich nicht sicher.

Colin stand auf und griff nach der Haltestange. Sara stellte sich neben ihn. Aries zog den Reißverschluss ihres Rucksacks zu und war gerade dabei aufzustehen, da drehte der Verrückte sich um und sah sie direkt an. Sie erstarrte mitten in der Bewegung, als er die Hand ausstreckte und ihren Arm packte. Seine Finger waren eiskalt.

»Du bist ein hübsches Mädchen«, murmelte er. »Mach dich bereit. Es wird sich gleich öffnen.«

»Wie bitte?«

»Sie konnten es nicht für immer geschlossen halten. Zu viel Hass. Sie haben einen Spalt gefunden. Es wieder rausgelassen. Gleich geht's los. Zehn, neun, acht.« Speichel spritzte von den Lippen des Mannes und die Hand auf ihrem Arm packte noch fester zu.

»Lassen Sie mich los!«, verlangte Aries. Sie wollte ihren Arm zurückziehen, doch es gelang ihr nicht. Sie griff nach seiner schmutzigen Hand und versuchte, seine Finger von ihrem Arm zu lösen. Es widerstrebte ihr, ihn anzufassen; seine fahle Haut war ganz feucht. Seine Kleidung starrte vor Dreck und er roch leicht nach sauer gewordener Milch. In seinem Bart hingen Krümel und seine Wangen waren pockennarbig und verschorft. Ihr Magen krampfte sich zusammen, als sie ihn noch einmal bat, sie loszulassen.

»Hey!«, rief Colin, aber er kam ihr nicht zu Hilfe. Er war zur Salzsäule erstarrt. Sara stand neben ihm, den Mund weit aufgerissen, doch sie bekam keinen Ton heraus.

»Sieben, sechs, die Städte stürzen um uns herum ein. Fünf!«, sagte der Mann. »Das Spiel ist aus. Vier! Hörst du die Schreie? Spürst du die Kraft? Drei!«

Plötzlich ging ein heftiger Ruck durch den Bus. Er schoss in die Höhe, überfuhr etwas und landete dann mit einem lauten Krachen wieder auf der Straße. Die Fahrgäste auf ihren Sitzen wurden nach vorn geschleudert. Schreie gellten durch den Bus, als mehrere Leute in verschiedene Richtungen gewirbelt wurden. Colin prallte gegen Sara, sodass sie das Gleichgewicht verlor und mit einer alten Dame zusammenstieß, die gerade vom

Einkaufen kam. Mandarinen rollten den Gang entlang und ein Glas mit Spaghettisoße explodierte. Es roch nach gewürzten Tomaten.

Doch Aries und der Verrückte bewegten sich nicht. Er starrte sie immer noch an. Sie sah ihm in die Augen.

Eigentlich hatte sie erwartet, dass seine Augen blutunterlaufen waren. In Büchern und Filmen hatten durchgeknallte Leute immer blutunterlaufene Augen. Standardklischee für Geisteskranke. Doch die Augen des Mannes vor ihr waren nicht gerötet. Sie hatten eine andere Farbe.

Die Adern in seinen Augen waren schwarz.

»Zwei.«

Der Bus machte wieder einen Satz nach vorn. Der Fahrer trat auf die Bremse und immer mehr Leute begannen zu schreien. Mitten auf einer Kreuzung kamen sie abrupt zum Stehen und mehrere Autofahrer hupten wütend. Eine Zehntklässlerin aus ihrer Schule wurde durch die Gegend geschleudert, die Umhängetasche noch über der Schulter. Sie prallte mit dem Rücken gegen eine Metallstange. Die Insassen sprangen auf und versuchten, den Bus zu verlassen. Doch die Türen öffneten sich nicht. Einige der Männer schlugen mit den Fäusten gegen die Fenster.

Aries und der Verrückte saßen immer noch reglos da.

»Eins.«

Die Erde unter ihnen explodierte.

Der Bus schwankte und machte einen Satz nach vorn. Die Straße unter ihnen riss auseinander; Teile des Betons vibrierten und bewegten sich voneinander weg, als wären sie lebendig. Ein Hydrant platzte; Wasser schoss in die Höhe und regnete auf die Kreuzung herab. Stromleitungen schwankten, bis die Kabel rissen und durch die Luft peitschten. Das Licht in den Geschäften und auf der Straße flackerte und ging aus. Autofahrer traten auf die Bremse und stießen mit anderen Fahrzeugen zusammen. Durch das Fenster sah Aries, wie mehrere Leute versuchten, aus den Autowracks zu klettern, während andere sich auf einen Parkplatz und die Gehsteige retteten. Bei einem Supermarkt, der direkt neben der Kreuzung stand, brachen große Teile aus der Fassade. Glas splitterte und schickte winzige Projektile in alle Richtungen. Die Passanten legten schützend die Hände auf den Kopf, um nicht zerfetzt zu werden. Als sie versuchten, auf dem wackelnden Boden das Gleichgewicht zu halten, behinderten sie sich gegenseitig und stürzten.

Gerade eben hatten die Insassen des Busses noch verzweifelt versucht auszusteigen. Jetzt drehten sich alle wieder um und drängten in den Bus zurück. Die Erde bebte immer noch und der Bus ächzte und schüttelte sich. Von hinten wurde ein riesiges Stück Beton unter den Bus geschoben, sodass der hintere Teil in die Höhe gehoben wurde.

Aries hörte, wie Sara ihren Namen schrie, doch in dem Chaos konnte sie ihre Freundin nicht sehen. Überall waren Menschen; sie krochen über den Boden, kletterten über die Sitze, schlugen mit den Fäusten gegen das Glas, um sich in Sicherheit zu bringen.

»Was ist passiert? Was ist passiert?«, stammelte jemand immer wieder. Irgendwer rief um Hilfe. Schreie gellten durch den Bus. Der Verrückte fing an zu brüllen, er grölte etwas, das wie eine andere Sprache klang. Aries wusste nicht, ob er lachte oder weinte.

In einiger Entfernung gab es eine laute Explosion. Die Fenster des Busses zerbarsten. Aries hob die Hände über den Kopf und warf sich zwischen die Sitze. Glassplitter regneten auf sie herab, verfingen sich in ihren Haaren und prallten von ihren Händen ab. Der Verrückte hatte sie losgelassen. Sie hörte ihn nicht mehr, aber er war in ihrer Nähe. Es roch immer noch nach saurer Milch.

Ein Lieferwagen fuhr mit hoher Geschwindigkeit über die Kreuzung und krachte seitlich gegen den Bus. Der Zusammenstoß war so heftig, dass der Bus umkippte und sich auf die Seite legte. Aries packte den Sitz vor sich und hielt sich fest. Menschen prallten gegen sie. Einen Moment lang sah sie Colins Gesicht, das gegen ihr Bein gepresst wurde, doch gleich darauf war der Junge in dem Meer aus zuckenden Körpern verschwunden.

Die Erde bebte immer noch.

Stunden? Minuten?

Und dann war es vorbei.

Im Bus war es totenstill. Aries lag da, mit dem Rücken gegen den Metallrahmen des Fensters und den aufgeplatzten Beton gedrückt, unfähig, an etwas zu denken. Ihr Bein schmerzte, aber nicht so stark, dass sie annehmen musste, es sei gebrochen. Etwas Feuchtes lief ihr über das Gesicht und ließ ihre Stirn wie verrückt jucken. Sie bekam ihre Hand nicht frei, um sich zu kratzen oder nachzusehen, ob es Blut war. Blutete sie? Sie war sich nicht sicher. Auf ihrer Brust lastete zu viel Gewicht. Mehrere Menschen lagen auf ihr. Ihre Arme waren eingeklemmt. Als sie tief Luft holte, atmete sie Staub ein und musste husten. Es roch durchdringend nach Kupfer.

Aries bewegte ihre Finger und versuchte, ihre Hand freizubekommen. Sie musste heftig ziehen; ihr Arm steckte unter dem Rücken von jemandem fest. Sie versuchte, den halb auf ihr liegenden Körper wegzuschieben, und hätte um ein Haar laut geschrien, als der Kopf zur Seite fiel und sie in das Gesicht des Verrückten blickte. Ihr wurde eng in der Brust, kalte Luft drang in ihre Lungen und sie war sich sicher, dass sie zu atmen aufgehört hatte. Ihr Gesichtsfeld verengte sich zu einem Tunnel. Gleich würde sie bewusstlos werden.

Was, wenn er aufwachte? Seine Lippen berührten fast ihre Wange. Der Geruch nach saurer Milch stieg ihr in die Nase. Wenn er sich bewegte, würde sie auf der Stelle einen Herzanfall bekommen. Sie sah durch die kaputte Fensterscheibe nach oben in den Himmel und stellte sich vor, wie die frische Luft sich auf ihrer Haut anfühlen würde, wenn sie sich befreit hatte.

Eine Hand griff nach ihr. »Halt dich fest«, sagte eine Stimme. Finger umschlossen ihre Hand und drückten sie leicht. Die Hand war warm und weich. Beruhigend. Der dunkelhaarige Junge tauchte vor ihr auf. Mit seiner freien Hand packte er die Jacke des Verrückten und zog ihn von ihr herunter.

»Besser?«

Aries nickte. Irgendwie schaffte sie es, ihre Beine aus den Trümmern zu befreien und zu sich heranzuziehen. Der Junge, der immer noch ihre Hand hielt, half ihr auf die Knie.

»Sara?« Ihre Stimme klang laut und unnatürlich.

Der Bus war voller menschlicher Körper, von denen sich manche bewegten, andere dagegen nicht. Sie packte eine Metallstange an einem Sitz und zog sich daran hoch, bis sie stehen konnte. Die Sitze waren immer noch mit dem Boden verbunden, der jetzt die Seite des Busses bildete, und ließen es noch enger im Innern werden. Über ihrem Kopf zitterten zerbrochene Scheiben und gelegentlich regneten Glasscherben auf sie herab.

Überall lagen Körper.

»Wir gehen sie suchen«, rief der Junge.

Er hielt immer noch ihre Hand und Aries ließ zu, dass er sie in den vorderen Teil des Busses führte. Als sie an den Körpern vorbeigingen, blieb sie immer wieder stehen, um sich die Gesichter anzusehen. Was hatte Sara getragen? Sie konnte sich nicht mehr daran erinnern. Ihre Jacke? Einen Kapuzenpulli? Welchen? Einige von den anderen regten sich und standen auf. Sie stolperten und stürzten, als sie versuchten, ins Freie zu gelangen. Da der Bus auf der Seite lag, konnten sie die Tür nicht benutzen, daher nahm jemand einen der Nothämmer von der Wand und zertrümmerte die Frontscheibe. Eine Frau, deren Arm in einem merkwürdigen Winkel gebeugt war, kletterte über das Lenkrad nach draußen. Andere suchten das Innere des Busses nach Freunden und Familienangehörigen ab. Sie sah, wie Colin über den Körper der älteren Frau stieg. Sein Fuß landete auf einer der Mandarinen und zertrat sie zu einem matschigen Brei.

»Hilf mir!«, rief sie ihm zu. »Ich kann Sara nicht finden.«

Doch Colin ignorierte sie. Sie sah ihm an den Augen an, dass er fest entschlossen war, ins Freie zu gelangen. Sein Blick war ziellos und wirr. Die Haare standen ihm vom Kopf ab und seine Wangen starrten vor Dreck. Sie hatte ihn noch nie so schmutzig gesehen. Selbst seine Fingernägel waren immer peinlich sauber gewesen. Er ging an ihr vorbei und würdigte sie keines Blickes.

Sie überlegte, ob sie ihm etwas nachrufen sollte, doch es würde wahrscheinlich zwecklos sein. Stattdessen konzentrierte sie sich darauf, zwischen den am Boden liegenden Menschen nach ihrer Freundin zu suchen. Sie hörte Stimmen, die um Hilfe riefen. Ein Mann schrie nach seiner Mutter und flehte sie an, zu ihm zu kommen, weil er nicht wusste, wo er war. Schmerz und

Tod waren überall. Einige der Leute streckten mit letzter Kraft ihre Hände nach ihr aus und Aries half mit, einen Mann unter einer bewusstlosen Frau hervorzuziehen. Er hatte sich den Knöchel gebrochen, der bereits angeschwollen war, schaffte es aber trotzdem, in den vorderen Bereich des Busses zu kriechen. Sie suchte weiter nach Sara, fand sie aber nicht.

»Vielleicht ist sie draußen«, sagte der Junge. Sie nickte und wehrte sich nicht, als er den Arm um sie legte. Aus irgendeinem Grund schien es jetzt das Richtige zu sein. Sein Körper war warm und die Muskeln unter seiner Jacke pressten sich an sie und trösteten sie.

Vielleicht war es Sara ja gelungen, ins Freie zu kommen?

Zwischen zwei zertrümmerten Sitzen lag eine hochschwangere Frau, die aufzustehen versuchte. »Bitte helft mir!«, bat sie.

Der Fremde ließ Aries los und sie stützten die halb bewusstlose Frau. Blut floss über ihre Stirn, mit der sie gegen das Fenster geprallt war. Zu dritt kletterten sie durch die Frontscheibe nach draußen auf die zerstörte Straße. An der Bushaltestelle standen Bänke. Sie begleiteten die Frau hinüber und halfen ihr, sich zu setzen. Eine Frau kam zu ihnen, um ihre Hilfe anzubieten. Aus einer Platzwunde an ihrer Stirn floss Blut, doch sie kniete sich neben die Schwangere und redete beruhigend auf sie ein.

Das Erste, was Aries auffiel, war die Stille. Um sie herum standen so viele Leute, von denen viele blutüberströmt und verletzt waren. Doch sie schwiegen alle. Sie liefen herum und einige halfen sich gegenseitig, aber kaum jemand sagte etwas.

Von der Straße war nicht mehr viel übrig. Der Beton war auseinandergebrochen und zu großen Haufen zusammengeschoben worden. Überall lagen Glassplitter, die unter ihren Füßen knirschten. Die Sonne würde gleich untergehen, der Himmel war mit Rosa- und Violetttönen überzogen. Lange Schatten krochen über den Boden. Normalerweise würden sich um diese Zeit die Straßenlampen einschalten, doch da der Strom ausgefallen war, würde es kein Licht in der Stadt geben. Bald würde alles stockdunkel sein. Aries schauderte. Der Gedanke, nach Sonnenuntergang auf der Straße zu sein, genügte, um ihr das Gefühl zu geben, wieder fünf Jahre alt zu sein und Angst vor den Ungeheuern unterm Bett zu haben.

Das Gebäude an der Ecke war in sich zusammengefallen. Es war einmal ein Supermarkt gewesen, doch jetzt war nur noch ein Haufen Schutt davon übrig. An der Stelle, an der der Parkplatz sein musste, lagen umgestürzte Einkaufswagen. Einige der Räder drehten sich noch. Wie viele Leute waren in dem Supermarkt gefangen? Auf dem Parkplatz standen Dutzende Autos, von denen viele auf die Seite gekippt waren. Es roch durchdringend nach Gas.

Während Aries an der Längsseite des Busses entlanglief, musterte sie die Gesichter der Menschen. Sie ging von Gruppe zu Gruppe, bückte sich, um sich Leute anzusehen, die auf dem Boden lagen. Viele waren benommen und schienen starke Schmerzen zu haben, doch sie kannte niemanden. Sara war nicht unter ihnen.

Einer der Autofahrer holte einen Erste-Hilfe-Kasten aus dem Kofferraum seines Wagens. Er machte ihn auf und fing an, Verbandsmaterial zu verteilen. Der Fremde aus dem Bus kam mit einem Stück weißer Mullbinde in der Hand zu ihr. »Du blutest.« Er legte Aries den Verband auf die Stirn und drückte ihn sanft gegen ihre Haut. »Halt das mal. Alles in Ordnung mit dir?«

Aries hob den Arm. Ihre Finger berührten sich, als sie ihre

Hand auf den Verband legte. Sie drückte ihn fest auf ihre Stirn, doch es tat gar nicht weh. Als sie den Mull wegnahm, sah sie dunkelrotes Blut darauf. »Ich glaube, das ist nicht von mir«, sagte sie. »Ich bin nicht verletzt.«

»Gut. Hast du deine Freundin gefunden?«

Sie schüttelte den Kopf.

»Dann sollten wir es noch mal im Bus versuchen. Wir suchen weiter nach ihr.« Als der Junge sich umdrehte und zu dem zerstörten Bus ging, folgte sie ihm. Sie mochte seine ruhige Art und es gefiel ihr, wie er seinen Körper beim Gehen bewegte. Es vermittelte ihr Sicherheit. Und Stärke. Sie sah Colin auf der Straße stehen und wollte ihm etwas zurufen, doch dann überlegte sie es sich anders. Er hatte sie schon einmal ignoriert; sie bezweifelte, dass er ihr eine Hilfe sein würde.

»Was ist denn eigentlich passiert?«, fragt sie, als sie wieder in den Bus kletterten.

»Erdbeben«, antwortete der Junge. Seine Augen flackerten im Licht der untergehenden Sonne. »Als hätte sich die Erde geöffnet und uns verschlungen.«

Mach dich bereit. Es wird sich gleich öffnen.

Der Verrückte hatte das gesagt, kurz bevor er mit seinem Countdown begonnen hatte.

Doch wie konnte das sein? Niemand konnte Erdbeben vorhersehen – oder vielleicht doch?

»Sara muss irgendwo hier drin sein«, sagte Aries. Ihre Stimme hörte sich so schwer und fremd an. »Sie ist blond und trägt eine Brille. Wir müssen sie finden.«

»Wir werden sie finden.«

»Ich weiß nicht mehr, was sie anhat.«

»Ich habe sie gesehen. Ich weiß, wie sie aussieht.«

»Ist es nicht merkwürdig, dass ich mich nicht erinnern kann? Ich müsste es doch eigentlich wissen. Sie ist meine beste Freundin. Oh Gott. Und wenn sie jetzt tot ist? Dann muss ich es ihrer Mutter sagen.«

Der Junge drehte sich um und legte ihr eine Hand auf die Schulter. Sie sah ihm in die Augen und fragte sich, wie sie so dunkel und stechend und gleichzeitig so warm und freundlich sein konnten. Sie überlegte, ob sie ihn nicht doch schon einmal gesehen hatte. Er kam ihr irgendwie bekannt vor. Waren sie vielleicht auf dieselbe Schule gegangen?

»Wir werden sie finden«, wiederholte er.

Und sie fanden sie auch. Doch da war es schon zu spät.

CLEMENTINE

Der Wind warf sich gegen die kleine Gemeindehalle, ließ die Fenster erzittern und zwängte sich durch die Ritzen. Dicht über dem Fußboden war ein starker Luftzug spürbar, der Nasen und Ohren der Anwesenden taub vor Kälte werden ließ. Das Gebäude war vor über hundert Jahren gebaut worden, als Glenmore die Stadtrechte bekommen hatte. So erstaunliche Erfindungen wie Dämmstoffe hatte es damals noch nicht gegeben. Kein Wunder, dass die Leute auf den Schwarz-Weiß-Bildern an den Wänden allesamt traurig und deprimiert aussahen.

Clementine saß eingezwängt zwischen ihrer Mutter und ihrem Vater, in der zweiten Reihe von hinten, direkt neben dem Eingang. Die Bürgerversammlung war für sieben Uhr angesetzt worden, doch sie waren zu spät gekommen; ihre Mutter hatte verzweifelt versucht, Heath ans Telefon zu bekommen, doch alle Leitungen waren zusammengebrochen. Heath war in Seattle, wo er Informatik studierte.

In Seattle hatte es viele Tote gegeben. Das Erdbeben hatte den größten Teil der Westküste zerstört, von Kalifornien bis hinauf nach Alaska.

Clementine hatte nicht eine Sekunde lang geglaubt, dass Heath tot war. Ihre Mutter hatte diese eingebauten Warnsensoren, die immer dann Alarm schlugen, wenn ihre Kinder Probleme hatten. Sie hatte es sofort gewusst, als Clementine einmal beim Cheerleader-Training von der Pyramide gefallen war und sich den Knöchel verstaucht hatte. Als Heath einen Autounfall hatte, hatte sie ihn nicht einmal eine Minute später angerufen und gefragt, ob es ihm gut gehe. Ihr Instinkt meldete sich, wenn ihre Familie in Schwierigkeiten war. Wenn Heath tot wäre, wüsste sie das.

Sobald die Telefonleitungen in Washington wieder funktionierten, würden sie einen Telefonanruf oder eine E-Mail von Heath bekommen und er würde Witze darüber machen, dass er die Stadt zum Einstürzen gebracht hatte, und ihnen sagen, dass sie sich keine Sorgen zu machen brauchten.

Es war natürlich möglich, dass alles ganz anders war. Wer wusste schon, wie diese Mutter-Kind-Instinkte funktionierten. Vielleicht galt dafür ja so etwas wie eine Zeitzonenbeschränkung.

»Wenn wir ihn bis morgen Vormittag nicht erreicht haben, fahre ich nach Seattle«, hatte ihre Mutter gesagt, bevor sie zur Bürgerversammlung aufgebrochen waren.

»Jetzt übertreib nicht, Liebling«, hatte ihr Vater geantwortet. »Ich bin sicher, dass es Heath gut geht. Sie werden die Leitungen reparieren und er wird anrufen.«

Ihr Vater hatte nicht sehr überzeugt geklungen. Während des Gesprächs mit ihrer Mutter hatte er an die Decke gestarrt und nicht nach ihrer Hand gegriffen, wie er es sonst immer tat, wenn er beruhigend wirken wollte. Und daher war Clementine klar, dass sich ihre Mutter morgen in den SUV setzen und nach Seattle fahren würde, was zwei Tage dauern würde. Clementine beschloss mitzukommen. Dann verpasste sie zwar das große Spiel am Freitag, aber das war bei Weitem nicht so wichtig, wie sich zu vergewissern, dass ihr Bruder am Leben war. Ein Teil von ihr freute sich sogar auf die Reise. Sie war noch nie an der Westküste gewesen. Ein anderer Teil von ihr hatte schreckliche Angst und wurde von Schuldgefühlen geplagt.

Lieber Heath, ich hoffe doch sehr, dass es dir gut geht. Schließlich hast du versprochen, mir Seattle zu zeigen, wenn ich mal an die Westküste komme. Das mit den Sehenswürdigkeiten fällt jetzt wohl flach. Aber wenn ich ehrlich bin, ist es mir wichtiger, dich gesund und munter zu sehen, als das Rock- und Pop-Museum zu besuchen.

Die Gemeindehalle war bis auf den letzten Platz besetzt. Es waren fast alle da. Glenmore war nicht groß, es hatte nur knapp tausend Einwohner, doch das kleine Gebäude konnte sie kaum fassen. Craig Strathmore, der Linebacker, saß fünf Reihen vor Clementine. Er hatte ihr zugewinkt, als sie mit ihren Eltern hereingekommen war, und die Geste hatte Schmetterlinge in ihrem Bauch ausgelöst. Im Vergleich zu den anderen Jungs aus der Gegend sah er zum Anbeten aus. Ganz vorn sah sie Jan und Imogene, zwei andere Cheerleader, mit denen sie oft zusammen war. Sie saßen ebenfalls bei ihren Eltern und man sah ihnen an, dass sie nicht freiwillig mitgekommen waren. Jan spielte mit einer Haarsträhne und ließ mit gelangweiltem Gesichtsausdruck ihren Blick über die Menge schweifen. Sie drehte sich um, und als sie Clementine entdeckte, rollte sie mit den Augen und zog übertrieben heftig die Schultern hoch. Clementine grinste sie an.

Sie wollte gerade ihren Vater fragen, ob sie sich zu ihren Freundinnen setzen konnte, als der Bürgermeister das Podium betrat.

»Darf ich um Ihre Aufmerksamkeit bitten?«

Sofort wurde es still in der Halle. Aller Augen richteten sich nach vorn und die Anwesenden warteten gespannt darauf, dass er zu reden begann. Es war die erste Notstandsversammlung seit über dreißig Jahren. Zwar wussten alle, worüber der Bürgermeister sprechen würde, doch sie fragten sich, was die Stadt Glenmore in einer solchen Situation tun wollte. Clementine tippte auf zahllose Wohltätigkeitsveranstaltungen mit Kuchenverkauf und Tombola auf dem Parkplatz der Kirche.

»Wie Sie bereits wissen, hat der Präsident alle Amerikaner gebeten, in der Stunde der Not zusammenzustehen«, begann der Bürgermeister. Offensichtlich war die Tonanlage noch nicht richtig eingestellt, denn es gab eine Rückkopplung mit einem unangenehmen Pfeifton. Sofort rannte jemand zum Podium und spielte an den Knöpfen herum und der Bürgermeister klopfte ein paarmal auf das Mikrofon, bevor er weitersprach. Einige der älteren Leute in den vorderen Reihen nahmen ihre Hörgeräte aus den Ohren. »Wir sind gebeten worden, Hilfslieferungen an die Westküste zu schicken, außerdem werden Freiwillige gesucht, die bei den Aufräumarbeiten helfen. Dort drüben werden eine Menge Leute vermisst und einige von ihnen sind auch aus unserer Stadt.«

Obwohl niemand so unhöflich war, sich umzudrehen und sie anzustarren, spürte Clementine, wie sich Hunderte unsichtbarer Augen auf ihre Familie richteten. Außer ihnen hatte sonst niemand Verwandte an der Westküste.

Sie sah, wie Craig ihr einen mitfühlenden Blick zuwarf, bevor ihm sein Vater etwas ins Ohr flüsterte, sodass er sich wieder umdrehte und auf das Podium starrte. Das Ganze kam ihr so komisch vor, dass sie Mühe hatte, ein Kichern zu unterdrücken.

Lieber Heath, wenn du stirbst, möchte ich dein Auto haben.

Nein, sie sollte jetzt besser nicht lachen.

Eine lautstarke Diskussion brach aus. Was hatte es mit den Gewaltausbrüchen auf sich – mit den Gerüchten darüber, dass die Leute sich gegenseitig umbrachten, ohne jeden Grund? Wie lange würde es dauern, bis es auch in Glenmore zu solchen Gräueltaten kam? Wie sollten sie sich schützen, wenn die Hälfte der Männer zum Helfen an die Westküste ging?

»Wir brauchen alle gesunden Männer hier bei uns«, brüllte jemand in der Menge. »Was sollen sie an der Westküste, wo Gott weiß was passieren kann? Damit schicken wir sie doch in den sicheren Tod.«

»Es wäre nicht sehr christlich von uns, Hilfe zu verweigern«, rief ein anderer. »Der Befehl kommt vom Präsidenten persönlich.«

»Hank, wie kannst du behaupten, ich sei kein Christ? Wo warst du denn letzten Sonntag? Zu Hause vor dem Fernseher, um dir das Spiel anzusehen?«

»Ruhe! Ruhe!«

Clementine bekam mit, dass jemand die Tür öffnete, denn genau in diesem Moment traf ein Windstoß ihren Nacken und ein eiskalter Schauder lief ihr über den Rücken. Sie hätte ihre warme Jacke anziehen sollen, aber es war schließlich September. Im September konnte man doch damit rechnen, dass es noch schön warm war, oder nicht?

Sie drehte den Kopf, um nach den Neuankömmlingen zu sehen. Henry und James Tills hatten die Gemeindehalle betreten. Beide lächelten, wirkten aber irgendwie bedrückt.

Mit Henrys Augen stimmte etwas nicht. Wenn Clementine ihn nicht so gut gekannt hätte, hätte sie auf Kontaktlinsen getippt, doch Henry war nicht der Typ dafür.

»Guten Abend, Jungs«, sagte der Bürgermeister. Das Mikrofon gab schon wieder einen durchdringenden Pfeifton von sich, sodass sich mehrere Leute die Ohren zuhielten. »Findet ihr nicht, dass es dafür noch etwas zu früh ist? Ihr braucht euch noch nicht zu bewaffnen.«

Ein leises Murmeln ging durch die Reihen und viele der Anwesenden drehten sich um und sahen zur Tür. Die Waffen bemerkte Clementine erst, als Henry und James an ihr vorbeigingen. Plötzlich griff ihre Mutter nach ihrer Hand.

»Clem«, flüsterte sie. »Du musst von hier weg. Steh auf.«

»Was?«

»Geh. Jetzt.« Ihre Mutter packte sie und zerrte sie mit einem heftigen Ruck von ihrem Stuhl auf den Boden. Clementines Knie schrammten über den Beton. Sie verlor einen ihrer Schuhe, hatte aber keine Zeit, danach zu suchen, denn ihre Mutter stieß sie in den Gang.

Clementine wollte den Mund aufmachen und protestieren, doch dann sah sie den Ausdruck auf dem Gesicht ihrer Mutter. Sie rappelte sich auf und strich sich die blonden Haare aus dem Gesicht.

In der Gemeindehalle war es mit einem Mal totenstill.

Sie ging ein paar Schritte rückwärts, in Richtung des Eingangs. Henry und James Tills waren schon an ihr vorbei und hatten die Mitte der Halle erreicht. Keiner der beiden sah zu ihr hin, als sie unschlüssig und mit hängenden Armen dastand. Clementine warf einen Blick zu ihrer Mutter, doch diese sah starr geradeaus, als würde sie mit jeder plötzlichen Bewegung die Aufmerksamkeit der Falschen auf sich ziehen.

Clementines Blick ging wieder zu den beiden Männern, die außer ihr die Einzigen im Raum waren, die standen.

James hielt seine Waffe in der Hand, doch seine Haltung war irgendwie merkwürdig. Sein Rücken zuckte, als hätte er einen Anfall. Die Muskeln unter seinem eng anliegenden Hemd bewegten sich. Auf seiner Hose war Blut. Sein Bein machte ein ekelhaftes, schmatzendes Geräusch, wenn er es belastete. Clementine starrte gebannt auf die Bewegungen seines Knöchels. Sie konnte sich einfach nicht von dem Anblick losreißen, wie sein Fuß beim Gehen über den Boden schleifte.

Ihre Mutter packte sie am Arm und riss sie aus ihrer Starre. Als Clementine ihr in die Augen blickte, sah sie etwas, das sie in den sechzehn Jahren ihres Lebens noch nie gesehen hatte. Ihre starke, selbstbewusste, eigensinnige Mutter hatte panische Angst. Das konnte nicht sein. Ihre Mutter war diejenige, die immer allen Mut machte. Sie verlor nie die Beherrschung. Dazu war sie viel zu robust. Zu stark. Clementine wollte etwas sagen, doch ihre Mutter legte einen Finger auf die Lippen. Ihre Hände zitterten.

»Geh«, formte ihre Mutter lautlos mit den Lippen. Ihr Vater machte eine Handbewegung, als würde er sie wegscheuchen wie eine lästige Fliege. Seine Augen sahen sie nicht an, sie waren auf die Rücken von Henry und James gerichtet. Auch er wirkte beunruhigt.

Clementine schüttelte den Kopf. »Kommt mit«, murmelte sie stumm.

Wieder packte ihre Mutter Clementines Arm und stieß sie von den Stühlen weg. Clementine ging langsam auf den Eingang zu, rückwärts, unfähig, den Blick von den beiden Männern loszureißen. Sie kannte Henry und James seit ihrer Kindheit. Die Männer waren bei allen beliebt. Sie saßen oft bei einem Kaffee im Diner und halfen bei den Festen in der Stadt aus. Auf der Weihnachtsfeier der Kirche spielte Henry jedes Jahr den Weihnachtsmann.

Panik lag wie elektrische Spannung in der Luft. Alle saßen wie erstarrt auf ihren Stühlen und warteten darauf, die sprichwörtliche Stecknadel fallen zu hören. Selbst die wenigen Leute in den hinteren Reihen, die Clementine wegschleichen sahen, schienen sie völlig zu ignorieren. Was würde geschehen, wenn Henry und James das andere Ende der Halle erreichten?

Sie wartete nicht, bis es so weit war. Ihre Schultern stießen gegen den Türrahmen, ihre Finger fanden den Knauf. Als sie einen Blick zu ihren Eltern warf, sah sie, dass sich ihr Vater und einige andere Männer von ihren Sitzen erhoben hatten. Ihre Mutter starrte auf ihre Hände. Clementine öffnete die Tür und schob sie einige Zentimeter weit auf. Sie hatte Angst, dass das Geräusch die anderen auf sie aufmerksam machte. Was, wenn ihr der Wind die Tür aus der Hand riss? Noch ein paar Zentimeter und dann hatte sie genug Platz, um sich durchzuquetschen. Ein kurzer Moment der Panik, als sie den Männern den Rücken zudrehte, um zu fliehen.

Als Clementine draußen war, fuhr ihr eine heftige Windböe ins Gesicht. Sie drückte die Tür so leise wie möglich zu. Was, wenn das Geräusch dennoch so laut war, dass sich alle umdrehten und zur Tür blickten? Schlimmer noch, was, wenn die Tür verriegelte und ihre Eltern nicht mehr entkommen konnten? Es fühlte sich wie Verrat an. Sie ließ alle zurück. Ihre Mutter und ihren Vater. Ihre Freunde. Sie wusste nicht, welchem Schicksal sie sie überließ. Bis jetzt war noch nichts passiert. In so einer kleinen Stadt geschah nichts Schlimmes. Ihre Mutter reagierte vermutlich übertrieben, aber irgendetwas in Clementine sagte ihr, dass sie wegrennen sollte.

Doch sie kam sich wie ein Feigling vor, weil sie sich alleine davonstahl.

Clementine beschloss, auf der Treppe zu warten, bis die anderen herauskamen. Auf dem Weg nach Hause würden sie alle darüber lachen. Und morgen würden sie ein paar Sachen zusammenpacken und nach Seattle fahren, um zu sehen, wie es Heath ging. Dann hatten sie wenigstens etwas zu erzählen.

Der Motor eines Autos erwachte dröhnend zum Leben. Scheinwerfer wurden eingeschaltet und tauchten sie in blendend weißes Licht.

»Ja, wen haben wir denn da? Eine kleine Ausreißerin.«

Clementine kannte die Stimme. Sie gehörte ihrem Nachbarn Sam Anselm. Sie ging ein paar Schritte weiter, bis sie durch das grelle Scheinwerferlicht hindurch etwas erkennen konnte.

Die Gemeindehalle war umstellt.

Es waren mindestens zwanzig Männer und Frauen, alle bewaffnet und bereit zum Angriff. Sie hatten ihre Autos um das Gebäude gestellt, damit niemand entkommen konnte. Clementine sah mit Schrecken, dass Sam jede ihrer Bewegungen mit seinem Gewehr verfolgte.

»Sam, was ist denn los?« Ihre Stimme hörte sich nervös und irgendwie fremd an. Sie schluckte, aber es half nicht.

»Junge Dame, ich glaube, du solltest wieder hineingehen«, sagte Sam. »Das heißt, wenn du es wirklich wissen willst.«

»Und wenn ich es nicht wissen will?«

»Dann machen wir hier draußen eine kleine Party. Nur du und ich.«

Sam war bei ihr, bevor sie reagieren konnte. Er packte sie am Arm und zerrte sie von der Gemeindehalle weg in Richtung seines Pick-ups. Sie wollte sich losreißen, doch er war zu stark.

»Sam. Sam, bitte hör auf!«, flehte sie. Die anderen gingen mit erhobenen Waffen auf die Gemeindehalle zu. »Tu das nicht!«

»Aber es gefällt mir«, sagte er.

Clementine stolperte über den Gehweg und wäre um ein Haar hingefallen. Die Muskeln in ihrem Arm protestierten und Tränen stiegen ihr in die Augen, als Sam sie hinter sich herzerrte. Sie hatte Angst, dass die Bänder in ihrem Arm rissen, wenn sie sich weiter wehrte. Daher ließ sie zu, dass er sie noch einige Meter weiterzog, bis er am Rand des Parkplatzes stehen blieb.

Plötzlich ließ er sie los und starrte sie an, als wüsste er nicht, wer sie war. Er riss die Augen auf und sah sie verwirrt an.

»Clem?«

»Sam?«

»Ich hab dir doch nicht wehgetan, oder? Bitte sag, dass ich dir nicht wehgetan hab.« Er streckte die Arme aus und packte sie an den Schultern.

»Nein, ich bin in Ordnung. Ich …«

»Du musst von hier weg! Sofort! Bevor ich wieder zurückgehe. Ich gehe rein und wieder raus. Mein Gehirn. Die Stimmen. Weißes Rauschen. Sie sind so laut. Ich kann sie nicht aufhalten. Sie sagen mir, was ich tun soll.«

»Wovon redest du da, Sam? Ich kann nicht weg. Meine Eltern sind da drin.«

»Geh. Du musst gehen oder sie werden dich töten. Ich werde dich töten. Wenn es zu stark wird, kann ich es nicht mehr aufhalten.«

»Was? Was wird zu stark?«

»Ich weiß es nicht. Die Stimmen. Das, was in meinem Kopf ist. Es ist real. Es ist in meinem Kopf und kämpft gegen mich an.«

Er stieß sie von sich weg und Clementine musste daran denken, wie ihre Mutter das Gleiche getan hatte. Alle sagten ihr, dass sie weglaufen solle, aber niemand sagte, wohin.

Schüsse peitschten durch die Nacht. Sie kamen aus dem Innern der Gemeindehalle. Jemand schrie gellend.

Alle, die sie kannte, waren in diesem Gebäude.

»Lauf!«, schrie Sam, der ihre Gedanken zu lesen schien. »Du kannst nichts für sie tun. Aber geh nicht nach Hause. Dort werden sie zuerst nach dir suchen.«

»Aber wo soll ich denn hin?«

Plötzlich stürzte Sam auf die Knie, presste die Hände auf die Ohren und begann zu schreien. Sein Gewehr fiel neben ihm auf den Boden und Clementine überlegte, ob sie es an sich nehmen sollte. Doch sie konnte nicht mit Waffen umgehen; das Gewehr würde ihr nichts nützen.

Als Sam den Kopf hob, war sein Blick trüb, und als er sie anstarrte, schien er nicht zu wissen, wer sie war. Bei seinem Sturz hatte er sich auf die Lippe oder in die Wange gebissen. Er lächelte – sie konnte das Blut auf seinen Zähnen sehen. Dann setzte ihr Herz für einen Moment aus.

Sam schien plötzlich jemand anders zu sein.

Clementine beschloss, das zu tun, was man ihr sagte. Sie drehte sich um und lief weg.

MICHAEL

»Ich kann das nicht mehr hören. Schieb Musik rein oder irgendwas anderes. Die Nachrichten nerven.«

Sie waren in Joes Pick-up unterwegs, ohne ein bestimmtes Ziel, einfach nur so. Wie jeden Nachmittag nach Schulschluss. Dieses Ritual hatten sie eingeführt, als beide vor einem Jahr ihren Führerschein gemacht hatten. Michael kurbelte das Fenster herunter und genoss den Wind, der sich in seinen langen braunen Haaren fing.

»Was willst du hören?«

»Mir doch egal. Alles, nur nicht diesen Scheiß da. Wer interessiert sich schon für ein Erdbeben?«

Michael interessierte sich dafür, doch das wollte er nicht zugeben. Außerdem hatte Joe recht, seit Stunden hatte es nichts Neues mehr in den Nachrichten gegeben. Seit gestern Abend die ersten Berichte hereingekommen waren, wurde immer wieder das Gleiche gesendet. Die meisten Informationen wurden in Endlosschleife wiederholt. Niemand schien etwas zu wissen. Er sah die Musik-CDs durch und entschied sich für Green Day, die einzige CD, die noch nicht bis zur Unkenntlichkeit zerkratzt war. Joe ging nicht sehr pfleglich mit seinen Sachen um.

»Hast du schon von der Sache mit Bigfoot gehört?« Das war Joes Spitzname für Mr Petrow, den durchgeknallten Vietnam-Veteranen, der in der Straße wohnte, in der auch ihre Schule lag. Er beschimpfte immer die Teenager, die seinem Rasen zu nahe kamen. Und er hatte eines der wenigen Häuser, die in schöner Regelmäßigkeit mit Toilettenpapier eingewickelt wurden.

»Ja, er ist gestern auf den Briefträger losgegangen oder so ähnlich.«

»Er hat ihm das halbe Ohr abgebissen«, erwidert Joe. »Abgebissen. Und dann hat er noch eine Weile drauf rumgekaut, bis die Polizei ihn mit einem Taser erwischt hat. Das ist doch krank, oder?«

»Was haben sie mit ihm gemacht?«

»Ich habe gehört, dass sie ihn die Klapse gesteckt haben. Das wurde auch langsam Zeit. Und überraschen tut's mich auch nicht. Der hat doch schon seit Jahren einen an der Klatsche.«

Michael klopfte im Takt der Musik mit seinen Fingern auf die Autotür. Es war ein merkwürdiges Gefühl, als er daran dachte, dass Mr Petrows Haus jetzt leer war. Der Mann hatte sehr zurückgezogen gelebt und sein Grundstück nur selten verlassen, bis auf einen Tag in der Woche – Montag –, an dem er immer bei Safeways einkaufen ging. Er war so etwas wie eine Sehenswürdigkeit im Ort. In Whitefish gab es sonst nicht viel zu sehen.

»Glaubst du, dass sie das Haus verkaufen werden?«, fragte er.

»Soweit ich weiß, hat er keine Familie mehr. Ich frage mich, was aus seinen Sachen wird.«

Joe antwortete nicht. Plötzlich bremste er scharf und wich leicht nach rechts aus. »Was zum Teufel macht der denn da?«

Vor ihnen standen ein Motorrad und ein Auto, deren Fahrer sich offenbar stritten. Der Autofahrer, der den Kopf aus dem Fenster streckte, beschimpfte wüst den Mann auf dem Motorrad. Als der Motorradfahrer davonzufahren versuchte, hupte der Autofahrer mehrmals und gab Gas. Das Autokennzeichen war aus einem anderen Bundesstaat – Idaho.

»Na, da haben wir aber ein schönes Beispiel für aggressives Verhalten im Straßenverkehr«, bemerkte Michael.

Joe steckte den Kopf aus dem Fenster. »Hey, Mann, reg dich ab!«, brüllte er. »Nur die Liebe zählt.«

»Joe, ich glaube nicht, dass er auf dich hören wird.«

Der Autofahrer vor ihnen hupte schon wieder, dann leuchteten die roten Bremslichter auf, als er langsamer wurde und seine Geschwindigkeit an die des Motorradfahrers am Straßenrand anpasste.

Der Motorradfahrer hatte offenbar genug. Er jagte den Motor hoch und fuhr schneller, bis er das Auto fast hinter sich gelassen hatte.

»Oh mein Gott!«

Der Autofahrer hielt direkt auf das Motorrad zu und erwischte es mit der vorderen Stoßstange am Hinterrad. Der Fahrer verlor die Gewalt über seine Maschine, die zur Seite ausbrach, auf die Gegenfahrbahn geriet und dort mit einem Sattelschlepper zusammenstieß. Der Mann und sein Motorrad schossen auf Joes Wagen zu. Der Fahrer überschlug sich mehrmals in der Luft, wie eine Stoffpuppe, die jemand durch die Luft wirft. Joe trat auf die Bremse und riss das Steuer herum, was den Pick-up in den Straßengraben rutschen ließ.

Zu den Klängen von Green Day hörte Michael, wie der Fahrer auf die Fahrbahn prallte. Das schmatzende Geräusch erinnerte ihn an einen mit Wasser gefüllten Luftballon, der durch einen Aufprall zerplatzte.

Der Sattelzug kam knapp vor den Bäumen am Straßenrand

zum Stehen. Michael wurde mit voller Wucht in seinen Sicherheitsgurt gedrückt und spürte, wie ein scharfer Schmerz durch
seine Brust bis in seine Schulter schoss.

»Oh mein Gott, hast du das gesehen? Hast du das gesehen?«
Joes Stimme war mit einem Mal mehrere Oktaven höher. »Ich
muss kotzen.« Er schaffte es gerade noch, die Fahrertür auf-
zustoßen, bevor er sein Mittagessen von sich gab.

Michael war fest davon überzeugt, dass mit seinen Augen etwas nicht stimmte. Er konnte einfach nicht fassen, was er gerade erlebt hatte. Hatte der Fahrer das mit Absicht getan? Es sah
ganz danach aus. Aber wer würde so etwas tun? Er musste sich
irren. So etwas machte kein Mensch.

Er stieß die Beifahrertür auf und stieg aus, bevor ihm der Gestank von Joes Erbrochenem zu sehr auf den Magen schlug.
Nachdem er aus dem Straßengraben geklettert war, gesellte er
sich zu den Schaulustigen, die den Unfallort umgaben.

Mehrere Fahrzeuge waren mitten auf dem Highway stehen
geblieben, darunter auch der Sattelschlepper und das Auto des
wütenden Fahrers. Die Leute stiegen aus, wussten aber nicht,
was sie tun sollten. Die meisten von ihnen standen einfach nur
da, einen verwirrten Ausdruck auf dem Gesicht. Jemand zog
eine Kamera aus der Tasche und fing an zu fotografieren.

Der Motorradfahrer war tot. Sein Körper lag lang ausgestreckt
auf der Straße und hatte an der Stelle, an der er über die Straße
gerutscht war, eine deutlich erkennbare Blutspur hinterlassen.
Er trug immer noch seinen Helm und Michael war froh, dass er
die Augen des Mannes nicht sehen konnte. Er wandte den Blick
ab und machte sich auf die Suche nach dem Fahrer des Wagens.
Michael an seiner Stelle wäre jetzt fix und fertig. Vermutlich
hätte er sich von der nächstbesten Brücke gestürzt. Vor ein paar

Monaten war ihm ein Hirsch ins Auto gelaufen; er hatte immer noch Albträume davon. Ein Tier zu überfahren war schon schlimm genug, er konnte sich nicht vorstellen, wie er sich fühlen würde, wenn er einen Menschen umgebracht hätte.

Der wütende Fahrer hatte sein Auto ein Stück die Straße hinunter geparkt und kam schwer atmend und mit hochrotem Kopf auf die Menge zu. Er redete unaufhörlich mit sich selbst und blieb nur einmal kurz stehen, um ein älteres Ehepaar anzubrüllen, das sich völlig verängstigt neben seinen Wagen kauerte.

Der Mann ging an den Schaulustigen vorbei, wich dem völlig zerstörten Motorrad aus und blieb vor der Leiche stehen. Er fing an, den Toten übel zu beschimpfen, während er mit dem Fuß gegen den Motorradhelm trat.

Die Zuschauer erstarrten. Niemand wusste, was zu tun war. Eine Frau begann zu weinen und ihr Wimmern mischte sich mit dem Geräusch der dumpfen Tritte, die den Helm trafen. Schließlich ging der Fahrer des Sattelschleppers auf den Mann zu, packte ihn von hinten an der Jacke und zerrte ihn weg. Trotz der angespannten Situation redete er beruhigend auf ihn ein, doch es zeigte wenig Wirkung. Der wütende Mann richtete seinen Zorn jetzt gegen den Fahrer des Sattelschleppers und fing an, ihm die Finger ins Gesicht zu stoßen, als wollte er ihm die Augen ausstechen.

Michael hatte genug. Er sah einen der Zuschauer an, der ein paar Meter von ihm entfernt auf der Straße stand. Der ältere Mann, der eine Stirnglatze hatte, nickte ihm zu. Sie gingen auf die beiden Männer zu. Michael stieß den Verrückten nach hinten und sein Helfer packte ihn an den Armen, um der Raserei ein Ende zu machen.

Doch der Verrückte setzte sich heftig zur Wehr. Letztendlich waren sechs Männer notwendig, um ihn niederzuringen und auf die Straße zu werfen. Obwohl sich der Fahrer des Sattelschleppers und ein kräftiger Mann auf ihn setzten, brüllte der Wahnsinnige einfach weiter und beschimpfte jeden, der ihm zu nahe kam, während ihm der Speichel von den Lippen tropfte.

»Bleib hier«, sagte der Mann mit der Stirnglatze. »Ich habe ein Handy in meinem Auto. Ich rufe die Polizei.«

Michael sah zu Joe hinüber, der mit bleichem Gesicht auf einem großen Stein neben seinem Pick-up saß. Einige andere Leute hatten sich zu ihm gesellt, die meisten von ihnen Frauen, aber auch das ältere Ehepaar. Alle bemühten sich sichtlich, nicht in die Nähe des Verrückten zu kommen. Obwohl der Mann im Moment unter Kontrolle war, konnte Michael es ihnen nicht verdenken.

»Das Telefon funktioniert nicht«, sagte der Mann mit der Stirnglatze, als er zurückkam. Er hielt ein iPhone in der Hand. »Ich habe zwar ein Netz, aber ich komme nicht durch. Hat jemand ein Handy, das funktioniert?«

»Das brauchen wir nicht«, sagte der Fahrer des Sattelschleppers. Er wies mit dem Kopf in die Richtung hinter ihnen. »Die Polizei kommt schon. Ich kann das Blaulicht sehen.«

In einiger Entfernung erblickte Michael die roten und blauen Warnlichter eines Streifenwagens, der versuchte, durch die Zuschauer zu kommen. Obwohl der Unfall alle vier Fahrbahnen betraf, standen weniger als ein Dutzend Fahrzeuge am Straßenrand. Sollten es nicht mehr sein? Wo waren die Leute? Hatte die Polizei den Verkehr bereits umgeleitet?

Jemand holte eine Decke aus seinem Auto und legte sie auf den Toten. Allerdings war er zu groß, sodass Unterschenkel und Füße aus der karierten Decke herausragten. Auch das Blut war noch zu sehen.

Die Polizisten hatten sich ihren Weg durch die kleine Menge gebahnt. Michael kannte einen von ihnen, Clive Templeton. Er hatte vor ein paar Jahren an der Highschool, die auch Michael besuchte, seinen Abschluss gemacht. Clive war der Erste, der den Unfallort erreichte. Der andere, Officer Burke, blieb stehen, um mit dem älteren Ehepaar zu sprechen, das sichtlich aufgeregt war.

»Treten Sie bitte zurück!«, forderte Clive. Er redete eine Weile mit dem Fahrer des Sattelschleppers und dem Mann mit der Stirnglatze. Michael ging nicht zu ihnen hinüber, schließlich hatte er dasselbe gesehen wie alle anderen. Nach ein paar Minuten legten Clive und Burke dem Mann, der immer noch Beleidigungen brüllte, Handschellen an, packten ihn an den Armen und stellten ihn auf die Füße.

»Sie können jetzt alle zu Ihren Fahrzeugen gehen«, sagte Burke. »Hier gibt es nichts mehr zu sehen.«

Michael kam das sonderbar vor. Sollten die Polizisten nicht auch die anderen Umstehenden befragen? Er kannte sich mit Strafrecht nicht aus, aber brauchte man nicht so viele Zeugenaussagen wie möglich, wenn die Sache vor Gericht ging? Was, wenn der Verrückte auf nicht schuldig plädierte? Er beschloss, den Polizisten seine Telefonnummer oder seine Personalien zu geben, falls sie ihn doch noch brauchen sollten, und ging auf die beiden zu.

Doch die Polizisten ignorierten ihn und drängten alle Leute vom Unfallort weg. Der Fahrer des Sattelschleppers stieg in sein Fahrzeug und ließ den Motor an. Der Mann mit der Stirnglatze kam zu Michael und stellte sich neben ihn.

»Hier stimmt doch was nicht«, sagte Michael.

»Der Meinung bin ich auch«, erwiderte der Mann.

»Sollten sie nicht mehr tun? Sie haben nicht mal einen Rettungswagen gerufen. Was wollen sie denn mit dem Toten machen? Ihn an den Straßenrand legen und hoffen, dass er nicht von wilden Tieren gefressen wird?«

Der Mann schnaubte empört. »Vielleicht kommt der Rettungswagen ja noch.«

»Das will ich hoffen.« Er drehte sich um und hielt dem Mann die Hand hin. »Ich heiße Michael.«

»Evans.« Sie schüttelten sich die Hände. Evans gab ihm eine Visitenkarte mit seinem Namen. »Nur für den Fall. Man weiß nie, ob man sie nicht doch mal gebrauchen kann.«

Clive kam zu ihnen herüber. »Ich sagte, zurück zum Wagen«, fuhr er sie an. Er trug eine Sonnenbrille, die Sorte, bei der die Gläser verspiegelt waren, sodass es unmöglich war, seinen Gesichtsausdruck zu lesen. »Bring mich bloß nicht dazu, dir in den Hintern zu treten, Mikey. Verschwinde!«

Michael steckte die Visitenkarte in seine Gesäßtasche, nickte Clive zu und ging ein paar Schritte rückwärts. Er fand es beunruhigend, dass er die Augen des Polizisten nicht sehen konnte. Evans schien das Gleiche zu denken, denn er drehte sich um und ging zu seinem Wagen, ohne sich von ihm zu verabschieden.

Als Michael wieder am Pick-up war, sah er, dass Joe am Steuer saß und den Schlüssel umdrehte, doch der Motor sprang nicht an.

»Ich weiß nicht, was los ist«, sagte er. »Wahrscheinlich ist etwas kaputtgegangen, als ich in den Graben gefahren bin. Er will einfach nicht.«

»Na großartig.« Michael sah zu den beiden Polizisten hinüber. Wie würden sie reagieren? Die meisten Schaulustigen waren bereits verschwunden; einige Leute fuhren gerade an und lenkten ihre Autos wieder auf den Highway. Auch der Sattelschlepper war bereits losgefahren; Michael konnte gerade noch erkennen, wie die Rücklichter in einer Kurve verschwanden. Evans saß am Steuer seines Wagens am Straßenrand und beobachtete die Polizisten. Sie hielten den Verrückten zwischen sich fest und redeten leise auf ihn ein. Der Mann sah gar nicht mehr so wütend aus. Er war blass und hatte die Augen weit aufgerissen. Und er zitterte.

»Habe ich nicht gesagt, ihr sollt ins Auto steigen?«, rief Burke, während er auf den Pick-up zuging. Er richtete seine Waffe auf Michaels Kopf. »Glaub bloß nicht, dass ich nicht abdrücke.«

Michaels Knie zitterten, als seine Körpertemperatur um mehrere Grad sank. Er wusste nicht, was er antworten sollte. Was sagte man, wenn einem jemand eine Waffe vors Gesicht hielt? Zweimal machte er den Mund auf, doch er brachte keinen Ton heraus. »Unser Auto funktioniert nicht«, murmelte er schließlich, während er mit der Hand auf Joe deutete. Er wagte es nicht, den Blick von der Waffe zu nehmen.

»Das ist doch nicht mein Problem«, erwiderte Burke.

Evans' Wagen hielt neben ihnen. »Steigt ein«, sagte der Mann mit der Stirnglatze. »Ich bringe euch nach Hause.«

Burke nickte Evans zu, was wohl hieß, dass sie das Angebot besser annehmen sollten. Der Polizist nahm seine Waffe herunter, drehte sich um und ging zu der Stelle zurück, an der Clive den in Handschellen gelegten Mann festhielt. Michael sah Joe an, der sich nicht zweimal bitten ließ. Sie stiegen in Evans' Wagen und Joe verstaute seine langen Beine im Fond.

»Danke.« Michael ließ das Fenster herunter, als Evans langsam anfuhr. Während sie sich von der Unfallstelle entfernten, beobachtete er im Außenspiegel, wie die beiden Polizisten und der Wahnsinnige immer kleiner wurden. Sie waren etwa fünfzehn Meter weit gekommen, als es passierte.

Officer Burke, der den Verrückten am Arm gepackt hielt, ließ ihn los. Der in Handschellen gelegte Mann stand ein paar Sekunden lang einfach nur da. Sein Blick ging zwischen den Polizisten und dem Wald hin und her. Und dann sah Michael, wie Clive ihm einen unsanften Stoß verpasste.

»Was soll das denn jetzt?« Michael drehte sich um und Evans bremste scharf, als der Mörder des Motorradfahrers loslief, die Hände immer noch hinter dem Rücken gefesselt, direkt auf den Wald zu.

Er hatte keine Chance. Burke hob seine Waffe, zielte und erschoss den Mann, bevor er von der Straße herunter war. Der Mann fiel nach vorn, stürzte auf die Fahrbahn und rollte noch ein Stück weiter, bis er im Straßengraben zu liegen kam.

»Er hat den Typ gerade erschossen«, stammelte Joe.

»Fahren Sie los« sagte Michael zu Evans, überrascht darüber, dass seine Stimme so ruhig klang. In seinem Kopf überschlugen sich die Gedanken. Hinter ihnen richtete Clive seine Waffe auf Evans' Auto und drückte ab.

»Runter!«, brüllte Evans, als er das Gaspedal durchdrückte.

Mit einem lauten Knall platzte die Heckscheibe und Glassplitter regneten auf Joe herab. Michael duckte sich, als Evans mit kreischenden Reifen davonfuhr und schwarze Gummispuren auf der Straße zurückließ.

In den nächsten fünf Minuten rasten sie mit Höchstgeschwindigkeit über den Highway, doch es sah nicht so aus, als würden sie von den beiden Polizisten verfolgt werden. Schließlich bremste Evans den Wagen auf die zulässige Geschwindigkeit herunter.

Michael zog sein Mobiltelefon aus der Tasche, zögerte aber, als ihm bewusst wurde, dass er keine Ahnung hatte, wen er anrufen sollte. Wenn er 911 wählte, würde ihm dort jemand glauben? Er hatte das Ganze miterlebt, verstand aber immer noch nicht, was eigentlich passiert war. Trotzdem gab er die Nummer ein, erhielt aber nur ein Besetztzeichen. Er versuchte es noch ein zweites Mal, dann ein drittes Mal. Dieses Mal hörte er eine Aufnahme: Im Moment rufen zu viele Leute an, die Leitungen sind überlastet – bitte versuchen Sie es später noch einmal. Was zum Teufel war da los? Er hatte noch nie gehört, dass der Notruf besetzt war. Wen könnte er noch anrufen? Sein Vater war geschäftlich in Denver unterwegs, außerdem gab es eigentlich keinen Grund, ausgerechnet ihn anzurufen, bis auf die Tatsache, dass Michael panische Angst hatte. Schließlich wählte er die Nummer seines Vaters, doch der Anruf ging nicht durch. Er bekam nicht einmal eine Ansage, dass die Nummer nicht erreichbar war.

»Das Telefonnetz ist zusammengebrochen«, sagte er.

»Das Radio funktioniert auch nicht«, stellte Evans fest. »Ich bekomme keinen einzigen Sender. Es rauscht nicht einmal. Ganz komisch. Kann es an den Bäumen liegen?«

»Wir haben hier immer Empfang«, meinte Joe. »Nicht weit von hier steht ein Sendemast.«

»Dann liegt es an etwas anderem«, erwiderte Evans.

Sie fuhren weiter und eine Weile schwiegen alle. Joe lenkte sich damit ab, die Glassplitter auf dem Rücksitz zu sammeln und aus dem Fenster zu werfen. Schließlich hob er den Kopf und blickte verstört um sich: »Ich muss nach Hause«, stammelte er. »Mom bekommt einen Anfall, wenn sie herausfindet, dass ich den Pick-up zurückgelassen habe.«

»Wir fahren auf keinen Fall zurück, um ihn zu holen«, erwiderte Michael.

»Der Pick-up ist auch noch unser einziges Auto«, jammerte Joe. »Der Jeep ist gerade in der Werkstatt. Dad hat ihn heute Morgen hingebracht, mit den Bremsen stimmt was nicht. Ich sollte ihn heute Abend hinfahren, damit er ihn abholen kann.«

»Sie werden es schon verstehen.«

»Da bin ich mir nicht so sicher. Dad war heute Morgen schon extrem schlecht gelaunt. Er hat sich ziemlich merkwürdig benommen.«

»Ich glaube, wir sollten uns erst mal Gedanken darüber machen, wie wir wieder heil nach Hause kommen.«

»Ich kann euch fahren«, sagte Evans. »Wo wohnt ihr?«

»Whitefish«, antwortete Michael.

»Ich weiß, wo das ist. Ich übernachte in dem Hotel dort.«

»Danke.«

Es dauerte nicht lange, bis sie wieder in der Stadt waren. Michael zeigte Evans den Weg, dann setzten sie Joe als Ersten zu Hause ab. Ohne ein Wort stieg er aus und ging die Treppe zur Veranda hoch. Er stand unter Schock. Michael konnte es ihm nicht verdenken, schließlich hatten sie gerade einen Mord und eine Hinrichtung miterlebt.

Als Evans in die Einfahrt vor Michaels Wohnung abbog, war alles ruhig. Was hatte er erwartet? Einen Streifenwagen mit eingeschaltetem Blaulicht? Würden Clive und Burke ihn suchen? Michael wollte nicht darüber nachdenken. Er glaubte nicht, dass sie wussten, wo er wohnte, aber das hatte nicht viel zu bedeuten. Schließlich waren sie Polizisten. Wenn sie wollten, würden sie ihn finden.

Evans musste seine Gedanken gelesen haben. »Falls die Polizisten nach dir suchen – ich übernachte im Super Eight. Zimmer 614. Komm vorbei, wenn du Hilfe brauchst.«

Michael nickte und stieg aus. Während er zusah, wie der Mann mit der Stirnglatze wegfuhr, ging seine Hand zu der Visitenkarte in seiner Gesäßtasche.

ARIES

Im Gegensatz zu ihr hatte der fremde Junge keine Skrupel, sich zwischen den Toten zu bewegen. Während er durch den Bus ging, blieb er alle paar Schritte stehen und drehte Leichen herum, damit er ihre Gesichter sehen konnte. Aries, die hinter ihm war, versuchte, nicht das Gleichgewicht zu verlieren. Es gab nicht viele freie Stellen, auf die sie ihre Füße setzen konnte, und sie wollte nicht aus Versehen jemandem auf den Arm oder die Finger oder vielleicht sogar ins Gesicht treten. Der Gedanke daran, dass sie bei der geringsten falschen Bewegung auf dem Leichenberg landen würde, jagte ihr panische Angst ein. Daher hielt sie sich dicht hinter dem Fremden und benutzte die Sitzgestelle als Stütze.

Er riss einen Mann an seiner Jacke hoch und schob ihn zur Seite. Darunter lagen noch mehr Leichen. Sie waren aufeinandergestapelt, als wäre beim Cheerleading eine Pyramide zusammengebrochen. Er streckte die Hand aus und fühlte an einem Handgelenk nach einem Puls. »Die hier lebt noch.«

Aries wollte sehen, zu wem die Hand gehörte, konnte in dem Durcheinander aus Kleidung und Leichen aber nichts erkennen. Die aufkeimende Hoffnung wurde gleich wieder zerstört, als der Fremde einen Rucksack zur Seite schob und das Gesicht einer Frau mittleren Alters freilegte.

»Sollten wir sie nicht raustragen?« Vor Jahren hatte sie einen

Erste-Hilfe-Kurs in der Schule gemacht, aber sie konnte sich nicht mehr daran erinnern, was zu tun war. Man sollte Verletzte nicht bewegen, für den Fall, dass die Halswirbelsäule geschädigt war, aber war es nicht viel schlimmer, wenn man sie einfach im Bus ließ? Doch wenn sie die Verletzten auf die Straße legten, wurden sie dort vielleicht überfahren. Und wenn Benzin auslief und der Bus explodierte? Wäre es dann nicht besser, alle ins Freie zu schaffen?

»Nein«, sagte er. »Wir lassen sie hier.«

»Wann, glaubst du, kommt ein Rettungswagen?«

Der Fremde richtete sich auf und wischte sich die Hände an seiner Jeans ab, was Blutflecken auf dem Stoff hinterließ. Als er weiterging, wich er ihrem Blick aus. »Es wird kein Rettungswagen kommen.«

Aries erstarrte. »Wie meinst du das?«

»Die Stadt wurde völlig zerstört. Die Straßen sind aufgerissen. Tausende sind tot oder liegen im Sterben. Glaubst du wirklich, dass Hilfe kommt?«

»Aber sie müssen kommen.«

»*Sie* müssen gar nichts.«

»Die Leute hier werden sterben.«

Der Fremde drehte sich um und sah sie an. »Und ein paar Millionen andere auch. Was machen ein paar mehr schon aus?«

»Was meinst du mit Millionen?«

»Das Erdbeben hat nicht nur Vancouver getroffen. Seattle, Los Angeles, Mexiko. Sogar Alaska, wenn wir in die andere Richtung gehen. An der Westküste leben eine Menge Leute. Aber es ist nicht nur Nordamerika. Ein Erdbeben dieser Stärke wirkt sich vermutlich noch in Asien aus.«

»Oh.«

Der Fremde ging weiter, schob Leichen beiseite, suchte hin und wieder nach einem Puls. Er war jetzt einige Meter von ihr entfernt und hatte schon fast den hinteren Teil des Busses erreicht.

Aries kniete sich vor eine Frau mittleren Alters, die schon halb tot war. Sie legte der Frau ihre Hand auf die Stirn und überlegte, was sie tun konnte, um ihr das Leben zu retten. Der kurze Lehrgang, an dem sie vor einigen Jahren teilgenommen hatte, half ihr in dieser Situation nicht viel. Sie wusste, wie man Mund-zu-Mund-Beatmung machte, das war aber schon alles. Sie nahm die schlaffe Hand der Frau und drückte sie sanft, während sie nach Worten suchte, um etwas Tröstliches zu sagen. Die Frau war zwar bewusstlos, aber vielleicht konnte sie sie dennoch hören.

»Ich glaube, ich habe deine Freundin gefunden.«

Er stand ganz hinten im Bus und sie konnte nicht erkennen, wo er hinsah. Aries ließ die Hand der sterbenden Frau los. Dann stand sie auf und ging zu ihm.

»Ist sie tot?«

Der Fremde wandte den Blick etwas zu schnell ab. Das genügte ihr als Antwort. Ihre Unterlippe begann zu zittern und sie atmete tief ein und aus, um nicht in lautes Schluchzen auszubrechen. Während sie sich an einen zertrümmerten Sitz klammerte, konzentrierte sie sich darauf, das Gleichgewicht zu behalten und die Tränen zurückzudrängen, die ihr in die Augen schossen. Sie war fest entschlossen, ruhig zu bleiben. Sie wollte vor dem Fremden nicht die Beherrschung verlieren, dazu würde sie später noch Gelegenheit haben, wenn sie wieder allein war. Jetzt würde sie tapfer sein.

»Du musst nicht hinsehen.« Er hatte sie durchschaut. »Wenn du ein Bild von ihr hast, kann ich sie identifizieren.«

Um ein Haar hätte sie sein Angebot angenommen, doch sie wusste, dass sie es für den Rest ihres Lebens bereuen würde. »Nein, schon in Ordnung. Mir geht's gut.« Sie holte noch einmal tief Luft, machte die Augen zu und zählte in Gedanken bis drei. Dann öffnete sie die Augen und konzentrierte sich auf das, was sie vor sich sah.

Das Mädchen, das vor ihr auf dem Boden lag, den Kopf in einem merkwürdigen Winkel gegen die zertrümmerten Sitze gedrückt, war tatsächlich Sara. Ihre Augen waren offen und starrten auf die Werbeanzeigen für Aus- und Fortbildung. Eine Hand lag auf ihrer Brust, die andere verschwand unter ihrem Körper. Die Beine waren in verschiedene Richtungen gespreizt. Aus ihrem Mund tropfte Blut, das bereits anfing zu gerinnen. Ihr Hals war sonderbar verdreht und in ihrem blutüberströmten Gesicht klebten ein paar blonde Haarsträhnen.

Warum hatte sie nur die Augen auf?

»Das ist sie«, flüsterte sie.

»Es tut mir leid«, sagte der Fremde.

Wie lange würde es wohl dauern, bis sie Sara wegbringen konnten? Sie musste Saras Eltern anrufen. Wenn ihnen nichts passiert war, konnten sie vielleicht herkommen und ihre Tochter holen. Sie wohnten gar nicht so weit von hier. Aries zog ihr Mobiltelefon aus der Tasche, bekam aber kein Netz. Was keine große Überraschung war – das Erdbeben hatte mit Sicherheit alle Kommunikationsmöglichkeiten zerstört.

Dann musste sie eben laufen. Wenn sie jetzt losging, würde sie in ein paar Stunden bei Saras Eltern sein. Aber konnte sie Sara einfach so allein lassen? Was, wenn jemand etwas mit ihrer

Leiche anstellte? Als sie ihre tote Freundin ansah, glaubte sie, einen anklagenden Ausdruck in ihren Augen zu sehen, der sie anflehte, nicht wegzugehen.

»Kannst du ihr die Augen zumachen?«

Sie war froh, dass er nicht grinste oder ihr einen merkwürdigen Blick zuwarf. Stattdessen streckte er die Hand aus und strich mit den Fingerspitzen über Saras Haut. Ihre schönen grauen Augen schlossen sich für immer.

»Danke.«

»Wir sollten jetzt gehen. Es ist gefährlich, wenn wir bleiben.«

»Können wir sie mit irgendwas zudecken?« In dem Moment, in dem sie das sagte, kam sie sich dumm vor. »Weißt du, irgendwie halte ich das nicht für richtig, sie so liegen zu lassen.«

Der Fremde zog seine Jacke aus und legte sie behutsam auf ihre tote Freundin. Sie bedeckte nur ihr Gesicht und ihre Schultern, doch Aries ging es sofort besser. Aber sie machte sich Sorgen um den Jungen. Er trug jetzt nur noch ein Hemd, und obwohl sie noch September hatten, wurde es langsam kühl. Unter dem engen Hemd konnte sie seine Muskeln erkennen. Seine Arme waren blass und nackt; sie wollte sie wieder um sich spüren, wollte sich von ihnen trösten lassen. Bei dem Gedanken daran stieg ihr das Blut in die Wangen. Verlegen wandte sie sich ab.

»Du musst das nicht tun«, sagte sie.

»Ich weiß.«

»Du wirst frieren.«

»Schon in Ordnung.«

Sie suchten noch ein paar der im Bus liegenden Körper auf Lebenszeichen ab, doch schließlich kletterten Aries und der Fremde wieder aus dem Bus. Alle Fahrgäste waren tot, lagen im

Sterben oder konnten sich nicht bewegen. Sie konnten nichts tun, um zu helfen, und daher gingen sie. Aries hielt es für falsch, andererseits wusste sie nicht, was richtig gewesen wäre.

Das Erste, was ihr auffiel, als sie wieder im Freien standen, war die Luft. Sie roch irgendwie anders. Das war keine kühle Nachtluft, die leicht nach Blättern und Abgasen roch. Aries kroch ein ekelhaft beißender Gestank in die Nase, der sich an ihrer Nasenschleimhaut festsetzte und sie würgen ließ. Am Horizont sah sie die Silhouette der Stadt, die von brennenden Gebäuden orange und rot gefärbt wurde. Der Wind trieb dichte schwarze Rauchwolken vor sich her, die sich immer mehr ausbreiteten. Ascheteilchen fielen vom Himmel und blieben in ihren Haaren hängen. Graue Schneeflocken.

»Kannst du es hören?«, fragte der Fremde. Er stand regungslos da, die Arme an den Seiten, die Augen geschlossen, das Gesicht nach oben zum Himmel gerichtet.

»Was?« Sie spitzte die Ohren, konnte aber nichts Ungewöhnliches hören.

»Das Nichts. Keine Löschfahrzeuge, Rettungswagen, Streifenwagen. Keine Leute, Autos, Stereoanlagen, Computer. Die Dinge, mit denen wir die Stille unserer Einsamkeit ersetzen. Die Zerstreuung, mit der wir die Leere in unserer Seele übertünchen wollen. Es ist alles weg.«

»Willst du damit sagen, dass unsere Seelen leer sind?«

»Nein, ich will damit sagen, dass sie gefüllt worden sind.«

»Womit?«

Der Fremde lächelte sie an. »Die Menschheit hat ein Heilmittel für eine Krankheit gefunden, von der sie nicht einmal wusste, dass es sie gibt.«

»Du hörst dich an wie der Verrückte aus dem Bus.«

Sein Lächeln erstarb. »Tut mir leid. Ich habe nur laut gedacht.«

Sie musterte ihn lange, hatte aber nicht den Eindruck, dass mit ihm etwas nicht stimmte. Er sah nicht aus, als wäre er verrückt, jedenfalls nicht so verrückt wie der Mann aus dem Bus. Er war sauber und gut angezogen. Seine schwarzen Haare waren frisch gewaschen und glänzten. Er hatte etwas Ernstes an sich und er konnte sich gut bewegen. Er erinnerte sie an einige der Jungen, die sie aus der Theatergruppe kannte. Wahrscheinlich las er eine Menge ernster Literatur und vielleicht schrieb er auch selbst und konnte Gedichte von Dylan Thomas auswendig aufsagen.

»Ich weiß gar nicht, wie du heißt«, sagte sie schließlich. Es war nicht sehr originell, aber ihr fiel sonst nichts ein, was sie ihn fragen konnte.

»Daniel.«

Es war keine Überraschung. Er sah genau so aus, wie sie sich einen Daniel vorstellte.

»Ich heiße Aries.«

Plötzlich fiel ihr auf, dass außer ihnen niemand mehr da war. Zumindest niemand, der noch am Leben war. Wo war Colin hingerannt? Vermutlich hatte er sich irgendwo verkrochen, aber er wäre sowieso nutzlos, wenn sie ihn gebraucht hätte. Ihr wurde bewusst, wie gefährlich die Situation war, dennoch hatte sie keine Angst. Aus irgendeinem Grund blieb ihr Körper völlig ruhig. Irgendwie sorgte Daniel dafür, dass sie sich sicher fühlte, obwohl ihr bewusst war, dass er selbst auch eine Gefahr sein konnte. Vielleicht lag es daran, dass er sie aus dem Leichenberg gezogen hatte. Er war da gewesen, als sie ihn gebraucht hatte. Er schien sich wirklich um sie zu sorgen.

Bei diesem Gedanken wurde ihr klar, dass es noch andere gab, die sich vermutlich Sorgen um sie machten. Ihre Eltern. Sie griff in ihre Jacke und ihre Finger umklammerten ihr nutzlos gewordenes Mobiltelefon. Versuchten sie jetzt gerade, sie anzurufen? Waren sie verletzt? Was, wenn ihr Haus durch das Erdbeben zerstört worden war?

»Ich sollte nach Hause gehen und herausfinden, wie es meinen Eltern geht«, sagte sie. »Und mit Saras Mutter muss ich auch reden.«

»Wohnst du weit von hier?«

»Etwa acht Kilometer. Ich kann ja laufen.«

»Das schaffst du nicht.«

Sie wich unwillkürlich einen Schritt zurück.

Daniel war schnell. Er hatte sie gepackt, bevor sie sich wehren konnte. Sie hatte nicht einmal Zeit zum Schreien.

»Aries, hör mir zu. Es wird etwas Furchtbares geschehen. Etwas, das noch schlimmer ist als das Erdbeben eben.« Er wies auf die zerstörte Umgebung. »Dagegen wird das hier ein Zuckerschlecken sein. Frag mich nicht, woher ich das weiß. Ich weiß es eben. Wenn du dich jetzt nicht versteckst, bist du morgen früh tot. Nein, vermutlich bist du schon vor Mitternacht tot.«

»Woher weißt du …«

»Habe ich dir nicht gerade gesagt, dass du mich nicht fragen sollst?« Er schüttelte langsam den Kopf. »Viele Menschen werden sterben und das ist erst der Anfang.«

Aus einiger Entfernung waren Schreie zu hören. Daniel erstarrte und Aries drehte sich um, weil sie herausfinden wollte, wo die Schreie herkamen. Die Sonne war jetzt fast völlig im Westen untergegangen. Die Straßen waren dunkel, die Straßenlaternen kaputt. Im Dämmerlicht konnte sie die Umrisse von mehreren Personen erkennen, die über die Straße liefen. Sie waren mehrere Häuserblocks von ihnen entfernt. Wieder angsterfüllte Schreie. Einer der Schatten stolperte und stürzte auf den Asphalt. Die anderen fielen wie rasend über ihn her.

»Da wird jemand überfallen.«

»Dich werden sie auch überfallen.«

»Was? Können wir etwas tun? Sollen wir die Polizei rufen?«

»Die Polizei kann es nicht aufhalten. Niemand kann es aufhalten. Dafür ist es schon zu spät.«

»Aber …«

»Es reicht. Du musst mir vertrauen. Ich weiß, das ist viel verlangt, aber du musst mir glauben. Lass mich dir helfen.«

»Warum?«

»Warum nicht?«

»Das reicht nicht als Grund.«

»Logik hilft dir jetzt auch nicht mehr weiter.«

»Das ist keine Antwort.«

Daniel sah sie wütend an. Dann drehte er sich um, ging ein paar Schritte und kam sofort wieder zurück. »Du machst mich wahnsinnig. Kannst du nicht für eine Sekunde mit Denken aufhören und dir einfach nur von mir helfen lassen?«

»Warum erzählst du mir das alles?«

»Weil ich es jemandem erzählen *muss*. Ich kann nicht schweigen. Vielleicht bekomme ich keine zweite Chance mehr.«

Aries lag eine scharfe Erwiderung auf der Zunge, doch sie schluckte sie hinunter. Er hatte Angst. Warum war ihr das nicht schon früher aufgefallen? Auch seine geweiteten Pupillen hatte sie bis jetzt gar nicht bemerkt. Sie machten ihr Angst, so viel Angst, dass sie nichts mehr sagen wollte. Hinter ihr schrie wieder jemand, laut und wütend; es klang fast wie Triumphgeheul. Die Angreifer kamen näher. Wie lange würde es dauern, bis sie hier waren? Sie nickte Daniel zu. Sie würde mit ihm gehen, jedenfalls so lange, wie es dunkel und gefährlich war. Falls notwendig, konnte sie ihn später auch noch loswerden. Es würde ein paar Stunden länger dauern, bis sie wieder zu Hause war, aber es war ja nicht so, dass jetzt noch irgendwer wohin ging, wenn es nicht unbedingt sein musste. Hoffentlich warteten ihre Eltern auf sie. Ihre Mutter hatte gesagt, sie hätten für den Abend nichts vor. Wenn Aries nicht auftauchte, würden ihre Eltern sicher davon ausgehen, dass sie sich so schnell wie möglich melden würde, und eine Weile warten, bevor sie sich auf die Suche nach ihrer Tochter machten. Wenn sie sie doch nur anrufen könnte. Vielleicht funktionierte das Festnetz noch. Sie musste nach einem Telefon suchen und es ausprobieren.

»Okay.« Er nahm ihre Hand. »Wir müssen uns ein Versteck suchen.«

Sie gingen zuerst zum Supermarkt, waren aber beide der Meinung, dass er als Versteck nicht geeignet war. Die Eingangstüren waren zerstört und überall lagen Glassplitter und Schutt. Falls noch jemand dort drin war, war er vermutlich tot oder verschüttet. Und selbst wenn es ihr gelänge, irgendwo hineinzukriechen, würde sie es vielleicht nicht schaffen, wieder herauszukommen. Schon der Gedanke daran ließ sie panisch werden.

»Viel mehr gibt es hier nicht«, sagte er. »Du brauchst ein Dach über dem Kopf und etwas zu essen. Es könnte sein, dass du eine Weile dort bleiben musst.«

»Wir könnten es in der Schule versuchen«, schlug sie vor.

»Wo ist die?«

»Einen Häuserblock von hier«, sagte sie. »Wir waren gerade auf dem Weg dorthin. Wir hatten Theaterprobe. *Alice im Wunderland.* Sara spielte die Herzkönigin. Sie hatte sich so gefreut.«

Ein lauter Knall ließ Aries aufschreien. Schüsse. Die Gruppe der Angreifer hatte den Ort des Unfalls erreicht und lief um den Bus herum. Sie waren denen, die zu schwer verletzt waren, um wegzulaufen, zahlenmäßig überlegen. Im Dämmerlicht sah Aries, dass die Menschen, die noch im Bus waren, verzweifelt versuchten, ins Freie zu gelangen. Einer der Männer – der Busfahrer, wie sie glaubte, doch sie war sich nicht ganz sicher – hielt eine Waffe in der Hand. Er fuchtelte ziellos damit herum und schoss einige Male in die Luft. Zwei Männer griffen ihn von hinten an und rissen ihn zu Boden. Obwohl sie ein ganzes Stück von dem Bus entfernt war, hörte Aries, wie sein Kopf mit einem lauten Krachen auf die Fahrbahn prallte. Weiter hinten versuchte die schwangere Frau wegzukriechen, bis jemand sie an den Haaren packte und wegzerrte.

»Sie bringen sie alle um.«

Daniel ignorierte sie. »Wir müssen hier weg.« Er packte sie am Arm. »Zeig mir, wo die Schule ist.«

»Einen Häuserblock von hier. Da lang.« Sie wies auf den Durchgang hinter dem Supermarkt. »Aber diese Leute brauchen Hilfe.«

»Wenn du versuchst, ihnen zu helfen, bist du auch tot.«

Der Weg vor ihnen war stockdunkel. Aries griff in ihre Tasche und zog die Minitaschenlampe heraus, die ihr der Vater für ihren Schlüsselbund geschenkt hatte.

»Hier.« Sie machte die Taschenlampe los und gab sie ihm. »Vielleicht nützt das was.«

Er nahm die winzige Lampe aus Metall, sah sie sich an und

probierte sie dann auf dem Boden zwischen ihnen aus. »Danke, aber ich glaube, es ist besser, wenn wir uns im Schatten halten.«

Der Weg war einfach.

Die Schule lag im Dunkeln. Aries hatte sie noch nie ohne Beleuchtung gesehen. Das Gebäude ragte vor ihnen in den Himmel, drei Etagen unheimliche Stille. Sie konnte das frisch gemähte Gras riechen; am Vormittag hatte sie den Gärtner auf seinem Mäher gesehen.

Wie durch ein Wunder war die Schule unversehrt geblieben, was umso erstaunlicher war, da ein direkt danebenliegendes Geschäft nur noch ein Trümmerfeld war und die Straße aussah, als wäre sie von einem Trupp Bauarbeiter mit Pressluft-hämmern bearbeitet worden. Auf dem Parkplatz standen fünf Autos – bei allen waren die Scheiben zersplittert. Wem auch immer sie gehörten, damit würde so schnell niemand mehr fahren.

»Warum steht die Schule noch?«, wunderte sie sich laut.

»Ist sie neu?« Daniels Stimme war wieder ruhiger. Selbst seine verkrampften Schultern hatten sich inzwischen etwas entspannt.

»Die Schule? Ja, ich glaube, sie wurde vor zehn Jahren gebaut.«

»Bauvorschriften für Erdbebenregionen. Vermutlich ist der Beton verstärkt.«

»Trotzdem. Ich finde das unheimlich.«

»Aber wenigstens bist du dort sicher. Komm mit.«

Sie gingen über den Rasen und seitlich um das Gebäude herum zu einem Eingang, von dem Aries wusste, dass er nicht abgeschlossen war. Von dort ging es zum Theater und für heute war eine Probe angesetzt gewesen. Es war sehr wahrscheinlich, dass einige ihrer Freunde da waren. Ein vertrautes Gesicht konnte sie jetzt gut gebrauchen.

Als sie näher kamen, bemerkte sie, dass einige der Fenster kaputt waren. In den Blumenbeeten darunter lagen Glassplitter. Doch angesichts der Schwere des Erdbebens war der Schaden sehr gering.

»Vielleicht finden wir Colin«, sagte sie. »Es würde mich nicht wundern, wenn der Feigling auch hergekommen wäre. Ich hoffe, dass er hier ist. Dem erzähle ich was.«

»Es wäre besser für dich, wenn niemand da ist«, sagte Daniel. »Gruppen sind schlecht. Menschen tun merkwürdige Dinge, wenn sie zusammen sind.«

»Aber du bist doch auch da«, sagte sie.

»Nicht mehr lange.«

Aries, die die Hand auf die Tür gelegt hatte, erstarrte. »Was meinst du damit? Willst du etwa gehen?«

»Ohne mich bist du sicherer.«

Ihr Magen krampfte sich zusammen und ein Schauder lief ihr über den Rücken. Der Gedanke, allein in der Schule zu sein, reichte, um ihr die Tränen in die Augen zu treiben. Sie wollte nicht allein sein. Sie würde mit Sicherheit ausflippen. Schon jetzt fand sie es unheimlich genug. Völlig verängstigt packte sie seinen Arm und hielt ihn fest.

»Du kannst mich nicht allein lassen. Ich brauche dich doch.«

Sie sah ihn an, doch in der Dunkelheit konnte sie seinen Gesichtsausdruck nicht erkennen. Ging er etwa davon aus, dass es gefährlich war, wenn er blieb? Sie konnte sich nicht vorstellen, warum er das glaubte. Zu zweit ging doch alles besser, oder nicht? Vier Augen sahen mehr als zwei. Sie stellte sich vor, allein in der Schule zu sein, in der Dunkelheit, in der sich jeder unbemerkt an sie heranschleichen konnte. Die Panik, die sie vorhin beim Supermarkt überfallen hatte, kam zurück und ließ sie unwillkürlich zusammenzucken.

»Bitte, geh nicht«, bat sie schließlich.

»Okay«, sagte er.

»Versprichst du es?«

»Ja.«

In der Schule war es dunkel und eine unheimliche Stille lag in der Luft. Aries fiel auf, dass die Notbeleuchtung in den Korridoren eingeschaltet war. Wenigstens würden sie sich nicht blindlings an den Wänden entlangtasten müssen, um das Theater zu finden.

»Es ist so ruhig«, stellte sie fest.

»Das ist ein gutes Zeichen«, erwiderte Daniel.

»Wir sollten zuerst im Theater nachsehen«, sagte sie. »Vielleicht ist dort jemand.«

»Wo ist es?«

»Den Korridor hinunter auf der rechten Seite. Geh mir einfach nach.«

Während sie den Korridor hinuntergingen, redete Aries unablässig weiter. Sie hatte die Schule noch nie so ruhig erlebt und wäre fast ausgerastet. Nur durch Reden gelang es ihr, die unheimliche Stille zu verdrängen, die lauter war als alles, was ihr über die Lippen kam.

»Vielleicht ist ja Ms Darcy da«, sagte sie. »Für eine Lehrerin ist sie ziemlich cool. Bei ihr habe ich immer gute Noten. Sie ist auch die Regisseurin von *Alice im Wunderland*. Colin war dagegen, aber nur, weil es in dem Stück keine männliche Hauptrolle gibt. Er will immer im Mittelpunkt stehen. Ms Darcy wird dir gefallen. Sie weiß sicher, was wir tun sollen. Nicht, weil sie erwachsen ist, sondern weil sie ziemlich klug ist.«

Sie blieb stehen, als ihr bewusst wurde, dass sie zwar ihre eigenen Schritte auf dem Fliesenboden hörte, aber sonst nichts.

Als sie sich hastig umdrehte, sah sie nur den leeren Korridor.

Daniel war verschwunden.

NICHTS

Sie wissen, dass wir hier sind. Sie kommen uns holen. Das, was lange Zeit im Verborgenen schlummerte, ist wieder an die Oberfläche gelangt. Wir müssen weg, solange wir noch Luft in unseren Lungen haben.

Sie werden trotzdem kommen.

Egal, wie sehr wir uns anstrengen, egal, wie schnell wir laufen, egal, wo wir uns verstecken.

Sie sind uns immer einen Schritt voraus.

Es ist nämlich ein Spiel. Mit einer ganz einfachen Rechnung. Wenn sie uns alle auf einmal vernichten würden, wäre das Spiel plötzlich aus. Und wo wäre da noch der Spaß?

Deshalb lassen sie ein paar von uns am Leben. Sie erlauben uns, zu atmen und zu essen und uns zu verstecken. Hin und wieder werden wir uns sogar fortpflanzen dürfen. Jagen werden sie uns trotzdem. Damit wir uns nicht falsch verstehen: Es ist alles geplant. Jene von uns, die sie für ihre Zukunft brauchen, werden sie behalten, und die, die sie für wertlos halten, werden sie töten.

Sie haben noch einiges mit uns vor.

Sie haben schon gewonnen.

Sie werden auch dann einen klaren Kopf behalten, wenn sie uns in ihrem Zorn auslöschen.

Sie flanieren am Fluss entlang mit ihrer schicken Kleidung

und ihren Diamantringen. Sie schlurfen durch die Straßen mit ihren Einkaufswagen und wild zusammengewürfelten Schuhen. Sie sind mitten unter uns und deshalb sind sie auch so schwer zu finden. Es kann ein Familienangehöriger sein, ein Liebhaber, ein Kind. So überleben sie, während wir aussterben. Sie sind viel schlauer als wir.

Und sie sind schon sehr lange hier.

Wie Tiere, die ein Erdbeben spüren, haben sie es kommen sehen. Sie konnten den Horror auf ihren Lippen spüren. Und die Angst hat einen Funken in ihnen entzündet. Chaos. Perfekte, liebenswerte, mit Zuckerguss überzogene Anarchie, die sich so leicht schlucken lässt. Zeit, auszubrechen – vorwärtszupreschen. Das Massaker zu arrangieren. Die Boten auszusenden. Sie konnten es in aller Ruhe vorbereiten. Sie riefen alle zusammen und organisierten den Angriff. Sie mussten gar nicht lange bitten.

Der Plan war perfekt. Sie sind die Waffen, vor denen uns unsere Regierungen immer gewarnt haben. Sie sind die Ungeheuer, die unter unserem Bett lauern und unsere Ängste schüren. Sie lauern in dunklen Gassen und hell erleuchteten Wohnzimmern. Sie sitzen uns im Restaurant gegenüber und drängeln sich beim Einsteigen in den Bus an uns vorbei.

Sie sind die dunklen Gedanken in uns, die wir nicht hören wollen. Wir haben sie ignoriert, aber sie sind einfach nicht weggegangen. Sie wurden stärker. Lauter. Und dann fingen sie an, einen Sinn zu ergeben.

Ich kann sie in mir spüren. Die Stimmen züngeln mir Geheimnisse ins Ohr, die meine Wirbelsäule hinunterkriechen. Tausend zuckende Insekten kauen auf meiner Magenschleimhaut herum. Mäuse krabbeln in meinem Gedärm. Kakerlaken knabbern an den Adern in meinen Augen. Die Stimmen in meinem Kopf schreien, doch es ist nie mehr als ein Flüstern. Ich kann nicht atmen. Ich kann nicht denken.

Ich werde bei lebendigem Leib gefressen.

Ich freue mich auf den Tod. Im Vergleich zu dem hier wird er friedlich sein.

MASON

Irgendwann nach zwei Uhr morgens tat Masons Mutter ihren letzten Atemzug. Niemand bemerkte es, niemand kam. Vermutlich hätten sie sowieso nicht gewusst, was sie tun sollten; das Leichenschauhaus war bereits zum Bersten gefüllt. Er hatte seit über sechs Stunden keinen Arzt gesehen. Nicht einmal einen Pfleger. Im Krankenhaus herrschte Chaos.

Mason hielt ihre Hand, als sie ging. Er hatte die ganze Nacht an ihrem Bett gesessen und nichts tun können, außer dem Auf und Ab ihres Brustkorbs zuzusehen, dem Maschinen beim Atmen halfen.

In den letzten vierundzwanzig Stunden waren Tausende von Menschen gestorben. Vielleicht waren es auch noch mehr – Mason hatte gehört, wie die Krankenschwestern sich im Korridor über das Erdbeben unterhalten hatten. Aber er kannte niemanden an der Westküste. Außerdem hatte er den Kopf voll mit wichtigeren Dingen. Vom Tod fremder Menschen zu erfahren, erfüllte ihn nicht mit großer Trauer.

Doch der Tod seiner Mutter riss ihm den Boden unter den Füßen weg.

Am frühen Abend hatte er den Fernseher eingeschaltet, weil er wissen wollte, was los war. Die Medien berichteten, dass hundertdreiundzwanzig Schulen in die Luft gesprengt worden waren. Von »Terrorismus«, »Massenselbstmord« und »organisiertem Verbrechen« war die Rede, doch bis jetzt deutete nichts darauf hin, dass die Überfälle untereinander zusammenhingen.

Und dann waren da noch die Erdbeben, sechs an der Zahl, weltweit. Jedes hatte eine Stärke von mindestens 9,5 auf der Richterskala. Die Westküste war völlig zerstört. Die Erdbeben hatten Tsunamis ausgelöst. Hawaii war angeblich fast vollständig im Meer versunken und in Asien hatte es Millionen Tote gegeben.

Die Fernsehsender zeigten kein normales Programm mehr. Unzählige Kanäle rund um die Welt sendeten nur noch Nachrichten.

Mason, der die erkaltende Hand seiner Mutter umklammert hielt, war das alles egal.

Seine Freunde waren tot. Nur eine Handvoll hatte es lebend aus der Schule geschafft. Seine Lehrer waren tot, sogar Mr Yan mit seinem zerbeulten Honda Civic.

Etwas Unfassbares geschah, doch Mason war wie erstarrt und unfähig, sich Sorgen darüber zu machen.

Am Nachmittag hatte ihn das Taxi vor dem Seven-Eleven abgesetzt und er war zur Schule hinübergegangen. Die Situation war surreal und er fragte sich, ob er nicht irgendwie im Traum eines anderen gelandet war. Dichte dunkle Wolken hingen am Himmel. Über seiner Schule türmte sich ein düsterer Berg aus Asche und Rauch, der alles beherrschte. Als er einatmete, brannte die Luft in seiner Kehle. Ihm wurde schwindlig und er stolperte zweimal über den Bordstein, bis sich seine Lungen und sein Gehirn an den Sauerstoffmangel gewöhnt hatten.

Vor sich sah er das, was von seiner Highschool noch übrig war – ein brennendes Trümmerfeld. Niemand bemerkte ihn, als er über die Absperrgitter stieg, die die Schaulustigen zurückhalten sollten, und auf die Sporthalle zuging. Die Feuerwehrleute hatten alle Hände voll zu tun und die Polizisten versuchten, eine stetig wachsende Menschenmenge aus hysterischen Eltern und neugierigen Zuschauern unter Kontrolle zu halten. Krankenwagen und Rettungssanitäter waren vor Ort, doch es schien nicht viele Überlebende zu geben, die man in das überfüllte Krankenhaus hätte bringen können.

Chaos.

Es gab bereits eine kleine Gedenkstätte für die Opfer und Mason ging an brennenden Kerzen, Blumen und Bildern von verstorbenen Mitschülern und Freunden vorbei. Er sah, wie Toms Vater mit einem der anderen Väter redete, während seine Mutter hemmungslos schluchzte. Schnell ging er weiter, bevor ihn jemand bemerkte. Er wollte nicht erklären müssen, warum er noch am Leben war.

Die Sporthalle befand sich auf der Rückseite des Gebäudes. Mason ließ die Hektik und den Lärm hinter sich und ignorierte die Hitzewellen, die aus den Trümmern aufstiegen. Wonach suchte er eigentlich? Er wusste es nicht. Vielleicht hatte er ja insgeheim die Hoffnung, dass einige seiner Freunde dem Inferno wie durch ein Wunder entkommen waren. Aber erwartete er tatsächlich, dass er jetzt sehen würde, wie man sie unverletzt aus den Trümmern zog?

»Ich muss es mir ansehen«, sagte er laut.

Auf dem Parkplatz hinter der Schule war niemand zu sehen. Hunderte Autos, und irgendwo in dem Meer aus Metall und Beton auch sein eigenes. Wenn ihn jemand anhielt und fragte, würde er sagen, dass er seinen Wagen holen wolle. Mason zog vorsorglich seine Autoschlüssel aus der Tasche und behielt sie in der Hand, während er so nah wie möglich an die Schule heranging und nach einem Lebenszeichen suchte.

Er konnte kein Blut auf den Gehsteigen sehen. Keine Leichenberge, die darauf warteten, weggebracht zu werden. Keine halb verbrannten Bücher oder persönlichen Gegenstände, die während der Explosion durch die Luft geschleudert worden waren. Was hatte er eigentlich erwartet?

Nichts deutete darauf hin, dass unter den Trümmern Hunderte von Leichen warteten. Es gab keinen Beweis dafür, dass aus seiner Schule eine Gruft geworden war.

Er sah sich in der Nähe des Eingangs um, weil er dachte, es gäbe vielleicht eine Möglichkeit, in die Sporthalle zu kommen und sich umzusehen. Doch die gesamte hintere Wand war eingestürzt und die einzige Möglichkeit, hineinzukommen, waren ein paar Spalten, durch die höchstens ein kleines Tier kriechen konnte. Hitze schlug ihm ins Gesicht und nach kurzer Zeit war sein Nacken feucht vor Schweiß. Mason ließ sich auf die Knie fallen und stocherte in den Überresten der Sporthalle herum, weil er hoffte, etwas zu finden, das vielleicht einem seiner Freunde gehört hatte. Schließlich fand er ein Federmäppchen, hellblau mit rosa Blümchen, das ihm irgendwie bekannt vorkam. In dem Mäppchen waren ein paar Stifte, ein Radiergummi und ein zusammengefaltetes Stück Papier. Mason öffnete es:

»Wir treffen uns um fünf Uhr im Einkaufszentrum.«

Ja, klar.

Um fünf Uhr würde sich niemand mehr treffen.

Er hielt den Zettel in der Hand und las ihn noch ein paarmal durch. *Ich muss unter Schock stehen*, dachte er. *Ich spüre gar nichts mehr. Wahrscheinlich meint man das damit, wenn man sagt, dass man innerlich taub wird. Alle sind tot und ich empfinde nichts. Mom stirbt und ich habe nichts Besseres zu tun, als zu meiner Schule zu fahren und ein Federmäppchen aufzuheben? Was zum Teufel ist mit mir los? Es ist so, als hätte es die anderen nie gegeben.*

Und da war es wieder, das Gefühl, im Traum eines anderen festzustecken.

»Hey, du da.« Eine Stimme riss ihn aus seiner Starre. Mit schnellen Schritten kam ein Feuerwehrmann auf ihn zu. »Das hier ist Sperrgebiet. Verschwinde, aber dalli!«

Mason drehte sich um und rannte in Richtung Parkplatz. Sein Auto stand an der Stelle, an der er es am Morgen geparkt hatte, direkt neben dem blauen Pick-up mit dem kaputten Fenster. Es war noch kein ganzer Tag vergangen, doch ihm kam es vor, als wären es Wochen. Am Morgen war er noch glücklich gewesen. Tom hatte ihm einen guten Witz erzählt und ihn zum Lachen gebracht. Für das nächste Wochenende war ein Campingausflug zum Chestnut Lake geplant gewesen. Schwimmen, Lagerfeuer, ein bisschen Wandern – alles, was er und seine Freunde gern taten.

Wie hatte sich die Welt nur so schnell ändern können?

Mason wusste, dass er in diesem merkwürdigen Zustand eigentlich nicht fahren sollte, doch das hielt ihn nicht davon ab, den Motor anzulassen und den Rückwärtsgang einzulegen. Während er mit quietschenden Reifen vom Parkplatz raste, setzte er die Sonnenbrille auf, die er vor ein paar Stunden auf den Beifahrersitz gelegt hatte.

Er wollte nicht nach Hause. Stattdessen fuhr er in der Gegend herum, bis er kaum noch Benzin hatte. An der Tankstelle kaufte er sich eine Tüte Chips, die er hinunterschlang, ohne etwas zu schmecken. Nach einem Blick auf die Uhr war er der Meinung, dass er lange genug unterwegs gewesen war, so, wie es ihm der Arzt geraten hatte. Er fuhr wieder ins Krankenhaus, weil er sonst nichts tun konnte.

Die Hand seiner Mutter war so kalt. Ihr Körper lag ganz entspannt da; die meisten der Falten, über die sie sich immer so aufgeregt hatte, waren aus ihrem bewegungslosen Gesicht verschwunden. Ihre Haare lagen wie ein Fächer auf dem Kissen, dunkelbraun wie seine, dick und glänzend, und nur ein paar graue Haare verrieten ihr Alter. Sie war schön, seine Mutter, die Frau, die immer für ihn da gewesen war. Vor zwei Wochen hatte er ihr einen Strauß Rosen zum Geburtstag geschenkt und sie hatte sich so darüber gefreut. Sie waren zusammen essen gewesen, aber die Rechnung hatte seine Mutter bezahlt. Sie hatte nicht zugelassen, dass er sie einlud, weil sie wusste, dass er sein Geld fürs College sparte.

Mason strich ihr sanft über die Wange, bevor er das Laken bis an ihre Schultern zog. Dann machte er das Licht aus und verließ das Krankenhaus.

Draußen war alles ruhig. Die Nachtluft lag kühl auf seinem Gesicht und der Mond war nur eine schmale Sichel am Himmel. Er stieg in sein Auto und stellte überrascht fest, dass das Pförtnerhäuschen am Parkplatz nicht besetzt war und die Schranke offen stand. Er war mehrere Stunden im Krankenhaus gewesen und jetzt waren wohl mindestens zwanzig Dollar Parkgebühren fällig. Aber da niemand da war, um zu kassieren, fuhr er vom Parkplatz, ohne auch nur einen Cent zu bezahlen.

Auf den Straßen waren nicht mehr viele Autos unterwegs. Alle blieben zu Hause, saßen vor dem Fernseher oder hingen am Telefon, weil sie verzweifelt versuchten, Verwandte im Ausland zu erreichen. Hatten sie im Fernsehen nicht gesagt, dass in einigen Ländern das Telefonnetz zusammengebrochen war? Hatten die Erdbeben wirklich so große Schäden angerichtet? Wie viele Leute hielten wohl jetzt gerade den Telefonhörer in der Hand und hörten nur ein Rauschen in der Leitung? Wahrscheinlich versuchten Hunderte oder Tausende, etwas über ihre Angehörigen in Erfahrung zu bringen. Die Glücklichen – sie hatten wenigstens noch Hoffnung.

Im Diefenbaker Park war es dunkel und ruhig. Normalerweise parkten dort Dutzende Autos mit Teenagern, die Bier tranken und Spaß hatten. Auf dem Parkplatz am Fluss waren sonst immer Pärchen, die noch ein paar zärtliche Momente miteinander verbrachten, bevor sie nach Hause mussten. Mason kam oft mit seinen Freunden her. Für ihn war es etwas völlig Normales, dort zu sein, und daher war er auch in diese Richtung gefahren. Wo er hinwollte, war ihm jedoch erst bewusst geworden, als er das Tor am Eingang passierte. Nur gut, dass sein Unterbewusstsein auf den Straßenverkehr geachtet hatte. Wenigstens hatte er den Sicherheitsgurt angelegt. Sein Leben hatte keine Zukunft mehr und vielleicht waren alle, die er kannte, tot, aber wenigstens schien er es nicht darauf anzulegen, ihnen zu folgen. Zumindest nicht sofort.

Das musste doch ein gutes Zeichen sein, oder nicht?

Mason parkte den Wagen an der Eisenbahnbrücke und schaltete den Motor aus. Die Stille erdrückte ihn. Er musste das Fenster öffnen, um einen Teil davon hinauszulassen. Fühlte man sich so, wenn man verrückt wurde?

Mit der Zeit gewöhnten sich seine Augen an die Dunkelheit und die Umrisse der Bäume wurden schärfer. Er hätte jetzt gern etwas getrunken, etwas Hochprozentiges, das ein Loch in seinen Magen brannte und sein Gehirn ausschaltete. Seine Mutter hatte immer eine Flasche Whiskey im Haus und er wusste, wo sie sie aufbewahrte. Warum hatte er nicht daran gedacht, sie mitzubringen? Schließlich brauchte er sich jetzt keine Sorgen mehr darüber zu machen, dass sie ihn beim Trinken erwischte.

Er legte den Sicherheitsgurt ab, stieg aus und knallte die Tür mit voller Wucht hinter sich zu. Das Geräusch hallte durch den Park und irgendwo schrie eine Eule.

Einige Meter neben dem Auto stand ein Abfalleimer. Mason ging darauf zu und versetzte ihm einen kräftigen Fußtritt. Der Behälter fiel um und der Deckel rollte davon – Müll flog durch die Luft. Ein zweiter Tritt ließ ihn in die Mitte des Parkplatzes rollen. Immer wieder traf Masons Fuß auf Kunststoff, so lange, bis die glatte Oberfläche mit Schrammen und Dellen übersät war. Der Müll verteilte sich in alle Richtungen, Getränkedosen, Schokoladenpapier und Plastiktüten mit Hundekot landeten auf dem Boden. Mason nahm sich die Getränkedosen vor; er zertrampelte sie unter seinen Schuhen, sodass der Kies auseinanderspritzte und dicke Staubwolken aufwirbelten.

Als er fertig war, besah er sich den Schaden, den er angerichtet hatte, aber es ging ihm immer noch nicht besser. Einige Meter von ihm entfernt zeichnete sich die Silhouette seines Autos vor der schwarzen Nacht ab. Er ging hinüber und trat ein paarmal schnell hintereinander gegen einen Reifen. Ein stechender Schmerz zuckte durch sein Bein bis in sein Gehirn, doch er wirkte nicht so, wie Mason sich das gedacht hatte.

Das taube Gefühl war immer noch da.

Er wollte fühlen. Egal, was. Die Leere in ihm war das Schlimmste, was er je erlebt hatte.

Fast konnte er Toms Stimme hören, die ihn verspottete, weil er jetzt so emo wurde. Mason hätte alles gegeben, um seine Trauer mit seinem Freund teilen zu können, aber andererseits war er auch froh, dass er jetzt allein war. Den Leuten zu erzählen, dass seine Mutter gestorben war, würde es wahr werden lassen. Wenn er es nicht laut sagte, konnte er fast so tun, als wäre es gar nicht geschehen.

Der Kies hinter ihm knirschte und Mason, der davon ausging, dass es ein Streifenwagen war, drehte sich um. Würden die Polizisten ihn verhaften, weil er einen Abfalleimer demoliert hatte? Er hatte noch nie etwas mutwillig zerstört. Tut mir leid, Officer, das wollte ich nicht, aber heute sind meine Mutter und all meine Freunde gestorben. Reichte das nicht für einen Freifahrtschein zum Randalieren?

Aber es war kein Polizist, nur irgendein Typ, der über den Parkplatz lief und auf ihn zukam. Normalerweise hätte sich Mason jetzt umgedreht und wäre zu seinem Wagen gegangen, ohne ihn weiter zu beachten. Nachts waren eine Menge Leute im Diefenbaker Park unterwegs und manchmal suchten dort sogar Obdachlose nach einem Schlafplatz auf den Bänken.

Aber der Kerl hatte einen Baseballschläger in der Hand und das ließ Mason ein zweites Mal hinsehen.

Außerdem kam er direkt auf ihn zu.

Er hatte keine Zeit mehr, um richtig reagieren zu können. Mit drei Schritten war der Mann bei ihm, dann hob er den Schläger und ließ ihn auf Masons Kopf niedersausen. Zum Glück machte Mason instinktiv einen Schritt nach hinten und der Schläger verpasste ihn um wenige Zentimeter.

»Was zum Teufel soll das?«

Statt einer Antwort holte der Fremde erneut aus. Mason starrte ihm ins Gesicht. Der Mund des Mannes war weit aufgerissen vor Wut und in seinen Augen brannte Hass, obwohl Mason sicher war, dass er ihn noch nie gesehen hatte. Warum um alles in der Welt versuchte der Typ, ihm den Schädel einzuschlagen?

Mason wich wieder aus, doch dieses Mal war er nicht schnell genug. Der Schläger traf seine Schulter und Mason spürte, wie sein ganzer Körper zu vibrieren begann. Endorphine durchfluteten seinen Körper und gleichzeitig überrollte ihn eine Welle der Übelkeit. Ein logischer Gedanke war unmöglich. Vor seinen Augen verschwamm alles, dann sah er nur noch schwarz. Sein Arm wurde schlaff und hing nutzlos an der Seite, während er zweimal schluckte und versuchte, seinen Mageninhalt bei sich zu behalten.

Mason stürzte auf die Knie und der Fremde holte wieder mit dem Schläger aus. Die Gedanken in Masons Kopf überschlugen sich und blitzten zwischen Schmerz und Schwindel auf. Er würde sterben. In ein paar Sekunden würde der Spinner mit dem Baseballschläger ihn erledigt haben und dann würde alles aus sein.

Der Gedanke daran konnte den Nebel in seinem Kopf so weit lichten, dass er die Kraft fand, sich nach vorn zu werfen und seinen Oberkörper in den Gegner zu rammen. Der Mann mit dem Baseballschläger stöhnte; es war der erste Laut, den er seit Beginn des Überfalls von sich gegeben hatte. Er taumelte ein paar Schritte nach hinten, bis ihn Masons Gewicht zu Boden riss. Doch selbst jetzt ließ er seine Waffe nicht los, und während die beiden miteinander rangen, holte er schon wieder damit aus.

Mason klaubte eine Handvoll Erde zusammen und warf sie dem Fremden in die Augen. Der blinzelte nicht einmal. Mit seiner unverletzten Hand griff Mason nach dem Baseballschläger und versuchte verzweifelt, den Kerl am Zuschlagen zu hindern. Ein zweiter Hieb und er wäre erledigt, vor allem, wenn er ihn am Kopf getroffen hätte. Er versuchte, die Oberhand zu gewinnen, indem er sich mit den Füßen abstützte und mit seinem ganzen Körpergewicht auf den Arm des Mannes warf. Wenn er ihn dazu bringen konnte, den Schläger loszulassen, hatte er vielleicht eine Chance. Sein Auto stand keine zwei Meter von ihm entfernt. Er brauchte nur einzusteigen und die Türen zu verriegeln. Ein Funke der Hoffnung unterdrückte das flaue Gefühl in seinem Magen. Vielleicht würde er das Ganze ja doch überleben.

Er wollte nicht sterben.

Diese Erkenntnis überraschte ihn ein wenig.

Doch der Fremde wollte den Baseballschläger nicht kampflos hergeben. Mason schob ein Bein zur Seite, bis er seinen Fuß auf das Handgelenk des Mannes stellen konnte. Es gelang ihm, sich auf die Knie zu ziehen und mit aller Kraft zu drücken, aber der Schläger war immer noch in der Hand des Fremden. Mason hatte keinen sicheren Stand und so dauerte es nur wenige Sekunden, bis der Mann ihn abgeschüttelt hatte. Mason fiel nach hinten und prallte mit der Schulter auf das Straßenpflaster, was ihn weiße Sterne sehen und die Übelkeit zurückkehren ließ. Er rollte sich auf den Rücken und starrte den Fremden an, der mit dem Schläger in der Hand aufstand und sich direkt neben Masons Kopf hinstellte.

»Was wollen Sie?«, murmelte Mason.

Der Kerl sagte kein Wort. Er schlug einfach zu.

Mason rollte sich nach links, packte den Mann am Knöchel und riss ihn ein zweites Mal zu Boden. Dieses Mal ließ der

Fremde seine Waffe fallen. Der Schläger aus Aluminium landete mit einem hohlen Geräusch auf der Straße, rollte aber nur ein Stückchen weg, sodass er immer noch in Reichweite war. Mason gelang es, sein Bein hochzureißen und kräftig zuzutreten. Sein Fuß traf die Nase des Fremden und er spürte, wie der Knorpel unter seinem Schuh nachgab.

Er packte den Kerl an seiner Jeansjacke und zog sich an ihm hoch. Als seine Hände Haare zu fassen bekamen, hatte sich sein Gehirn bereits ausgeschaltet.

Er reagierte nur noch.

Als der Kopf auf Beton traf, spürte er die Erschütterung bis in seine Arme. Der Mann hörte sofort auf, sich zu bewegen.

Mason stieß sich vom Boden ab und krabbelte wie ein Krebs auf allen vieren nach hinten, wobei er immer wieder stolperte und stürzte, wenn er versuchte, seinen verletzten Arm zu belasten. Er kroch über den Boden, bis er mit dem Hinterkopf an sein Auto stieß. Während er sich gegen das glatte Metall lehnte, wartete er darauf, dass der Mann sich bewegte.

Doch er rührte sich nicht.

Es dauerte keine zehn Sekunden, bis Mason sich übergeben musste. Er sackte auf die Knie, und während er sich erbrach, verkrampfte sich sein Körper, der wohl darauf wartete, dass gleich der Baseballschläger auf seinem Schädel landete.

Nichts geschah.

Als es vorbei war, sah er, dass der Typ immer noch am Boden lag. Und selbst in der Dunkelheit konnte Mason erkennen, dass sich unter dem Kopf des Fremden eine Blutlache gebildet hatte, die immer größer wurde.

Hatte er ihn getötet? Mason zog sich an seinem Auto hoch und taumelte die paar Schritte zurück, bis er vor dem Fremden stand. Der Mann lag auf dem Rücken, die Augen geschlossen. Mason konnte nicht erkennen, ob er noch atmete oder nicht, und er wollte sich nicht hinunterbeugen, um besser sehen zu können. Er nahm den Baseballschläger und warf ihn mit aller Kraft von sich. Der Schläger flog quer über den Parkplatz und landete einige Meter weiter im Gestrüpp.

Langsam ging Mason zu seinem Auto zurück und stieg ein. Er startete den Motor und zuckte zusammen, als er seinen verletzten Arm auf das Lenkrad legte. Nachdem er den Rückwärtsgang eingelegt hatte, lenkte er den Wagen vorsichtig vom Parkplatz. Auch wenn der Kerl schon tot war, wollte er ihn nicht überfahren.

An der Ecke des Parks musste er an den Straßenrand fahren. Seine Hände zitterten so stark, dass er kaum das Lenkrad festhalten konnte. Er stellte den Motor ab und wartete darauf, dass er sich wieder unter Kontrolle bekam.

Hatte er eben tatsächlich einen Mann getötet? War er ein Mörder? Nein, es war Notwehr gewesen. Kein Gericht der Welt würde ihn dafür verurteilen. Aber er hatte den Tatort verlassen. Hätte er den Baseballschläger behalten sollen, als Beweis dafür, dass der Kerl eine Waffe gehabt hatte? Und wenn jemand vorbeikam und den Schläger mitnahm? Ein leiser Seufzer kam über seine Lippen. Der Mann war vielleicht tot und das Einzige, worüber Mason sich jetzt Sorgen machte, war die Frage, ob man ihn verhaften würde oder nicht.

Sollte er nicht an die Familie des Fremden denken? Sollte er nicht versuchen, sie zu finden? Machte sich vielleicht jemand Sorgen?

Plötzlich wurde ihm klar, dass ihm das alles egal war. Er hatte kein Mitgefühl übrig.

War er denn schon so tot in seinem Inneren?

Mason wusste, dass er zur Polizei gehen sollte, doch das war jetzt das Letzte, was er tun wollte. Er vergewisserte sich, dass die Türen verriegelt waren, dann machte er die Augen zu und lehnte sich zurück.

Wenn er eine Weile geschlafen hatte, würde es ihm bestimmt besser gehen.

CLEMENTINE

Sie hatte alles gehört.

Stimmen, die gebettelt und gefleht hatten.

Todesschreie.

Und dann war alles still gewesen.

Gegen vier Uhr morgens hatten die Schüsse endlich auf-gehört. Kurz danach waren die Schreie leiser geworden und bald darauf war es ruhig geworden. Keine Stimmen mehr. Die einzigen Geräusche waren die Grillen gewesen und der Wind, der durch die Dachsparren pfiff.

Clementine versteckte sich in der Scheune. Sie war die knapp zwei Kilometer nach Hause gerannt, doch als sie angekommen war, hatte sie sofort gewusst, dass sie dort nicht sicher war. Was auch immer mit ihren Eltern und den anderen in der Gemein-dehalle geschehen war, mit den übrigen Einwohnern von Glen-more würde das Gleiche geschehen. Sam hatte sie entkommen lassen. Und er hatte sie ausdrücklich davor gewarnt, nach Hau-se zu gehen. Dort würden sie zuerst hinkommen, wenn sie nach ihr suchten.

Nein, das »wenn« konnte sie streichen. Sie suchten ganz be-stimmt nach ihr.

Es war nur eine Frage der Zeit.

Lieber Heath, ich habe mir selbst versprochen, dass ich erst wie-der an sie denken werde, wenn ich in Sicherheit bin. Hilf mir, heil

aus dieser Sache herauszukommen, dann kann ich das mit dem
Nervenzusammenbruch nachholen.

Als sie vor ihrem Haus stand, fragte sie sich, was sie tun sollte. Es dauerte nicht lange, bis sie den Entschluss fasste, sich in der Scheune zu verstecken. Hinterher hatte sie viel Zeit, ihre Entscheidung zu bereuen. Sie hätte zu ihrem Mobiltelefon greifen und jemanden anrufen können. Sie hätte die Schlüssel für den Pick-up nehmen sollen. Wenn sie das getan hätte, wäre sie inzwischen schon auf halbem Weg nach Des Moines. Sie hätte Hilfe holen können. Sie hätte sich in einem Maisfeld verstecken können. Auf Dauer wäre sie dort sicherer gewesen.

Denn Clementine wusste, dass sie sofort in der Scheune nachsehen würden, wenn sie sie im Haus nicht fanden.

Sie war so dumm gewesen.

Und jetzt saß sie in der Falle. Vor ein paar Stunden, als sie in der Gemeindehalle zugange gewesen waren, hätte sie noch entkommen können. Die Farm ihrer Eltern lag genau an der Ortsgrenze. Inzwischen waren sie bestimmt schon in der Nähe.

Wie viele waren es? Sie war zu verängstigt gewesen, um sie zu zählen. Mindestens ein Dutzend, vielleicht mehr. Mit diesen Leuten war sie aufgewachsen. Sam. Vor nicht einmal einer Woche hatte er ihrem Vater geholfen, einen Zaun zu reparieren. Er war guter Laune gewesen und sie hatte ihm Limonade und ein paar Kekse von ihrer Mutter gebracht.

Sie hatte gedacht, dass sie diese Leute kennen würde. Mit ihnen waren Erinnerungen verbunden. Schöne Erinnerungen. Was hatte diese Menschen zu Killern gemacht?

Sie musste ins Haus. Genau genommen musste sie es nicht einmal richtig betreten. Die Schlüssel waren im Obstkorb auf dem Küchentisch, gerade einmal drei Meter von der Hintertür entfernt. In weniger als dreißig Sekunden konnte sie wieder draußen sein.

Doch jedes Mal, wenn sie ihr Gehirn davon überzeugen wollte, dass es viel logischer war, den Pick-up zu nehmen und wegzufahren, weigerten sich ihre Beine mitzumachen.

Lieber Heath, weißt du noch, letzten Sommer, bevor du aufs College gegangen bist? Du hast mir gesagt, wenn ich jemals Probleme mit Jungs hätte, sollte ich dich anrufen und du würdest sofort kommen und sie verhauen. Jetzt ist es so weit. Ich habe Probleme und könnte ganz gut einen Leibwächter gebrauchen. Deine coole kleine Schwester ist nämlich nicht so stark, wie sie dachte. Genau genommen ist sie ein Waschlappen. Alle sagen ihr, dass sie weglaufen soll, und sie zieht das natürlich durch. Hätte ich mich doch dieses Jahr für den Geländelauf angemeldet! Ich wäre wahrscheinlich gleich bis zu den Olympischen Spielen durchgeprescht. Gibt es eigentlich eine Goldmedaille für Feigheit?

Wenn Telepathie doch nur funktionieren würde.

Wie ging dieses schwachsinnige Mantra, das Imogene ständig vor sich herbetete? *Ich bin eine starke, schöne Frau. Alles, was ich berühre, verwandelt sich in Gold.*

Und natürlich noch: *Mein Busen wird größer, mein Busen wird größer, mein Busen wird größer.*

Draußen vor der Scheune knackte etwas und sofort begann ihr Herz zu rasen. Jemand stand vor dem Scheunentor. Sie hatten sie gefunden.

Nein, sie hatten sie nicht gefunden. *Hör auf, so übertrieben zu reagieren!* Sie musste sich zusammenreißen, andernfalls würde sie in dem Moment, in dem sie hereinkamen, aufspringen und winken. Hallo! Hier bin ich! Hier drüben!

Ganz ruhig. Von zwanzig rückwärts zählen, um die Atmung

zu beruhigen. Den dicken Kloß in der Kehle hinunterschlucken und konzentrieren. Sie schaffte das schon. Ihr Versteck in der Ecke war gut. Sie hatte sich mit Heu und einer alten Pferdedecke getarnt. Auf den ersten Blick sah sie vermutlich aus wie eine undefinierbare Masse. War das in Horrorfilmen nicht immer so, dass die Heldin in die Dachsparren kletterte? Am Boden zu bleiben, verschaffte ihr einen Vorteil, denn wenn der Killer nach oben ging, um den Heuboden zu durchsuchen, konnte sie unbemerkt hinausschlüpfen. Dann würde sie ins Haus rennen, die Schlüssel holen und bereits auf der Straße sein, bevor der Killer überhaupt merkte, dass sie weg war. In Des Moines würde sie zur Polizei gehen und die würde dann die Armee oder das FBI schicken, und Sam, Henry, James und die anderen nicht mehr ganz so gottesfürchtigen Psychopathen von Glenmore würden verhaftet werden.

Und zu Weihnachten würde sie ein Pony und einen Porsche bekommen.

Die anderen hatten Waffen. Clementine war zwar schnell, aber einer Kugel konnte sie mit Sicherheit nicht davonrennen.

Das Geräusch kam wieder. Sie war so mit ihren Fantasien beschäftigt gewesen, dass sie es fast nicht gehört hätte. Aber es war da, ein schwaches, kratzendes Geräusch. Schritte vor der Scheune. Ein leises Husten. Sie schlug die Hände vor den Mund.

Ein lautes Geräusch, als jemand das Scheunentor packte und es aufschob. Noch mehr Schritte. Sie konnte nicht erkennen, ob es eine oder mehrere Personen waren, aber sie war nicht so dumm, den Kopf zu heben und nachzusehen. Es musste nur einer sein. Wenn es zwei gewesen wären, hätten sie sich miteinander unterhalten. Aber wer war es?

Von ihrem Versteck unter der Decke konnte sie nur knapp

zwei Meter Fußboden vor sich sehen. Warum hatte sie nicht daran gedacht, sich so hinzulegen, dass sie den Eingang besser im Blick hatte? Sie wartete mit angehaltenem Atem auf das, was geschehen würde.

Der Eindringling bewegte sich auf die Mitte der Scheune zu. Er ließ sich Zeit, ging langsam, mit kleinen, gemächlichen Schritten. Offensichtlich hatte er es nicht eilig, sie zu töten. Er wusste, dass sie hier war. Vielleicht konnte er ihre Angst riechen?

Er begann zu pfeifen. *Oh my darling, oh my darling, oh my darling, Clementine.* Sie hasste dieses Lied. Heath hatte es ihr immer vorgesungen, wenn er sie ärgern wollte.

Sie hätte sich eine Waffe beschaffen sollen. Irgendeine. Es gab so vieles, was sie hätte tun können. Stattdessen hatte sie es doch tatsächlich geschafft, sich auf dem Silbertablett zu präsentieren. Wenn jemand dem Klischee einer geistig unterbelichteten blonden Cheerleaderin entsprach, dann wohl sie.

Vor ein paar Wochen hatte ihr jemand per E-Mail einen als Witz gedachten Fragebogen geschickt, in dem es darum ging, einen Angriff von Zombies zu überleben. Sie hatte eine ziemlich hohe Punktzahl erreicht. Natürlich hatte sie angegeben, dass sie sofort zum örtlichen Waffengeschäft fahren und sich bis an die Zähne bewaffnen würde, bevor sie sich in einer abgelegenen Waldhütte im Norden verkriechen wollte. Okay, so etwas konnte man nicht unbedingt als Vergleich dafür heranziehen, wie sie sich in einer echten Notsituation verhalten würde, aber sie musste immer wieder an diesen Fragebogen denken. Zum Totlachen. Sie schaffte es ja nicht mal, ein paar Stunden gegen ein paar durchgeknallte Psychopathen durchzuhalten.

Der Mann bewegte sich langsam durch die Scheune. Wenigstens war sie so schlau gewesen, sich in einer Ecke in der Nähe des Eingangs zu verstecken. Als er leise pfeifend an ihr vorbeiging, musste sie sich zwingen, ruhig zu bleiben. Sie war wie eine Maus, die von einem Adler gejagt wurde. Sie musste mucksmäuschenstill bleiben, durfte nicht aufspringen und wegrennen. Blindlings zu flüchten, hatte noch keiner Maus geholfen, und bei ihr würde es vermutlich auch nicht funktionieren.

Schon merkwürdig, dass ihre Beine vorhin den Dienst verweigert hatten, jetzt aber unbedingt zutreten wollten.

Lieber Heath, du hattest recht. Wenn ich hier lebend rauskomme, werde ich Taekwondo lernen, so, wie du es mir geraten hast. Aber versprich mir, dass du da sein wirst und mir hilfst, die Schritte richtig hinzubekommen. Bitte gib mir ein Zeichen, damit ich weiß, dass du nicht nur in meiner Einbildung existierst, sondern lebst und in Seattle bist. Das wird mir den Mut geben, hier ein paar Leuten in den Hintern zu treten. Ich verspreche es.

Sie musste damit aufhören. Mit ihrem möglicherweise/ höchstwahrscheinlich toten Bruder zu reden, half ihr jetzt nicht weiter.

Das Pfeifen war inzwischen verstummt. Clementine spitzte die Ohren und lauschte. War der Kerl weg? War er zum Tor hinausgeschlichen, während sie in Gedanken irgendwelche Vorsätze gefasst hatte?

Nein, da war er wieder. Von der anderen Seite der Scheune drang ein Geräusch zu ihr – ein Stiefel, der auf Holz schabte. Der Eindringling kletterte die Leiter zum Heuboden hoch. Sie musste nur noch warten, bis er oben war, dann konnte sie flüchten. So langsam wie möglich schob Clementine die Decke von ihrem Kopf, um besser sehen zu können. Das Scheunentor stand weit offen. Sie konnte leise hinausschleichen.

Der Mann setzte den Fuß auf den Heuboden. Das knarzende Geräusch über ihr war das Signal, auf das sie gewartet hatte. Jetzt oder nie. Vorsichtig schlug sie die Decke zurück und sah sich um. Die Tenne war leer und den Heuboden ignorierte sie einfach. Sie zwang sich dazu, ruhig zu gehen, anstatt einfach loszurennen, wobei ihr bewusst war, dass ihr Rücken ein richtig gutes Ziel bot. Sie hörte weder Schreie noch plötzliche Schritte. Niemand kam auf sie zu. Sie bewegte sich schnell, aber vorsichtig. Ein falscher Schritt, eine ächzende Diele konnte das Ende bedeuten.

Draußen wehte ihr eine kühle Brise ins Gesicht. Clementine hatte ganz vergessen zu atmen. Sie holte tief Luft und ihre zitternden Knie schafften es, ihr Gewicht zu tragen. Am liebsten hätte sie sich jetzt an die Scheune gelehnt und ein wenig ausgeruht, doch sie zwang sich weiterzugehen. Sie wollte die Autoschlüssel holen. Der Pick-up stand hinter dem Haus und war von der Straße aus nicht zu sehen. Wer auch immer in der Scheune war, er würde vermutlich noch mindestens zehn Minuten dort bleiben. Mit ein bisschen Glück konnte sie den Wagen starten und ein Stück die Straße hinunterfahren, bevor er vom Heuboden heruntergestiegen war.

Von der Scheune bis zum Haus waren es hundert Meter. An der vorderen Veranda brannte das Licht. Es war das Letzte, was ihre Mutter getan hatte, bevor sie zur Versammlung in die Gemeindehalle gefahren waren. Sie ließ die Lampe an der Haustür immer an, obwohl sich ihr Vater über die Stromrechnung beschwerte. Jetzt würden ihre Eltern nie wieder aufbleiben und auf sie warten.

Lieber Heath, dieses Mal habe ich wirklich Mist gebaut. Es ist nicht so wie bei einer Prüfung in der Schule, bei der ich mir Noti-

zen machen kann. Wenn ich das hier vermassle, kann ich es nicht wiederholen. Hilf mir, bis zum Pick-up zu kommen. Gib mir Kraft, Bruderherz.

Hundert Meter. Das war gar nicht so weit. Aber Clementine kam es vor, als müsste sie ins offene Meer hinausschwimmen. Und den Haien war sie dabei schutzlos ausgeliefert.

Es wurde Zeit. Was du heute kannst besorgen, verschiebe nicht auf morgen. Wenn sie zu lange wartete, war das Spiel aus. Sie rannte los und fluchte innerlich, wenn ihr Fuß das Gras traf. Sie konnte unmöglich so viel Lärm machen, schließlich war sie leicht genug, um beim Cheerleading immer ganz oben in der Pyramide zu sein, und ihre Mutter hatte häufig gesagt, sie müsse ein paar Kilo zunehmen, damit sie endlich einen Busen bekam.

Als Clementine das Haus erreichte, war sie so erleichtert, dass sie fast in Tränen ausgebrochen wäre. Doch sie zwang sich weiter und schlich seitlich um das Gebäude herum zur Rückseite.

Ihre Hände zitterten, als sie die Hintertür aufsperrte. Im Haus war es dunkel. Ihre Mutter hatte zwar das Licht auf der vorderen Veranda angelassen, aber ihr Vater hatte darauf geachtet, dass im Haus nicht unnötig Strom verbraucht wurde. Sie ließ den Schlüssel in der Tür stecken und war mit drei Schritten am Küchentisch, wo sie in der Obstschale herumwühlte, bis ihre Finger den Schlüsselbund mit dem Lederanhänger umklammerten. Das Adressbuch ihrer Mutter lag aufgeschlagen auf dem Tisch. So leise wie möglich riss sie die Seite mit Heaths Adresse heraus, faltete das Papier zusammen und steckte es in ihre Tasche. Jetzt musste sie es nur noch bis zum Pick-up schaffen.

»Clem?«

Sie hätte sich fast in die Hose gemacht.

Craig Strathmore trat aus der dunklen Ecke neben dem Kühlschrank hervor. Seine Augen waren weit aufgerissen und wirkten unsicher und die Hände hatte er wie zum Gebet gefaltet und an den Bauch gepresst. Unter dem rechten Auge hatte er eine kleine Schnittwunde und die Wange war blutverschmiert.

»Gott sei Dank, du bist das«, sagte er. »Ich hab dich gesucht.«

»Craig? Was ist passiert? Warum bist du hier?«

Er starrte kurz auf seine Füße, bevor er noch einen Schritt auf sie zu machte. »Gemeindehalle. Sie sind alle tot. Ich versteh das nicht. Henry Tills hat meine Eltern getötet. Er hat sie erschossen. Ich kenne ihn schon mein ganzes Leben lang. Mein Dad hat immer Bowling mit ihm gespielt. Wie konnte er das nur tun?«

»Ich weiß es nicht.«

»Ich bin ausgerutscht. Henry hat auf mich gezielt und ich bin ausgerutscht. Der Boden war nass. Ich bin hingefallen. Der Schuss hat mich nur knapp verfehlt. Er wollte noch mal schießen, aber dann hat er sich von meiner Mutter ablenken lassen. Er hat sie umgebracht. Vor meinen Augen.«

»Es tut mir leid.«

»Ich habe gesehen, wie du weggeschlichen bist, und weil ich nicht wusste, wo ich hinsoll, habe ich dich gesucht. Ich versteh das alles nicht. Warum machen die das?«

»Ich weiß es nicht. Aber wir müssen von hier weg.«

»Okay. Wo gehen wir hin?«

»Des Moines. Die Polizei dort wird wissen, was zu tun ist. Wir müssen uns beeilen. In der Scheune ist jemand, der nach mir sucht. Du hast Glück, dass er dich nicht schon gefunden hat.«

»Ich hab Angst«, flüsterte er mit zitternder Stimme. Dann

kniff er die Augen zu, so fest, dass sich seine Stirn in viele kleine Falten legte. An einem einzigen Abend war er um zwanzig Jahre gealtert. Er ließ die Arme fallen und wartete, wobei er aussah wie ein kleines Kind, das aus einem Albtraum hochgeschreckt war.

Auf seiner Highschooljacke waren dunkle Flecken und Clementine brauchte ein paar Sekunden, bis ihr klar wurde, dass es Blut war. Craig war von oben bis unten damit bespritzt.

Sie wusste nicht, was sie tun sollte. Wie viel Zeit hatten sie noch?

Clementine nahm ihn in die Arme. Es war das Einzige, was sie tun konnte. Craig legte ihr die Hände auf den Rücken und sie spürte seine kalten, steifen Finger auf ihrer Jacke.

Die beiden standen auf dem Linoleumboden der Küche und trösteten sich gegenseitig. Craig zog sie an sich und sie spürte seinen muskulösen Oberkörper, der sich verzweifelt an sie presste. Kräftige Arme umklammerten sie, drückten sie noch stärker an seinen Körper. Sein Kopf schmiegte sich an ihren Hals. Er atmete in ihr Haar; Lippen spitzten sich und berührten ihre Haut.

»Craig?«

»Ja?«

»Lass mich los.«

»Und wenn ich es nicht tue?«

Sie versuchte, sich aus seiner Umarmung zu lösen. Fingernägel krallten sich in ihre Jacke und hinderten sie daran. Craig zog sie so nah zu sich heran, wie sie das nie für möglich gehalten hätte, und presste seine Lippen an ihr Ohr. Er begann zu pfeifen.

Oh my darling, oh my darling, oh my darling, Clementine.

Am liebsten hätte sie laut geschrien, doch ihre Kehle war wie zugeschnürt. Ihr war, als würde ihr jemand die Luft aus den Lungen saugen.

»Was ist denn, Darling Clementine?«

Sie verdrehte ihren Oberkörper, ließ ihre Beine schlaff werden, versuchte verzweifelt, sich aus seinen Armen zu winden, doch er ließ sie einfach nicht los. Weil sie ihre Hände nicht hoch genug bekam, um ihm das Gesicht zu zerkratzen, schlug sie ihre Fingernägel in seinen Rücken und auf die Ärmel seiner Jacke. Er hatte sie zu seiner Gefangenen gemacht und sie war auch noch mit offenen Armen in seine Umarmung gerannt.

Wie dumm von ihr!

»Du hättest die Schreie deiner Mutter hören sollen«, flüsterte Craig ihr ins Ohr. »Es war toll. Sie hat so geschrien.«

Das war nicht Craig. Die Person, die sie festhielt, war nicht der Junge, den sie kannte. Vor zwei Monaten waren sie zusammen unterwegs gewesen und hatten einen Waschbären überfahren. Der Craig, mit dem sie aufgewachsen war, hatte den Wagen an den Straßenrand gelenkt und fast geweint. Er war zwar ein Footballstar, aber er liebte Tiere und ernährte sich vegetarisch. Der Junge, den sie kannte, hätte nie im Leben Spaß daran gehabt, ihr solche Angst einzujagen.

»Wer bist du?«, fragte sie. Seine Augen sahen irgendwie merkwürdig aus. Sie waren dunkler als sonst. Zuerst dachte sie, sie würde sich täuschen, weil in der Küche so wenig Licht war. Doch daran lag es nicht. Die Adern in seinen Augen waren schwarz.

»Ich bin Craig.«

»Nein, bist du nicht.«

»Ich bin der dunkelste Winkel seiner Seele. Ich bin alles, was er sein wollte, alles, was er sich ausgemalt hat, wenn niemand dabei war. Ich bin der echte Craig Strathmore. Ich bin seine Evolution. Sein wahres Ich.«

»Nein. Das … bist … du … nicht.« Sie hob den Fuß und rammte ihm ihre Ferse seitlich ans Bein. Craig stöhnte und lockerte seinen Griff gerade so weit, dass sie sich aus seiner Umarmung herauswinden konnte. Sie ließ sich auf den Boden fallen, streckte den Arm aus und griff sich den ersten Gegenstand, der ihr in die Finger kam. Es war zufällig der Briefbeschwerer ihrer Mutter, den sie immer benutzt hatte, um die Küchentür aufzuhalten. Clementine holte aus und schmetterte ihm die schwere Glaskugel gegen das Knie.

Vor Überraschung und Schmerz schrie Craig laut auf. Sie rappelte sich auf und wollte zur Tür rennen, doch er packte sie am Fußknöchel und riss sie zu Boden, sodass ihr Knie auf dem Linoleumboden aufschlug. Ihr Meniskus gab ein dumpfes Geräusch von sich, doch sie ignorierte den Schmerz und trat mit ihrem unverletzten Bein nach ihm. Er hob die Arme, um sein Gesicht zu schützen, und ließ sie für einen kurzen Moment los.

Clementine brauchte genau drei Sekunden, um ins Freie zu kommen. Mit dem Funkschlüssel entriegelte sie den Pick-up, dann riss sie die Fahrertür auf und warf sich auf den Sitz. Der Motor startete beim ersten Versuch, und bevor sie den Gang einlegte, schaltete sie das Licht ein.

Die Einfahrt zum Haus war voller Leute. Es waren mindestens ein Dutzend und sie standen vollkommen regungslos da und starrten in ihre Richtung. Sie erkannte Henry und James Tills, Sam Anselm und einige der anderen, die sie vorhin auf dem Parkplatz gesehen hatte. Ihre Kleidung war von Blut durchtränkt, das im Mondlicht schwarz glänzte.

Sie blockierten die Straße.

Craig Strathmore – oder der, der er jetzt war – stürzte aus dem Haus und kam schwer hinkend auf sie zu.

Clementine brauchte keine Straße, schließlich war sie auf einer Farm aufgewachsen. Nachdem sie den ersten Gang eingelegt hatte, trat sie das Gaspedal durch, riss das Steuer herum und fuhr direkt in die Maisfelder. Die Strecke war holprig, doch der Pick-up hatte nicht umsonst Allradantrieb.

Sie sah nicht in den Rückspiegel, um zu überprüfen, ob sie ihr folgten.

Quer durch die Maisfelder waren es etwa drei Kilometer bis zur Straße. Sie schaffte es in Rekordzeit. Die Reifen knirschten, als sie auf den Highway fuhr. Sie lenkte den Wagen in die Richtung, die von Glenmore wegführte.

Sie war schon eine Stunde gefahren, als sie den Pick-up an den Straßenrand lenkte und anhielt. Sie hatte kein einziges Fahrzeug gesehen.

Lieber Heath, hier gehen seltsame Dinge vor sich. Die Erdbeben waren schon schlimm genug, aber dann haben sie in den Nachrichten über die vielen Gewalttaten berichtet. Es ist überall so, stimmt's? Egal, was es ist, sobald ich in Des Moines war, komme ich zu dir. Mom hat es so gewollt und ich werde ihr diesen letzten Wunsch erfüllen. Du solltest also besser nicht tot sein. Ich komme, so schnell ich kann. Und ich werde stinksauer sein, wenn du Seattle ohne mich verlässt. Lass mich nicht allein!

Clementine schaltete das Radio ein, konnte aber keinen Sender finden. Es war nur Rauschen zu hören. Zehn Minuten lang drehte sie an den Knöpfen herum und schließlich stieg sie sogar aus, um die Antenne zu überprüfen.

Es war, als wäre sie der letzte Mensch auf Erden.

MICHAEL

Er wachte auf, als die letzten Strahlen der Sonne auf sein Kissen fielen. Sein Körper war schweißgebadet, selbst die Haare hinter seinen Ohren waren nass. Er hatte nicht einschlafen wollen – jetzt war er schockiert darüber, dass er es doch getan hatte. Noch vor ein paar Stunden hätte er sich nicht vorstellen können, jemals wieder die Augen zuzumachen. Nachdem Evans ihn abgesetzt hatte, war er endlos lange auf und ab gegangen. Alle paar Minuten hatte er aus dem Fenster gesehen, während sein Herz wie wild klopfte und seine Muskeln sich so verkrampften, dass es wehtat. Nach einer Stunde hatte er nicht mehr gewusst, was er sonst noch tun konnte, also hatte er sich für eine Weile hingelegt, um den Kopf wieder freizubekommen.

Er stand auf und taumelte ins Wohnzimmer, wobei er über die Mülltüte fiel, die er an die Tür gestellt, am Morgen dann aber vergessen hatte rauszubringen.

Die Fernsehstationen sendeten noch immer nichts und er versuchte erst gar nicht, ins Internet zu kommen. In der Küche schaltete er die Kaffeemaschine an, dann ging er ans Fenster, um einen Blick nach draußen zu werfen. Ein Teil von ihm glaubte immer noch, dass jeden Moment die beiden Polizisten vor der Tür stehen und ihn erledigen würden, weil er Zeuge ihrer Verbrechen geworden war.

Doch auf der Straße war niemand zu sehen. In Whitefish waren wohl alle früh schlafen gegangen.

Nachdem sie Joe abgesetzt hatten, waren er und Evans nicht direkt zu seiner Wohnung gefahren, sondern hatten einen Umweg über das Polizeirevier gemacht, das sie aber ausgestorben vorgefunden hatten. Kein einziges Auto auf dem Parkplatz. Der Eingang war verschlossen gewesen. Sie hatten an die Glastür geklopft, doch es war niemand gekommen.

Seit wann konnte ein Polizeirevier einfach so zumachen?

Michael hatte noch einmal versucht, ein Netz für sein Mobiltelefon zu bekommen, aber es hatte wieder nicht funktioniert. Evans meinte, er habe mit mehreren Leuten gesprochen und alle hätten das Gleiche gesagt: Seit den Erdbeben funktionierte nichts Elektronisches mehr. Telefon, Internet, Fernsehen und selbst das Radio – sämtliche Kommunikationsmittel waren gestört oder ganz kaputt.

»Es sieht fast so aus, als gäbe es da etwas, das Dinge und Menschen verrücktspielen lässt«, meinte Evans. »Ich war gestern in Great Falls und da passiert genau das Gleiche. Bei einer Kneipenschlägerei haben sich ein paar Idioten gegenseitig totgeprügelt.«

»Glauben Sie das wirklich? Geht denn so was überhaupt?«

»Keine Ahnung«, sagte Evans. Er schlug mit der Faust gegen das Autoradio, das jedoch nur statisches Rauschen von sich gab. »Wir brauchen Informationen. Ist dir denn nicht aufgefallen, dass es heute keine neuen Nachrichten gegeben hat? Sie haben nur immer wieder die alten Berichte gesendet. Wenn die Reporter nichts Neues mehr bringen, kann man davon ausgehen, dass die Lage sehr ernst ist.«

Michael war überrascht.

»Wie kann das denn sein, dass es keine Nachrichten mehr gibt?«, fragte er.

»Ich weiß es nicht«, antwortete Evans. »Aber es ist ernst. Man lässt uns im Dunkeln. Ich gehe davon aus, dass das, was da vorhin auf dem Highway passiert ist, kein Einzelfall war. Und ich glaube, es werden noch sehr viel mehr Menschen sterben.«

Michael musste an ihre Unterhaltung denken, während er aus dem Fenster sah. Vorhin hatte er gedacht, Evans übertreibe nur. Doch jetzt war er sich da nicht mehr so sicher. Um diese Zeit waren normalerweise immer ein paar Leute auf der Straße unterwegs. Doch jetzt konnte er niemanden sehen.

Seltsam.

Aus der Wohnung unter ihm drang das Schnarren der Türklingel zu ihm herauf, doch die Schritte, die sonst immer darauf folgten, hörte er nicht. Er goss sich Kaffee ein und kippte viel Zucker dazu. Im Kühlschrank war keine Milch mehr. Er durfte nicht vergessen, morgen neue zu kaufen.

Michael ging ins Schlafzimmer zurück und war gerade an der Haustür, als es wieder klingelte, dieses Mal in der Nachbarwohnung. Er warf einen Blick durch den Türspion, um sicher zu sein, dass niemand im Korridor war, bevor er die Tür aufschloss und hinausging. Seine Wohnung ging nach hinten raus, er konnte also nicht erkennen, wer vor der Tür unten stand, es sei denn, er sah zum Fenster am Ende des Korridors hinaus. Es klingelte wieder, dieses Mal kam das gedämpfte Geräusch von seinem Nachbarn in 415. Niemand antwortete. Langsam bekam er den Eindruck, dass er der Einzige war, der sich noch in dem Gebäude aufhielt.

Michael war sich nicht mehr so sicher, ob er wissen wollte, wer da draußen war. Er ging wieder in seine Wohnung und sperrte zweimal ab. Dann stellte er seine Kaffeetasse auf den Tisch, drehte sich wieder um und starrte die Türsprechanlage an.

SSSUUUUUMMMM.

Es fehlte nicht viel und er hätte wie ein Mädchen gekreischt. Er wich zurück und stolperte ein zweites Mal über die Mülltüte, sodass er nach hinten fiel und auf dem Hintern landete. Das Geräusch jagte ihm derart Angst ein, dass er einfach losschrie, wie ein gestörter Affe.

»Scheißescheißescheiße.«

Nachdem er sich wieder aufgerappelt hatte, ging er zur Türsprechanlage. Ein Teil von ihm wollte unbedingt auf die Sprechtaste drücken. Doch die andere Hälfte protestierte entschieden, denn war es nicht vielleicht besser, sie glauben zu lassen, er wäre nicht zu Hause? Die Taste stach aus der Sprechanlage heraus, als wäre sie mit einem Schild versehen, auf dem »Nicht anfassen« stand.

SSSUUUUUMMMM.

Er konnte nicht anders. Er musste es wissen.

Sein Finger drückte die Taste und er hörte, wie das Geräusch der Außenluft durch die kleinen Lautsprecher drang. Er sagte nichts; er wusste nicht, wie er reagieren sollte.

»Hallo?« Die Stimme klang leicht verzerrt. »Ich suche jemanden. Michael. Er wohnt hier.«

Evans.

»Hallo«, sagte Michael. »Ich bin's. Kommen Sie hoch. Vierzwölf.«

Er hörte das vibrierende Geräusch, mit dem die Tür geöffnet wurde. Evans murmelte etwas, doch er konnte es nicht verstehen. Einige Minuten später, als es an seiner Tür klopfte, warf er einen Blick durch den Spion, um sich zu vergewissern, dass Evans allein war.

Er war tatsächlich allein.

»Stimmt was nicht?« Als Michael öffnete, drängte sich Evans an ihm vorbei, als könnte er gar nicht schnell genug in die Wohnung kommen. Michael machte die Tür zu und schloss ab. Was auch immer Evans verfolgte, es war vielleicht dicht hinter ihm.

»Bist du schon draußen gewesen?«, fragte Evans.

Michael schüttelte den Kopf. »Ich war hier, seit Sie mich abgesetzt haben. Warum? Was ist denn los?«

»Die ganze Stadt ist verrückt geworden. Sie haben die Straßen blockiert. Überall Menschen in Autos. Sie lassen keinen mehr in die Stadt und keinen mehr raus. Wenn es jemand trotzdem versucht, wird er erschossen. Die Polizisten, die wir auf dem Highway gesehen haben – sie sind tot. Jemand hat sie gelyncht.«

»Was?«

»Sie sind alle tot«, fuhr Evans fort. »Sie holen die Leute aus ihren Häusern oder jagen sie auf der Straße. Ein paar von ihnen haben den Supermarkt in Brand gesteckt. Es hat vor einer Stunde angefangen. Ich war gerade an der Tankstelle und habe versucht, von einem Münztelefon aus meine Frau anzurufen. Plötzlich ist ein Typ mit einer Brechstange auf mich losgegangen.«

»Aber ...«

»Ich glaube, ich habe ihn umgebracht. Sieh mich nicht so an. Was hätte ich denn tun sollen? Grauhaarig hin oder her, er hatte eine Brechstange in der Hand. Er hat versucht, meine Gehirnmasse auf der Wand zu verteilen. Ich hatte keine Wahl.«

»Okay.« Michael ließ den Mund offen, doch es kam kein Wort

mehr heraus. Stattdessen ging er wieder zur Tür und überprüfte, ob er auch wirklich abgeschlossen hatte.

»Hör zu.« Evans fing an, in dem kleinen Wohnzimmer auf und ab zu gehen. »Ich bin eine Weile in der Gegend herumgefahren, ich wusste nicht, wo ich sonst hinsollte. Meine Frau. Ich kann sie nicht erreichen. Ich habe eine kleine Tochter. Du musst mir helfen. Ich muss nach Hause. Ich weiß nicht, was ich tun soll. Sie haben Straßensperren errichtet. Ich komme nicht aus der Stadt raus.«

»Okay. Wo ist Ihre Frau?«

»Somers. Direkt am See.«

Michael nickte. »Da bin ich schon mal gewesen. Das ist gar nicht weit von hier.«

»Wie sollen wir da hinkommen? Mit einem Auto wird es nicht gehen.«

»Es muss einen Weg geben«, sagte Michael. »Sie können nicht auf allen Straßen Sperren errichtet haben.«

»Ich glaube, du hast mich nicht verstanden.« Evans stürmte zum Fenster und deutete auf die Straße. »Da draußen sind nur noch Verrückte. Sie bringen alle um. Es ist nur eine Frage der Zeit, bis sie uns finden.« Evans zögerte. »Es sind die Erdbeben«, sagte er dann. »Es ist irgendetwas geschehen ... Etwas hat die Leute verändert.«

»Aber mit uns ist doch alles okay«, wandte Michael ein.

»Ja, aber wie lange noch?«

Michael ging zum Telefon und nahm den Hörer ab. Er versuchte, seine Mutter anzurufen. Nichts. Plötzlich sehnte er sich nach ihrer Stimme. Er hätte sich schon mit dem Anrufbeantworter zufriedengegeben, auf dem sie sagte, sie sei gerade nicht zu Hause. Doch selbst den konnte er nicht erreichen.

Was war mit seinem Vater? Ging es ihm gut? Er sollte in ein paar Tagen aus Denver zurückkommen. Am Wochenende wollten sie zum Footballspiel. Die Eintrittskarten lagen auf seiner Kommode.

»Ich muss nach Hause«, sagte Evans. »Meine Frau. Meine Tochter. Sie ist erst zwei.«

»Vielleicht kann ich Ihnen ja helfen«, sagte Michael. Sein Blick ging zu den Angelruten, die an der Couch lehnten.

Er wollte nicht nach draußen. Am liebsten hätte er sich jetzt in sein Bett verkrochen, die Decke über den Kopf gezogen und gewartet, bis das Ganze vorbei war. Die Tür war mit einem stabilen Schloss gesichert und er hatte genügend Lebensmittel in der Küche, um mehrere Wochen überleben zu können. Doch er wusste, dass er seinen Vater enttäuschen würde, wenn er sich wie ein Feigling verhielt. Vor allem, weil es um ein Kind ging, das Hilfe brauchte.

Michael holte tief Luft. »Ich weiß, wie wir hier rauskommen. Wir können laufen.« Er ging zum Fenster. Auf der Straße unten war immer noch niemand zu sehen. »Ganz in der Nähe gibt es Wanderwege. Ich kenne ein paar, die nach einer Weile den Highway kreuzen. Sie bringen uns etwa acht Kilometer von der Stadt weg. In der gleichen Richtung gibt es auch einige Skiorte. Vielleicht finden wir dort ein Telefon, das funktioniert, oder sogar jemanden, der uns im Auto mitnehmen kann.«

Evans nickte.

»Ich muss nur noch ein paar Sachen holen. Ich glaube, hier müssen noch irgendwo Taschenlampen sein. Allerdings weiß ich nicht, ob ich auch Batterien finde. Im Kühlschrank sind Wasserflaschen. Nehmen Sie ein paar davon und suchen Sie im Schrank nach etwas Essbarem!«

Michael stellte überrascht fest, dass er völlig ruhig war. Er ging ins Arbeitszimmer seines Vaters, wo er die Taschenlampen zum letzten Mal gesehen hatte, und fand zwei Stück ganz hinten im Schrank. Beide funktionierten.

Evans hatte ihn um Hilfe gebeten und Michael hatte eine Lösung gefunden. Die Tatsache, dass der ältere Mann ihn brauchte, bewahrte Michael davor, die Nerven zu verlieren. Seine Mutter war genauso; sie war immer diejenige, die die Führung übernahm, wenn die Situation ernst war. Obwohl er sie seit Jahren nicht mehr gesehen hatte, war er sicher, dass sie stolz auf ihn sein würde, weil er diesem Mann half.

Als Michael wieder ins Wohnzimmer ging, schien Evans sich beruhigt zu haben. Er hatte ein paar Wasserflaschen geholt und in den Rucksack gesteckt, den Michael ihm gegeben hatte.

»Wir brauchen nicht viel«, sagte Michael. »An der Straße gibt es jede Menge Tankstellen. Dort können wir uns alles Nötige schon irgendwie besorgen. Wir dürften nur ein paar Tage brauchen, vielleicht weniger, wenn wir jemanden finden, der uns mitnimmt.«

»Bist du sicher, dass du dich nicht verlaufen wirst?«, fragte Evans.

»Ich bin hier aufgewachsen«, erklärte Michael. »Ich kenne die Wälder.« Er nahm seine Jacke und zog sie an. »Ich muss erst noch zu Joe. Wollen Sie hierbleiben? Es dauert nicht lange. Ich kenne eine gute Abkürzung.«

»Tu es nicht«, sagte der Mann. »Dort war ich zuerst.«

Michael fiel auf, dass Evans' Hände zitterten. Auf seinen Fingern war getrocknetes Blut, das wohl von dem Überfall stammte, bei dem ihn der Mann mit der Brechstange angegriffen hatte. »War es schlimm?«, fragte er schließlich.

Evans nickte.

Joe hatte drei jüngere Schwestern. Seine Eltern waren voll in Ordnung. Michael wandte sich ab, weil er nicht wollte, dass Evans die Tränen in seinen Augen sah.

»Was ist mit deiner Familie?«, fragte Evans. »Weißt du, wo deine Eltern sind? Solltest du nicht eine Nachricht für sie hinterlassen? Übrigens, wie alt bist du eigentlich?«

»Mein Vater ist gerade in Denver«, sagte Michael. Er bemühte sich, das Zittern in seiner Stimme zu unterdrücken. »Im Moment kann ich nicht viel tun. Telefonisch kann ich ihn nicht erreichen und er kommt erst in ein paar Tagen wieder. Meine Mutter und meine Schwester habe ich schon seit Jahren nicht mehr gesehen. Mom hat wieder geheiratet. Sie wohnt jetzt an der Ostküste. Und ich bin siebzehn.«

»Großer Gott, du bist ja noch ein Teenager.«

»Wenn ich mich recht erinnere, haben Sie mich um Hilfe gebeten.«

Evans hob abwehrend die Hände. »So habe ich das nicht gemeint. Du wirkst älter. Wenn mir mit siebzehn so etwas passiert wäre, hätte ich mich vermutlich in einem Wandschrank versteckt und am Daumen genuckelt.«

Evans' Bemerkung machte Michael irgendwie stolz. Er legte dem älteren Mann die Hand auf die Schulter. »Wir schaffen das schon. Wir finden Ihre Frau und Ihr Kind.«

MASON

Mason konnte nicht schlafen. Mitten in der Nacht ging er durch das Haus, die fast leere Whiskeyflasche in der Hand. Er war betrunken, aber der Höhenflug war schon wieder abgeebbt. Die Happy Hour war vorbei.

An den Wänden hingen Bilder, Chroniken seines Lebens: Disneyland, als er sieben war. Er hatte geweint, weil er noch zu klein für die Achterbahn im Space Mountain gewesen war.

Mason als Fünfjähriger, in einem weißen Hemd mit Krawatte bei der Hochzeit seines Cousins. Er hatte die Ringe getragen. Jemand hatte ein Glas Rotwein auf seinem Hemd verschüttet, kurz bevor es losgegangen war. Er hatte geweint.

Mason als Baby mit knallroter Nase, lachend in der Badewanne. Eines der wenigen Fotos, auf denen er nicht geweint hatte.

Ein Bild von ihm und seinen Freunden an ihrem ersten Tag in der Highschool. Tom hatte den Arm um ihn gelegt. Sie waren nach dem Unterricht zu ihm nach Hause gegangen und seine Mutter hatte Sandwiches für alle gemacht. Ein Haufen glücklicher, hungriger Teenager.

Mit siebzehn vor seinem Auto. Okay, es war nicht neu, aber er hatte sich trotzdem riesig gefreut. Ein Jahr lang hatte er Teilzeit in einem Einkaufszentrum gearbeitet und das Geld gespart und erst in letzter Minute hatte seine Mutter noch ein paar Tausender dazugegeben, damit er ein sicheres Auto kaufen konnte und nicht mit einer rostigen Karre aus den Achtzigern herumgurken musste.

Mason mit vier. Damals hatte sein Vater noch gelebt. Auf dem Foto hielt ihn seine Mutter auf dem Arm. Sie trugen beide Sonnenbrillen und er hatte die Baseballmütze seines Vaters auf, die ihm mehrere Nummern zu groß war. Seine Mutter sah so glücklich aus; ihre offenen Haare wurden vom Wind durcheinandergeweht. Das Foto hatte sein Vater gemacht und später waren sie noch Händchen haltend am Strand spazieren gegangen. Es war gerade Ebbe gewesen. Sein Vater hatte ein paar der schweren Steine umgedreht, damit Mason sehen konnte, wie die jungen Krabben davontrippelten. Hinterher hatten sie noch frittierte Garnelen gegessen. Seine Mutter hatte gelacht, weil Mason gedacht hatte, die Tomatensoße für die Garnelen sei Ketchup, und sie über seine Pommes frites gekippt hatte.

Das Foto glitt ihm aus der Hand. Er sah zu, wie es in Zeitlupe auf den Boden fiel und das Glas über dem Gesicht seiner Mutter einen Sprung bekam. Er ging auf die Knie, hob den zerbrochenen Rahmen auf und schüttelte mit zitternden Fingern die Glasscherben herunter. Dann nahm er das Foto aus dem Rahmen und drehte es um, damit er den Text auf der Rückseite lesen konnte.

STANLEY PARK, SECOND BEACH IN VANCOUVER, BC –
MASON UND MOM IN DER SONNE

Er konnte das Foto nicht länger ansehen. Sein Blick wanderte durch das Zimmer und suchte etwas, worauf er sich konzentrieren konnte. Schließlich fand er sein Spiegelbild auf dem dunklen Glas des Flachbildschirms.

Im Fernsehen wurde nichts mehr gesendet.

Irgendwann gegen Mitternacht war der Sendebetrieb eingestellt worden. Es wurde nicht angekündigt und es gab auch kein
Notprogramm. Keine Meldung, dass es ein Test sei, nur ein Test.
Es wurde einfach abgeschaltet und plötzlich war der Bildschirm
schwarz geworden.

Auch das Internet funktionierte nicht mehr.

Mason machte sich nicht die Mühe nachzusehen, ob er mit
seinem Mobiltelefon ein Netz bekam.

Bevor alles abgeschaltet worden war, hatte es eine Menge Fragen im Fernsehen gegeben. Nachrichtensprecher hatten den
Leuten geraten, Ruhe zu bewahren, während sie sichtlich beunruhigt auf irgendetwas hinter der Kamera gestarrt hatten. Bleiben Sie zu Hause. Schließen Sie die Tür ab. Wenn Sie nicht allein
bleiben wollen oder glauben, in Gefahr zu sein, rufen Sie bei
der Polizei an, die Ihnen eine Liste mit Sicherheitszonen geben
wird.

Bewahren Sie Ruhe.

Hubschrauber mit Reportern an Bord kreisten am Himmel
und die Kameras filmten Unruhen in den größeren Städten wie
New York und Chicago. Überall auf der Welt benahmen sich
die Menschen unberechenbar, selbst in den Regionen, in denen
keine Erdbeben gemeldet worden waren. Geraten Sie nicht in
Panik. Los Angeles gab es nicht mehr. Sämtliche elektronische
Kommunikation war zum Erliegen gekommen. Niemand wusste, welches Ausmaß die Schäden hatten. Aus Seattle und Port-
land kamen nur wenige Berichte durch. Die beiden Städte waren völlig zerstört. Es hatte unzählige Tote gegeben.

Geraten Sie nicht in Panik.

Mit den Bürgern der Vereinigten Staaten und der übrigen

Länder geschah etwas. Die Leute drehten durch. Sie gingen aufeinander los. Sie deponierten Bomben in Schulen und staatlichen Verwaltungszentren. Fremde legten Brände. Immer wieder gab es Berichte über Amokläufe in Restaurants und Krankenhäusern. Auf den Spielplätzen und in den Vorschulen wurde Jagd auf Kinder gemacht. Die Leute fielen über Familienangehörige und Wildfremde her. Für Letzteres war die geschmolzene Packung Tiefkühlerbsen auf der Couch Beweis genug. Egal, wie viel Mason auch trank, seine Schulter tat immer noch weh. Er hatte sich schon mehrmals im Bad vor den Spiegel gestellt und den Arm bewegt, so weit es eben ging. Nachdem er sein Hemd ausgezogen hatte, hatte er die Finger gespreizt und sich besorgt die Schwellung und die Blutergüsse angesehen. Mason hatte überlegt, ob er wieder in die Notaufnahme des Krankenhauses gehen sollte, aber vermutlich würde er es nicht einmal bis zum Eingang schaffen. Er fragte sich, ob seine Mutter immer noch auf der Intensivstation lag, tot und vergessen. War ihr Körper inzwischen steif? Die Totenstarre hielt doch nur für eine gewisse Zeit an, oder? Vielleicht war ihr Körper jetzt wieder weich, vielleicht zerfiel er langsam, während die Zellstrukturen sich auflösten, und es gab niemanden, der sie in die Leichenhalle brachte und in ein Kühlfach legte. Vielleicht bekam sie nie eine Beerdigung, dann würde ihr Krankenhausbett ihr Grab sein. Würde sie zur Mumie werden? Oder würde sie einfach nur verwesen?

Er wollte zurückgehen und sie holen. In der Garage war eine Schaufel und begraben konnte er sie im Garten. Das war vielleicht nicht so glamourös oder so heilig wie ein Friedhof, aber er hatte nicht viele Möglichkeiten. Allerdings wurde ihm bei dem Gedanken an ihre Leiche mulmig. Was, wenn sie schon aufgedunsen war? Was, wenn er sich geirrt hatte und seine Mutter noch am Leben war? Was, wenn sie jetzt in diesem Augenblick starb und nach ihm rief, während er so egoistisch war, sich mit ihrer einzigen Flasche Whiskey zu besaufen? Nein, er konnte nicht wieder ins Krankenhaus. Er wollte nur noch aufhören zu denken. So war es viel einfacher. Das Gefühl der Taubheit in seinem Körper war nicht verschwunden; es breitete sich eher noch aus. Als er sich die Fotos ansah, empfand er nichts, obwohl er wusste, dass da etwas hätte sein müssen. Er hätte traurig sein sollen.

Aber er war es nicht.

Er fühlte gar nichts.

Der Alkohol war keine Hilfe.

Irgendwo in der hintersten Ecke seines Gehirns hatte jemand einen Schalter umgelegt. Alles, was für ihn wichtig gewesen war, war einfach weg. Wie eine Funktionsstörung.

Es war besser so, jedenfalls sagte er sich das immer wieder. Gefühle führten nur zu Leid und Kummer. Wahrscheinlich würde er jetzt in seinem Zimmer auf dem Boden liegen und wie ein Baby weinen, wenn er noch etwas empfinden würde. So konnte er wenigstens funktionieren, oder besser, er würde es morgen früh können, wenn er wieder nüchtern war.

Er hatte genug getrauert.

Es war Zeit, etwas zu tun. Was auch immer geschah, es würde weitergehen. Er musste einen sicheren Ort finden, wenn er überleben wollte, eine kleine Blockhütte in den Bergen vielleicht, wo er warten konnte, bis alles vorbei war. Oder einen Strand, an dem er in der Sonne Schiffbrüchiger spielen konnte. Er würde es allein tun; er wollte keine Menschen um sich haben. Sie würden ihn nur aufhalten. Er brauchte niemanden.

Er musste nur noch alle Brücken hinter sich abbrechen.

In der Garage war ein Kanister mit Benzin für den Rasenmäher. Im Rausch wankte er hinaus und suchte den Kanister, der unter ein paar Planen steckte. Als er wieder im Haus war, fing er mit seinem Zimmer an. Ein sauberer Schnitt würde alles einfacher machen. Es gab nichts, was er hätte mitnehmen wollen. Mason kippte großzügig Benzin auf sein Bett und wanderte dann weiter. Als Nächstes waren das Gästezimmer und das Bad an der Reihe. Er lief am Schlafzimmer seiner Mutter vorbei – nein, dort brauchte er nicht hineinzugehen. Er überlegte, ob er ihren Schmuck mitnehmen sollte, entschied sich aber dagegen, da er ihn wohl kaum verkaufen konnte. Die Chance, dass in diesem Chaos noch irgendwo ein Pfandhaus geöffnet hatte, schien ihm verschwindend gering. Im Erdgeschoss kippte er Benzin auf den Fernseher und die Couch. In der Küche taufte er die Mikrowelle, den Tisch und die Vorhänge. Systematisch bewegte er sich von einem Raum zum nächsten, bis ihm das Benzin ausging. Doch mehr war gar nicht nötig. Ein Streichholz genügte, um das Haus in Flammen aufgehen zu lassen. Vielleicht konnte er ja noch ein paar Marshmallows grillen.

Als Mason wieder im Wohnzimmer war, ließ er den Kanister auf den Boden fallen und sah sich nach der Whiskeyflasche um. Er fand sie, aber irgendwann war er wohl darübergestolpert und hatte sie umgeworfen, sodass sich der Rest des Alkohols auf den Teppich ergossen hatte. Plötzlich wurde ihm schwarz vor den Augen und er hörte nur noch weißes Rauschen in seinem Gehirn. Er brachte es nicht einmal mehr fertig, sich für einen Moment zusammenzureißen und zu überlegen, woher diese Wut kam. Mason hob die Flasche auf und schleuderte sie blindlings in Richtung der Wand. Sie traf den Fernseher, dessen

Bildschirm zerplatzte und Glassplitter auf den Boden regnen ließ.

Das reichte noch nicht. Er ging zur Wand und riss sämtliche Bilder herunter. Eines nach dem anderen landete auf dem Fußboden, wo er auf den Rahmen herumstampfte und das Glas unter seinen Schuhen zermalmte. Als Nächstes waren die Regale an der Reihe, in denen die Taschenbücher seiner Mutter standen. Er warf die Bücher auf den Boden, zerriss die Einbände und trampelte auf ihnen herum. Die Vase, die er ihr geschenkt hatte, landete im Kamin, die Teller aus ihrer Geschirrsammlung ließ er wie Frisbees durch das Zimmer fliegen. In der Küche kippte er den Kühlschrank um, dann warf er die Stühle durch das Fenster, riss die Pflanzen aus ihren Töpfen und benutzte das Besteck für Zielübungen.

Er begann zu weinen. Ein heftiges Schluchzen, das seinen Körper erzittern ließ und ihm den Atem raubte, ihn aber nicht davon abhalten konnte, einfach weiterzumachen. Beinahe hätte er es bis zu den Schlafzimmern geschafft, doch auf der Treppe versagten ihm seine Beine den Dienst und er brach zusammen. Als er die Augen zumachte, spürte er, wie die Wut so schnell verschwand, wie sie gekommen war. Und schließlich blieb er mit dem Rücken an das Geländer gelehnt sitzen und schluchzte einfach weiter, weil er nicht wusste, was eben eigentlich passiert war.

Als er keine Tränen mehr hatte, ließ er den Kopf auf den Teppich sinken und starrte das Treppengeländer aus Holz an. Die Leere in ihm war noch größer geworden. Wie war es möglich, dass ein Mensch so leer war?

Heftig atmend fuhr er sich mit dem Hemdsärmel über die Nase.

Es war schon spät und er war müde. Er konnte sich nicht mehr daran erinnern, was er vorgehabt hatte. Im Haus stank es nach Benzin, doch er wusste nicht, warum.

Als er die Augen zumachte, wurde sein Körper sofort um ein paar Hundert Pfund schwerer. Es war viel zu anstrengend, etwas anderes zu tun, als einfach auf der Treppe liegen zu bleiben. Er musste sich nur ein paar Minuten ausruhen, dann wollte er aufstehen und das tun, was er geplant hatte, auch wenn er nicht mehr wusste, was es war.

Er schlief ein. Träume hatte er keine.

Als er am nächsten Morgen aufwachte, hatte er stechende Kopfschmerzen, was am Whiskey und an den Benzindämpfen lag. Er wusste nicht mehr, wie er auf die Treppe gekommen war, und konnte sich nur noch daran erinnern, dass er die Whiskeyflasche aus dem Versteck geholt und daraus getrunken hatte. Sein Rücken tat weh, weil er auf den Stufen geschlafen hatte; er musste sich einen Nerv eingeklemmt haben. Seine Schulter pochte und den Arm konnte er kaum bewegen. Mit schmerzverzerrtem Gesicht fasste er sich mit der unverletzten Hand an den Kopf und wankte ins Bad, um nach Tabletten zu suchen.

Aus dem Spiegel starrte ihn ein völlig kaputter Junge an. Er hatte dunkle Ringe unter den Augen und zerzauste Haare. Als er sein Hemd auszog und das blauschwarze Muster auf seiner Schulter sah, zuckte er zusammen. Er spritzte sich kaltes Wasser ins Gesicht und schluckte zwei Schmerztabletten, ohne etwas dazu zu trinken.

Das Wohnzimmer war völlig verwüstet. Alles war kaputt oder lag auf dem Boden. Er war ziemlich sicher, dass *er* dieses Chaos angerichtet hatte, konnte sich aber an nichts mehr erinnern.

Hatte er das Benzin verteilt?

Das Foto, das ihn und seine Mutter im Stanley Park zeigte, lag auf dem Boden. Er hob es auf und drehte es um, damit er die lächelnden Gesichter nicht sehen musste. Nachdem er es vorsichtig gefaltet hatte, steckte er es in seine Gesäßtasche.

Mason und Mom in der Sonne.

Dort hatte er sich sicher gefühlt.

Es wäre schön, wieder in Vancouver zu sein.

In der Küche sah es noch schlimmer aus. Er ging von einem Zimmer zum anderen und versuchte zu rekonstruieren, was in der Nacht geschehen war, aber sein Gehirn war völlig leer. Als er in seinem Zimmer ankam, schaltete er den Fernseher ein, doch kein Kanal sendete ein Programm. Sein Mobiltelefon zeigte an, dass es kein Funknetz gab.

Die Welt war ins Chaos gestürzt worden. Daran konnte er sich noch erinnern. Und er wusste, dass seine Mutter im Krankenhaus auf ihrem Bett verweste. Hatte jemand sie inzwischen weggebracht?

Er griff sich seine Jacke und die Autoschlüssel. Wenn er das hier überleben wollte, musste er irgendwohin, wo er Nachrichten hören konnte. Es konnte nicht sein, dass die ganze Welt abgeschnitten war. Irgendwo da draußen gab es noch normale Menschen. Er würde sie finden.

Aber er würde sich nichts aus ihnen machen. Nie wieder würde er jemanden gernhaben. Sie würden ihn doch nur wieder im Stich lassen. Er war fest entschlossen, alles zu tun, was notwendig war, um diesen Krieg zu überleben. Diese Krankheit. War es die Apokalypse? Es war ihm egal, was es war. Er würde schon damit fertigwerden, aus reinem Trotz.

Mason blieb an der Treppe stehen, bevor er ging. Das Streichholz brannte gleich beim ersten Mal. Die Flamme blendete seine Augen und ließ sein Herz schneller schlagen. Er zündete die ganze Schachtel an und warf sie in die nächste Benzinlache.

Von seinem Auto aus sah er zu, wie die Flammen die Vorhänge im Wohnzimmer fraßen. Die Straße war vollkommen leer; niemand war Zeuge seines Verbrechens. Er wusste nicht, ob sich seine Nachbarn in ihren Häusern verbarrikadiert hatten oder ob sie schon geflohen waren, so wie er gleich. Es war ihm auch egal.

Irgendetwas geschah mit ihm. Mason wusste nicht, was es war, doch tief in seinem Innersten veränderte er sich. Eine leise Stimme in der hintersten Ecke seines Gehirns flüsterte ihm Dinge zu, die er nicht hören wollte, zwang ihn zu einem Verhalten, das ihm fremd war. Ein neuer Mason.

»Ich werde verrückt«, sagte er. Die Worte hallten durch das Auto.

Er drückte das Gaspedal durch und fuhr mit quietschenden Reifen rückwärts auf die Straße. Als er davonraste, warf er nicht einmal einen letzten Blick auf sein brennendes Haus.

ARIES

Sie stand im Korridor und fragte sich, was sie als Nächstes tun sollte. Jetzt, wo Daniel weg war, hatte sie das Gefühl, ihr Mut würde aus ihr heraus auf den kalten Fliesenboden fließen. Das Theater war nur wenige Schritte von ihr entfernt, doch ihre Füße wollten sich nicht mehr bewegen. Sie klebten am Boden – festgehalten von der schmierigen Masse aus Angststoffen, die ihre Poren absonderten.

Er hatte versprochen, sie nicht allein zu lassen.

Welche Lügen hatte er ihr sonst noch erzählt?

Wie lange hatte sie weitergeredet, nachdem er sich davongeschlichen hatte? Sie hatte eine ganze Weile sinnlos vor sich hin geplappert, um eine Panikattacke abzuwehren. Sie musste ihre ganze Selbstbeherrschung zusammennehmen, um nicht loszuschreien oder in Tränen auszubrechen. Die Ruhe um sie herum hatte etwas Bedrohliches an sich, und sie mit Worten zu füllen, war ihre Art, nicht verrückt zu werden. Jetzt, wo sie niemanden mehr zum Reden hatte, hörte sie, wie die Stille aus allen Richtungen auf sie zukroch. Sie holte tief Luft und ging weiter. Wenn jemand im Theater war, würde sie wieder ruhiger werden. Daniel hatte sie zwar vor der Gefahr gewarnt, die von Gruppen ausging, doch er hatte vergessen, was für ein Trost Freunde sein konnten. Die Stille war dann nicht mehr so laut. Und irgendeiner von ihnen würde wissen, was zu tun war.

Oder?

Doch tief in ihrem Innern wusste sie, dass Daniel recht hatte. Etwas Entsetzliches geschah. Und es würde noch schlimmer werden.

Im Theater waren sechs Leute, die sich in den vordersten zwei Sitzreihen zusammendrängten. Alle Augen richteten sich auf Aries, als sie die Treppe hinunterging. Wenigstens funktionierte die Notbeleuchtung noch. Es war zwar nicht sehr hell und überall lauerten Schatten, doch sie konnte die Gesichter ihrer Klassenkameraden erkennen.

»Aries?« Jack King stand auf, um besser sehen zu können. Das Licht der Notlampe über ihm fiel auf seine sandbraunen Haare. Er spielte das weiße Kaninchen.

»Gott sei Dank.« Das kam von Becka Philips. Sie war der verrückte Hutmacher. Colin hatte zu toben begonnen, als sie den Part bekommen hatte. Die Rolle hatte *er* haben wollen und er konnte es einfach nicht ertragen, dass ein Mädchen die zweite Hauptrolle spielte. Die ganze darauffolgende Woche war er beleidigt gewesen und hatte ständig etwas von Sexismus gebrummelt.

Apropos Colin: Er saß in der ersten Reihe und ließ sich von Amanda Steeves, der Beleuchterin, trösten. Am liebsten wäre Aries zu ihm marschiert und hätte ihm eine schallende Ohrfeige verpasst, weil er einfach gegangen war und Sara alleingelassen hatte. Doch sie beherrschte sich. Es würde Sara nicht zurückbringen und sie würde ihm nur eine Szene machen, sonst nichts. Aries kannte ihn und es war genau das, was sie von ihm erwartet hatte. Sara hatte über seine eklatanten Charakterschwächen hinweggesehen, doch Aries ließ sich nicht täuschen. Colin war niemand, dem sie vertrauen konnte.

»Bist du verletzt?« Ms Darcy, ihre Schauspiellehrerin, klang besorgt.

»Nein, alles in Ordnung«, sagte sie.

»Wo warst du, als es losgegangen ist?«, fragte Becka, während sie herüberkam, um Aries zu umarmen. »Wir waren hier drin, als es passierte. Das ganze Gebäude hat gezittert. Ms Darcy wollte uns nicht rausgehen lassen, um nachzusehen. Hast du die Autos auf dem Parkplatz gesehen? Sie sind völlig demoliert. Und kein einziges Handy funktioniert.«

»Ich war im Bus. Da draußen herrscht Chaos. Es hat viele Verletzte gegeben. Der Strom ist ausgefallen und die Straßen sind blockiert. Die Rettungswagen kommen nicht durch.«

»Du warst mit Colin zusammen?« Becka drehte sich um und sah Colin ungläubig an. »Warum hast du uns nicht erzählt, dass du mit Aries zusammen warst? Wo ist Sara?«

Aries starrte Colin an. Er weigerte sich, sie anzusehen. Stattdessen interessierte er sich ausgerechnet jetzt für einen Scheinwerfer der Bühnenbeleuchtung.

»Sara ist tot«, antwortete Aries. »Es gab eine Menge Tote. Ich wäre schon früher gekommen, aber ich bin dortgeblieben, um zu helfen. Na ja, jedenfalls habe ich es versucht.«

»Nein.« Joy Woo, die Raupe, schlug die Hände vor den Mund.

Colin blieb sitzen und hörte ihr mit unbewegtem Gesichtsausdruck zu.

Da sah sie den Schmerz in seinen Augen. Er versuchte, ihn zu verstecken, doch Aries hatte ihn trotzdem bemerkt. Es war gut, dass es ihm doch etwas ausmachte, selbst wenn es ihm vorhin nur darum gegangen war, seine eigene Haut zu retten.

Ms Darcy, die tief bestürzt war, kam zu ihr. Sie nahm Aries'

Hand und drückte sie sanft. »Ist alles in Ordnung mit dir?«, fragte sie leise. »Bist du sicher, dass du nicht verletzt bist?«

»Mir geht es gut. Ich hatte Glück.«

Becka begann zu weinen. Sie war genauso eng mit Sara befreundet gewesen wie Aries. Die beiden hatten nebeneinander gewohnt und waren praktisch miteinander aufgewachsen. Joy legte sofort den Arm um sie. Die anderen saßen wie betäubt da und konnten nichts sagen. Es war lange still und nur gelegentlich war ein ersticktes Schluchzen zu hören, wenn Becka das Gesicht in ihrer Jacke vergrub.

»Was sollen wir denn jetzt machen?«, murmelte Amanda.

Colin stand auf. »Ich gehe nach Hause.«

»Wir sollten hierbleiben«, sagte Aries. »Draußen ist es gefährlich.«

»Hier sind wir aber ein leichtes Ziel«, fuhr Colin sie an. »Und was ist mit Nachbeben? Dabei könnte das ganze Gebäude einstürzen.«

»Ich will nicht zerquetscht werden«, stammelte Joy.

»Niemand wird zerquetscht werden«, sagte Aries. »Auf dem Weg hierher habe ich einen Jungen getroffen. Er hat gesagt, die Schule sei jetzt der sicherste Ort, und ich bin der gleichen Meinung. Unsere Eltern wissen, dass wir hier sind. Sie werden uns holen, wenn das alles vorbei ist. Wir müssen nur Geduld haben und bleiben, wo wir sind.«

Viele Menschen werden sterben und das ist erst der Anfang.

Daniels Worte. Sie konnte den anderen nicht erzählen, dass er das gesagt hatte. Es klang irgendwie verrückt. Aber sie hatte es mit eigenen Augen gesehen: den Mob aus dunklen Schatten, der die Leute auf der Straße in Stücke gerissen hatte. Sie wusste, dass sie ihre Klassenkameraden warnen sollte, doch Becka sah aus, als würde sie jeden Moment die Nerven verlieren. Aries sah keinen Grund, ihr noch mehr Angst zu machen. Außerdem waren sie in der Schule sicher. Es war sehr unwahrscheinlich, dass jemand nach ihnen suchen würde, solange sie sich im Theater versteckten.

»Das sehe ich auch so«, sagte Ms Darcy. »Ich glaube, wir sollten warten, bis eure Eltern euch abholen. Wenn die Straßen freigeräumt sind, dürfte es nicht mehr allzu lange dauern.«

»Aber nur, wenn es ihnen gut geht«, sagte Becka. »Woher wissen wir, dass sie nicht tot sind?«

»Ich glaube, wir sollten im Moment alle etwas positiver denken«, sagte Ms Darcy. »Und zwar so lange, bis es einen Grund gibt, das Gegenteil anzunehmen.«

Die Entscheidung war gefallen. Niemand wagte es, der Lehrerin zu widersprechen. Sie war die einzige Erwachsene und hatte sozusagen automatisch das Sagen. Außerdem musste sie ja wissen, wie man sich in einer solchen Situation verhielt. Doch auf ihrem Gesicht lag ein ängstlicher Ausdruck und beim Sprechen legte sie den Kopf so merkwürdig auf die Seite. Sie versuchte, es zu verbergen, und von den anderen bemerkte es auch niemand, doch Aries konnte sie nichts vormachen. Es war eindeutig. Ms Darcy glaubte ihren eigenen Worten nicht. Sie kannte die Wahrheit.

»Und wo ist dieser Typ jetzt?«, fragte Colin. »Wenn er die Schule für so sicher gehalten hat, warum ist er dann nicht hier?«

»Es gab noch andere, die gerettet werden mussten«, erklärte Aries. »Für ihn war das wichtiger, als den Schwanz einzuziehen wie ein Feigling und einfach abzuhauen.«

Colin verzog den Mund zu einem falschen Lächeln.

»Das spricht für ihn«, sagte Ms Darcy. »Ich schlage vor, wir gehen jetzt in die Requisitenkammer. Vor ein paar Wochen habe ich dort einen Gettoblaster gesehen. Wenn wir ihn zum Laufen bringen, können wir vielleicht Nachrichten hören.«

»Ich muss gehen.«

Aries und Ms Darcy waren unten in der Requisitenkammer. Sie fanden den Gettoblaster in der Ecke, halb verborgen unter einigen Bühnenperücken. Er war riesig groß, ein vergessenes Relikt aus den Achtzigern. Aries bezweifelte, dass er noch funktionierte, doch das würden sie erst wissen, wenn sie irgendwo Batterien gefunden hatten.

»Was meinen Sie damit?«, fragte Aries. »Sie waren doch der gleichen Meinung wie ich.«

Ms Darcys Kinn begann zu zittern. »Ich habe zwei kleine Kinder zu Hause, bei denen jetzt ein Babysitter ist. Ich kann nicht auf eine Rettungsmannschaft warten. Ich muss wissen, ob es meinen Kindern gut geht.«

»Ich verstehe.«

»Die anderen werden es auch verstehen. Ich werde es ihnen einfach machen und hinausschleichen, wenn gerade niemand auf mich achtet.«

»Aber ich weiß doch gar nicht, was ich machen soll.«

Ms Darcy legte ihr die Hände auf die Schultern und zog sie zu sich heran. »Mach einfach so weiter. Ich würde dir das nicht zumuten, wenn ich nicht der Meinung wäre, dass du es schaffen kannst. Du bist eine meiner intelligentesten Schülerinnen und ein Vorbild für die anderen. Sie werden auf dich hören. Sorg dafür, dass sie in der Schule bleiben. Egal, was geschieht, sie dürfen nicht nach draußen.«

»Und wenn sie nicht auf mich hören wollen?«

»Sie werden auf dich hören.«

»Colin nicht.«

»Dann lass ihn gehen. Du wirst nicht alle retten können.«

»Da draußen sterben Menschen«, sagte Aries. »Ich habe es selbst gesehen. Sara ist tot. Können Sie denn nicht bis morgen früh warten? Dann können wir etwas organisieren. Wir helfen Ihnen, nach Hause zu kommen.«

»Bis dahin ist es vielleicht schon zu spät.«

»Sie wissen, was da draußen passiert, nicht wahr?«, fragte Aries.

»Ja. Und deshalb ist es auch so wichtig, dass ihr alle in der Schule bleibt. Aries, hör mir zu.« Ms Darcy zog sie noch näher zu sich heran und flüsterte ihr ins Ohr, obwohl außer ihnen niemand da war. »Es wird etwas Furchtbares geschehen. Es hat schon angefangen. Ich weiß, dass du es auch spürst.« Ms Darcy erschauderte. »Es fühlt sich an, als würde ich unter Strom stehen. Ich kann es nicht erklären. Ich spüre es schon seit Wochen. Es ist größer als jedes Erdbeben und am Ende wird es viel schlimmer sein als ein paar eingestürzte Gebäude.«

»Ich spüre es auch.«

»Die anderen nicht.«

»Die Glücklichen.«

»Sei vorsichtig. Aber ich möchte nicht, dass du mit mir kommst. Das musst du verstehen. Bleib hier, solange du kannst. Warte, bis das Schlimmste vorbei ist. Wenn wir Glück haben, ist es schnell wieder vorbei, und dann werden deine Eltern kommen und dich holen.«

»Es wird nicht aufhören.« In dem Moment, in dem Aries die Worte ausgesprochen hatte, wusste sie, dass sie wahr waren.

»Das kann ich nicht glauben.«

Aries holte tief Luft. »Ich hoffe, dass es Ihren Kindern gut geht und dass Sie es bis nach Hause schaffen.«

»Danke.« Ms Darcy holte ihre Schlüssel aus der Tasche und drückte sie ihr in die Hand. »Wenn bis morgen früh niemand kommt, versuch es mit dem Telefon im Büro. Bis dahin funktioniert es vielleicht wieder.«

»Okay.«

Der Gettoblaster funktionierte nicht, obwohl sie beide Packungen mit Batterien ausprobierten, die sie nach längerem Suchen gefunden hatten. Sie ließen den Gettoblaster zurück und gingen wieder nach oben, um mit den anderen zusammen auf den Morgen zu warten. Aries setzte sich neben Jack und legte sich ihre Jacke wie eine Decke um den Oberkörper. Es sollte sie eher trösten als wärmen. Sie würde sowieso nicht schlafen können.

Gegen zwei Uhr morgens, als die meisten schon auf ihren Stühlen eingeschlafen waren, schlich sich Ms Darcy davon. Sie tat so, als würde sie zur Toilette gehen; sie nahm nicht einmal ihre Handtasche oder ihre Jacke mit. Aries, die sie gehen sah, ignorierte die Stimme in sich, die die Lehrerin anflehen wollte zu bleiben.

Nach etwa zehn Minuten flüsterte ihr Jack ins Ohr: »Sie kommt nicht zurück, oder?«

»Nein.«

Aries stellte sich vor, wie ihre Eltern im Wohnzimmer saßen und Händchen haltend die Nachrichten im Fernsehen verfolgten. Sie machten sich vermutlich schreckliche Sorgen. Wahrscheinlich stand ihr Vater alle zehn Minuten auf und ging im

Zimmer auf und ab, während ihre Mutter in die Küche eilte, um Kaffee für ihn zu machen und nachzusehen, ob das Telefon wieder funktionierte. Sie versuchte, das Bild im Kopf zu behalten, weil die Alternativen viel zu grausam waren. Sie wollte sich noch nicht vorstellen, dass ihre Eltern tot waren. Sie wollte glauben, dass sie sie wiedersehen würde.

Nicht so wie Sara.

»Wenn morgen früh niemand kommt, müssen wir uns etwas einfallen lassen«, sagte sie.

Sie wachte auf, als Joy sie sachte schüttelte. Das Letzte, woran sie sich erinnern konnte, war, dass sie irgendwann nach fünf Uhr morgens auf die Uhr gesehen hatte.

»Wie spät ist es?« Aries rieb sich die Augen und streckte sich auf ihrem Sitz, wobei ihre Jacke auf den Boden rutschte. Die Kälte im Theater schnitt ihr in die Haut und ließ sie heftig zittern.

»Kurz nach sieben«, sagte Joy. »Ms Darcy ist weg. Colin ist im Foyer und tobt. Du solltest besser kommen.«

Sie war mit einem Schlag hellwach. Das Foyer hatte Fenster, die zur Straße gingen. Colin war dort von draußen gut zu erkennen. Die Killer, die sie gestern Abend gesehen hatte, waren vielleicht noch unterwegs. Wenn der Falsche vorbeiging, waren sie alle tot.

Mach dich bereit. Es wird sich gleich öffnen.

Die Menschheit hat ein Heilmittel für eine Krankheit gefunden, von der sie nicht einmal wusste, dass es sie gibt.

Zwischen dem, was der Verrückte und Daniel gesagt hatten, gab es einen Zusammenhang. Das Erdbeben hatte etwas ausgelöst. Etwas Grauenvolles.

Und es würden noch mehr Menschen sterben.

Sie warteten alle im Foyer. Die Morgensonne fiel durch die Scheiben und Aries wurde sofort wärmer. Sie warf einen Blick nach draußen, doch es schien alles ruhig zu sein. Noch.

»Geht von den Fenstern weg«, sagte sie. »Wir müssen wieder ins Theater. Hier kann uns jeder sehen.«

»Aber das wollen wir doch«, sagte Becka. »Wir wollen doch, dass man uns findet, oder nicht?«

»Nicht, wenn es die Falschen sind«, erwiderte Aries.

»Und was genau meinst du damit?« Amandas Stimme stieg um mehrere Oktaven.

Aries musste aufpassen, was sie sagte. Sie wusste, dass es verrückt klang. Die anderen hatten immer noch keine Ahnung, welche Gefahr ihnen draußen drohte. Sie gingen davon aus, dass es gestern Abend nur ein Erdbeben gegeben hatte. Sie hatten nicht gesehen, wie Menschen zu Tode geprügelt wurden.

»Da draußen sind Randalierer«, sagte sie schließlich und merkte selbst, dass das wie eine billige Ausrede klang. »Sie könnten auf uns losgehen.«

»Das soll wohl ein Witz sein.« Colin lachte lauthals. »Randalierer? Davor hast du solche Angst? Wen kümmert das? Du bist so ein Angsthase, Aries. Geh wieder rein und lass die Männer reden.«

»Ich bin wieder reingegangen«, sagte sie bestimmt. »Ich bin wieder in den Bus gegangen und habe nach Sara gesucht. Sie war tot. Und was hast du getan? Du bist weggerannt wie ein Feigling. Du hast sie im Stich gelassen.«

»Das nimmst du zurück.«

»Nein.«

Jack stellte sich zwischen sie und hob beschwichtigend die

Hände, als hätte er Angst, sie würden anfangen, sich gegenseitig die Augen auszukratzen. »Hey, Leute, jetzt kommt mal wieder runter«, sagte er. »Wir sind alle müde und das hier bringt uns nicht weiter. Wir setzen uns jetzt hin und reden darüber, dann finden wir auch eine Lösung.«

»Ich will nach Hause«, rief Becka.

»Ja, wir wollen alle nach Hause«, bemerkte Colin, der Aries immer noch anstarrte. »Aber die Zicke hier ist ja der Meinung, dass wir einfach warten sollen.« Er warf ihr einen wütenden Blick zu. »Und warum sollen wir das tun? Ach ja, weil irgendein Fremder zu dir gesagt hat, dass es draußen nicht sicher ist, und du ihm geglaubt hast. Und wo ist dieser geheimnisvolle Typ jetzt? Er ist abgehauen. Er hat genau das Gegenteil von dem getan, was er zu dir gesagt hat.«

»Colin, das muss jetzt wirklich nicht sein«, wies Jack ihn zurecht.

»Wir bleiben doch nicht nur wegen Aries«, sagte Joy. »Wir haben abgestimmt und der Rest von uns war der gleichen Meinung. Wir haben es Ms Darcy versprochen. Hier sind wir sicher. Und unsere Eltern würden auch wollen, dass wir hierbleiben.«

»Denkst du eigentlich nie selbst?«, fuhr Colin sie an.

»Sprich nicht so mit ihr«, erwiderte Aries. »Du hast Nerven, Colin. Du lässt deine Freundin allein sterben und jetzt brüllst du Joy an?«

Colin schob sich an Jack vorbei, bis er nur noch wenige Zentimeter von Aries entfernt war. »Wenn du nicht sofort damit aufhörst, hau ich dir eine runter. Und es ist mir scheißegal, dass du ein Mädchen bist.«

Jack packte von hinten seine Arme und zerrte ihn weg. Becka und einige der anderen stellten sich zwischen sie und bildeten eine Mauer aus Körpern. Plötzlich brüllten sich alle gegenseitig an und ergriffen für einen von ihnen Partei, obwohl eigentlich niemand so genau wusste, worum es eigentlich ging.

Sie waren immer noch im Foyer. Auf dem Präsentierteller. Angreifbar. Und laut. Man konnte sie durch das Glas hindurch hören.

Aries musste sie unbedingt wieder ins Theater bringen. Zum Glück schien Jack gerade das Gleiche zu denken.

»Es reicht«, sagte er. »Wir gehen jetzt wieder rein, setzen uns hin und reden wie Erwachsene über das Ganze. Einverstanden? Einverstanden?«

Jacks beschwichtigende Worte wirkten. Colin starrte ihn noch ein paar Sekunden trotzig an, bevor er nickte und ohne ein Wort ins Theater ging. Die anderen folgten ihm.

Der Kälteschauer, der Aries durchfahren war, verschwand, als alle wieder im Theater waren. Jack blieb neben ihr stehen, während sie noch einen letzten Blick nach draußen warf, um sich zu vergewissern, dass niemand auf der Straße war.

»Colin nervt«, sagte Jack. »Es tut mir leid.«

»Mir nicht«, erwiderte sie. »Mit so etwas habe ich gerechnet.«

Als sie wieder im Theater waren, stellten sie fest, dass Colin gerade dabei war, seine Schuhe anzuziehen.

»Warte noch ein bisschen«, wandte sich Aries an ihn. »Es ist noch früh. Es gibt keinen Grund zur Eile. Vielleicht ist jetzt schon jemand unterwegs. Ich bin sicher, dass es nur noch eine Frage der Zeit ist.«

»Wir sollten nichts Unüberlegtes tun«, stimmte Jack ihr zu. »Ich habe ein paar Leitungen auf der Straße liegen sehen, die vielleicht noch unter Strom stehen.«

»Und wo bekommen wir was zu essen her?«, fuhr Colin ihn an. »Vielleicht sitzen wir hier tagelang fest. Ich habe keine Lust auf einen knurrenden Magen.«

»Wir können in die Cafeteria gehen«, schlug Joy vor. »Die Generalschlüssel sind im Büro. Ich habe letztes Schuljahr als Hilfskraft für einen Lehrer gearbeitet. Ich weiß, wo die Schlüssel sind. Wir müssen sie nur holen. Ich bin sicher, dass wir dort eine Menge zu essen finden.«

»Das ist eine gute Idee«, stimmte Aries ihr zu. »Ich werde gehen. Will jemand mitkommen?«

»Ich komme mit«, sagte Jack.

»Ich auch«, schloss sich Colin an. Er hatte sich wieder etwas beruhigt. »Ich muss hier raus. Ich werde verrückt, wenn ich nur rumsitze.« Er sah Aries direkt an, als er das sagte, was offenbar heißen sollte, dass alles ihre Schuld war. Wenn sie noch ein paar Stunden wartete, würde er vermutlich auch eine Möglichkeit finden, sie für das Erdbeben verantwortlich zu machen.

Es beunruhigte sie auch, dass er versuchte, die Gruppe in eine Richtung zu lenken, von der Aries wusste, dass sie gefährlich war.

»Sucht nach einem Radio oder etwas Ähnlichem«, rief Becka. »Vielleicht können wir dann Nachrichten hören. Und seht nach, ob die Telefone funktionieren.«

»Ich würde alles für einen Kaffee tun«, seufzte Joy grinsend. »Dazu vielleicht ein paar Pfannkuchen? Spiegeleier mit Speck? Würstchen? Glaubt ihr, es gibt noch Kuchen?«

»Wohl eher trockene Kekse«, erwiderte Jack, der ebenfalls grinsen musste.

Jack fand eine Sporttasche hinter der Bühne und kippte die Trainingsklamotten eines Unbekannten heraus. Nachdem er sich die Tasche über die Schulter geschwungen hatte, lief er die Treppe hinauf ins Foyer. Sie wollten alle gehen, bis auf Amanda und Becka, die zurückblieben für den Fall, dass jemand vorbeikam und sie retten wollte.

Die Cafeteria war auf der anderen Seite der Schule. Zu Fuß würden sie etwa fünf Minuten brauchen. Das Büro war in der Mitte, beim Haupteingang. Dort wollten sie zuerst hin.

»Ich habe gar nicht gewusst, wie unheimlich die Schule sein kann«, sagte Joy. »Es ist so leer. Ich warte eigentlich nur darauf, dass jemand um die Ecke kommt und buh macht. Hat es hier früher auch schon so gehallt?«

Alle lachten, bis auf Aries.

»Das wäre doch eine tolle Idee für einen Horrorfilm«, meinte Jack. »Am Tag Schüler, bei Nacht Killer und in den Gängen fließt das Blut in Strömen.«

»Jetzt reicht's aber«, fuhr Aries ihn an.

»Tut mir leid. War doch nur ein Witz«, sagte Jack.

Den Rest des Weges gingen sie schweigend. Die Tür zum Büro war abgeschlossen und Aries zog die Schlüssel aus ihrer Tasche.

»Wo hast du die denn her?«, fragte Colin sofort.

Aries ignorierte ihn und schloss die Tür auf. Sie gingen hinein. Im Büro war es dunkel, da die Jalousien geschlossen waren, und Jack lief sofort zum Fenster, um die Lamellen aufzudrehen. Um ein Haar hätte sie ihm zugerufen, es nicht zu tun, hielt sich dann aber zurück. Was hätte sie denn sagen sollen? Schließlich brauchten sie Licht, um die Schlüssel zu finden, und sie wollte den anderen immer noch nicht sagen, wie gefährlich es da draußen wirklich war. Und wie sollte sie auch etwas erklären, das sie selbst nicht richtig verstand?

»Ich hole die Schlüssel.« Joy ging zu einem Schreibtisch und fing an, die Schubladen zu durchsuchen. »So ein Generalschlüssel ist was Tolles. Damit bekommt man jedes Schloss in der Schule auf. Vielleicht sollten wir uns mal unsere Schülerakten vornehmen. Glaubt ihr, es stimmt, dass sie die Akten aus der Grundschule an die Highschool weiterleiten, oder ist das nur so eine Art Legende?«

»Ich hoffe nicht, dass es stimmt«, sagte Jack. »In der ersten Klasse habe ich mir mal in die Hose gepinkelt. Wenn das rauskommt, schaffe ich es nie auf die Uni.«

Auf dem Schreibtisch stand ein schwarzes Telefon neben einem Stapel Akten. Aries nahm den Hörer ab und drückte auf die Taste für eine Leitung nach draußen. Kein Wählton. Sie warf einen Blick auf die Anschlussdose, um sicherzustellen, dass das Telefon eingestöpselt war, und versuchte es wieder. Immer noch nichts.

»Oh Gott.« Jacks Stimme klang gepresst. Seine Finger umklammerten die Stange an der letzten Jalousie und verharrten mitten in der Drehbewegung.

Aries war als Erste am Fenster. Ihre Augen folgten Jacks entsetztem Blick. Fünfzehn Meter vor dem Fenster lag jemand mit dem Gesicht nach unten auf dem Rasen. Der Körper war blutüberströmt, das Gesicht war nicht zu erkennen.

Doch die leuchtend grüne Bluse verriet ihnen, wer es war.

»Das ist Ms Darcy«, sagte Colin.

Joy drehte sich um und übergab sich auf den am nächsten stehenden Schreibtisch.

»Oh Gott, oh Gott, oh Gott«, murmelte Colin, während er die Hände auf die Ohren legte, als könnte er den Klang seiner eigenen Stimme nicht ertragen.

»Was ist mit ihr passiert?«, fragte Jack. »Warum tut jemand so etwas? Das sind nicht nur Randalierer.«

»Es ist das Böse«, entfuhr es Aries. Plötzlich wurde ihr klar, was der Mann im Bus gemeint hatte, als er »Das Spiel ist aus« gesagt hatte.

Sie hatten keine Bonusleben, mit denen sie einen neuen Versuch starten konnten, um diesem Grauen zu entkommen.

»Da unten ist jemand«, rief Jack.

Auf der anderen Seite des Rasens, näher zur Hauptstraße hin, standen drei Männer. Sie starrten die Schule an. Nein, falsch. Die Männer starrten *sie* an.

Aries zog Jack vom Fenster weg.

»Wir müssen hier raus. Sofort«, sagte sie.

Niemand schien ihr zuzuhören. Die Zeit verging viel zu langsam. Sie würden nicht schnell genug sein. Aries klopfte das Herz bis zum Hals. Jack bewegte sich in Zeitlupe von ihr weg, den Blick starr nach draußen gerichtet.

»Wir müssen hier weg«, sagte sie noch einmal, dieses Mal viel lauter. »Wir müssen Becka und Amanda holen.«

Endlich sah Jack sie an. »Okay.«

Aber er rührte sich immer noch nicht vom Fleck. Auch die anderen nicht. Sie standen einfach nur da.

»Jetzt macht schon!«, brüllte sie, während sie Jack und Joy packte und wegzuzerren versuchte.

»Wer … wer hat Ms Darcy das angetan?«, stammelte Joy.

»Uns werden sie als Nächstes töten.« Das verschaffte ihr die Aufmerksamkeit, die sie brauchte. »Los jetzt!« Zum Glück fing Colin nicht an, mit ihr zu diskutieren.

Sie rannten durch die Korridore und hatten das Theater schon fast erreicht, als die Schreie begannen.

»Das ist Becka«, rief Joy.

Sie blieben stehen und warteten, wie erstarrt und unsicher, was sie jetzt tun sollten. Die Schreie gingen weiter, eine halbe Ewigkeit lang, wie ihnen schien, und hörten dann abrupt auf. Stille erfüllte die Korridore und legte sich schwer wie Blei auf Aries' Schädel. Sie konnte nicht sprechen; die Zunge klebte ihr an den Zähnen. Sie spürte, wie Jacks Körper von hinten gegen sie stieß, die Muskeln hart und angespannt,

»Was sollen wir jetzt tun?«, fragte er.

»Wir müssen weg«, erwiderte Aries.

»Und was ist mit Becka und Amanda?«, flüsterte Joy. Kaum hatte sie die Worte ausgesprochen, fing sie auch schon an, rückwärtszugehen, weg vom Theater.

»Wir können ihnen nicht mehr helfen«, wisperte Aries.

Sie hörten ein knarrendes Geräusch, als die Tür zum Theater aufgestoßen wurde. Schritte hallten auf dem Fliesenboden.

»Lauft!«, schrie Jack.

Sie rannten los.

NICHTS

Ich kann sie spüren. Alle. Ihre Gedanken. Ihre Stimmen, die mir ins Ohr flüstern. Ich höre ihre Gebete, und ihre Qualen fahren durch meinen Körper wie eine Million Volt.

Ich kenne ihre Verbrechen.

Sie werden dafür sorgen, dass ich jedes einzelne davon mit ansehe.

In New York blockiert ein Hausmeister sämtliche Ausgänge eines Apartmenthauses und stellt den Strom ab, bevor er es in Brand setzt. Er geht den ganzen Vormittag von einem Gebäude zum nächsten und zündet jedes einzelne an. Mehrere Menschen sterben, bevor sein eigenes Feuer für ihn zur Falle wird und er in der Explosion stirbt.

In Houston brechen Hunderte von Häftlingen aus einem Gefängnis aus und ziehen in einem blutigen Amoklauf durch die Straßen. Die Polizei ist nicht in der Lage, die Menschen zu schützen, vor allem, da viele der Beamten ihre Waffen ziehen und auf unbeteiligte Passanten schießen.

In Barcelona geht ein Priester mit einer Waffe in der Hand in eine Kirche und tötet sämtliche Besucher des Morgengottesdienstes.

Bei Unruhen in London fließt mehr Blut auf das Kopfsteinpflaster der Stadt, als Jack the Ripper sich das je hätte träumen lassen.

Eine junge Erzieherin in einem Kindergarten in Toronto verabreicht ihren Schützlingen eine tödliche Mischung aus Arsen und Früchtepunsch. Als sie für kurze Zeit wieder klar denken kann und begreift, was sie getan hat, trinkt sie mit zwei Schlucken das, was noch übrig ist.

Das Spiel ist aus.

Überall auf der Welt bringen sich die Menschen gegenseitig um. Brüder gehen auf ihre Schwestern los. Eltern töten ihre Kinder. Es gibt keine Erklärung, die man verstehen könnte. An den wenigen Orten, wo die Medien noch funktionieren, haben sie keine Antworten dafür.

Aber ich weiß, warum.

Ich kann es nicht ausblenden. Sie haben ihre Klauen in meinen Schädel geschlagen. Es gibt keinen Ort auf dieser Welt, an dem ich mich verstecken könnte, denn sie wissen, wo sie mich finden werden. Für sie ist es ganz einfach. Sie haben den Schlüssel zu meinem Gehirn, sie saugen meine Gedanken heraus und ersetzen sie durch ihre.

Bis vor Kurzem war ich, glaube ich, normal. Ich hatte eine Mutter.

Jetzt würde sie eine Menge Kerzen anzünden müssen, um meine Seele zu retten.

Irgendwo in der Dunkelheit taucht ein Gedanke auf. Eine flüchtige Erinnerung. Ich sehe weißen Sand, der sich in alle Richtungen erstreckt; weiter, als mein Blick reicht. Vor mir ein blaues Meer. Es ist riesengroß, aber ich bin sehr klein. Ein Kind, nicht älter als drei oder vier vielleicht. Ich halte Eimerchen und Schaufel fest, während meine Eltern eine Decke über den weißen Sand breiten, der unter meinen Füßen brennt.

Mein Vater ruft nach mir.

Meine Mutter lächelt.

Sie sieht so glücklich aus.

Und dann ist alles wieder weg.

Ich will diese Erinnerungen an mich reißen und festhalten. Ich habe Angst, dass sie für immer verloren sind, wenn sie jetzt verschwinden.

Es muss eine Möglichkeit geben, sich dagegen zu wehren. Die schwarzen Gedanken auszusperren und dafür zu sorgen, dass die Stimmen verstummen. Doch mit jeder Erinnerung, die ich verliere, wächst ihre Macht über mich. Bald wird der Mensch, der ich war, der ich noch bin, verschwunden sein. Ich werde leer sein.

Ich bin nicht der Erste und ich werde auch nicht der Letzte sein.

Es gibt so viele leere Leute auf diesem kleinen Planeten. Einsame Leute. Wütende Leute. Verbittert. Vergessen.

Sie waren leicht zu füllen.

DREI WOCHEN SPÄTER

MICHAEL

»Und? Was hältst du davon?«

Das Fernglas hatte einen Sprung und Michael sah die Welt in zwei Hälften, die beide farblos und leicht unscharf waren. Es irritierte seine Augen und er musste blinzeln, damit die Welt wieder normal aussah.

Was er davon hielt? Kurz vor Mittag hatten sie die Ranch entdeckt. Fast hätten sie das Haus übersehen, da der größte Teil davon hinter einer dichten Wand aus Nadelbäumen stand.

»Also, was ist?« Evans stieß Michael seinen Finger gegen die Schläfe. So fest, dass er dessen Aufmerksamkeit bekam.

»Leer.« Michael kratzte sich am Kopf und hob das Fernglas wieder an die Augen. Sie beobachteten das Haus jetzt schon seit mehreren Stunden, versteckt in den Büschen. Im Innern war keine Bewegung auszumachen, doch das hatte nichts zu bedeuten. Inzwischen war nichts mehr völlig leer und unberührt. Aber da sie jetzt schon ein ganzes Stück von der Stadt entfernt waren, bestand immerhin die Möglichkeit, dass die anderen sich nicht mehr die Mühe machten, so weit herauszukommen. Sie hatten seit Tagen keinen von ihnen gesehen. Es war gut möglich, dass sie eine freie Zone erreicht hatten. »Denkbar wäre es zumindest«, fügte Michael schließlich hinzu. »Wir sollten es uns ansehen.«

»Und wenn es sich nicht lohnt?«

»Wir können auf die Gelegenheit nicht verzichten. Vielleicht haben wir ja Glück.« Sie hatten nichts mehr zu essen, seit sie sich vor zwei Tagen die letzte Packung Cracker zum Abendessen geteilt hatten. Sie hatten überlegt, ob sie jagen gehen sollten. Es gab eine Menge Wildtiere in der Gegend, doch ein offenes Feuer zum Kochen war zu riskant. Sie konnten es nicht darauf ankommen lassen, dass jemand durch den Rauch auf sie aufmerksam wurde. Sie saßen in der Klemme. Wann es die nächste Mahlzeit gab, war völlig ungewiss. Außerdem hatten sie ein Kind bei sich. Vor einigen Tagen, als sie ein verlassenes Holzfällercamp durchsucht hatten, waren sie auf eine Mutter mit ihrem vierjährigen Sohn gestoßen. Es war ein Wunder, dass die beiden überlebt hatten. Doch das Kind war schwach und krank und Michael glaubte nicht, dass es ohne Nahrung noch lange leben würde. Vermutlich brauchte es auch Medikamente.

»So etwas wie Glück gibt es nicht mehr.«

Michael antwortete ihm nicht. Jeder von ihnen hatte Erinnerungen, die ihn quälten. Vor drei Wochen hatten sie Evans' Haus erreicht, doch seine Frau und seine kleine Tochter waren nicht da gewesen. Jemand hatte die Haustür eingetreten und der Teppich war blutverschmiert. Sie hatten nie herausgefunden, was geschehen war.

»Ich denke, wir sollten das Risiko eingehen.« Billy, eines der anderen Mitglieder ihrer Gruppe, kam mit einem Satz von hinten dazu. Als er auf der weichen Erde neben Michael landete, riss er ihm mit einer schnellen Bewegung das Fernglas aus der Hand und blickte hindurch. »Das Ding hier ist doch völlig nutzlos. Wie hast du es bloß geschafft, zwei Stunden lang da durchzustarren? Ich hätte mich erschossen.« Er gab Michael das Fernglas zurück und kratzte sich an seinem Ziegenbärtchen. »Jetzt mal im Ernst – der Kleine sieht gar nicht gut aus. Wir müssen etwas tun, und zwar schnell, sonst ist er bis zum Einbruch der Dunkelheit tot.«

»Ich weiß«, erwiderte Michael. »Aber wir können da erst rein, wenn wir absolut sicher sind, dass uns keine Gefahr droht.«

»Wir sind schon seit Stunden hier«, wandte Billy ein. »Wenn sie dort drin wären, hätten wir sie doch gesehen. Die Hetzer sitzen doch nicht einfach so rum und warten drauf, dass wir uns zu Tode langweilen. Sie hätten uns schon längst überfallen.«

Hetzer. Ein Begriff, der aus dem Jagdjargon abgeleitet wurde. Bei der Hetzjagd wird die Beute so lange verfolgt, bis sie schließlich ermüdet ist und erlegt werden kann. Nur dass die Hetzer nicht hinter Wild her waren. Vor ein paar Tagen hatte Billy das Wort zum ersten Mal benutzt. Er hatte gehört, wie irgend so ein armer Kerl es geschrien hatte, kurz bevor er von einem der Ungeheuer in Stücke gerissen worden war.

»Ja, vielleicht.«

»Wie weit sind wir von der nächsten Stadt weg?« Billy kratzte sich schon wieder. Ihnen allen juckte die Haut. Duschen war ein Luxus, den sich niemand mehr leisten konnte.

Evans zog zum zehnten Mal in einer Stunde die zerknitterte Landkarte aus der Tasche. »Schwer zu sagen. Wir wissen immer noch nicht genau, wo wir sind. Es könnten ein paar Kilometer sein oder ein paar Hundert.«

»Auf keinen Fall.« Billy schnappte sich die Karte. »Keiner von diesen Orten hier ist mehr als ein paar Kilometer von uns entfernt. So weit oben im Norden sind wir doch gar nicht. Wir sind immer noch in der Zivilisation. Hier kann man ja nicht mal spucken, ohne gleich einen Taco Bell zu treffen.«

Michael warf einen Blick auf die Mutter, die hinter ihnen auf dem Boden saß, den Kopf des Kindes auf ihren Oberschenkel gebettet. Der Junge – Michael hatte vergessen, wie er hieß – hatte schon eine ganze Weile nicht mehr die Augen aufgemacht. Sein Atem ging flach über die blau verfärbten Lippen und die Brust hob und senkte sich kaum merklich unter dem Hemd. Das Gesicht war leichenblass, die Augen lagen tief in den Höhlen. Das arme Kind wog vermutlich nur so viel wie ein kleines Tier. Sicher, sie hatten alle abgenommen und die meisten von ihnen würden vermutlich alles tun, um einen Hamburger zu bekommen, doch das hier war etwas anderes. Es war ein Kind. Kinder sollten keinen Hunger haben.

Und Kinder sollten auch nicht wissen, dass es Ungeheuer tatsächlich gab.

Auch die Mutter sah nicht gut aus. Blonde, verfilzte Haare, die wohl schon lange nicht mehr gebürstet worden waren. Sie sah erschöpft aus. Verbraucht. Die Sonne stand zwar noch am Himmel, doch ihre Strahlen konnten ihre Haut nicht wärmen. Leise sang sie ihrem Sohn etwas vor, ein Lied, das Michael zum letzten Mal als Kleinkind gehört hatte. Den Text konnte er kaum verstehen.

Eigentlich hätte sie gar nicht singen sollen. Ihre Stimme machte vielleicht die Falschen auf sie aufmerksam. Doch Michael brachte es nicht übers Herz, es ihr zu verbieten. Es war vielleicht das letzte Mal, dass das Kind ihre Stimme hörte.

Niemand will allein in die Dunkelheit gehen.

»Also gut.« Er wandte sich wieder Evans und Billy zu. »Wir machen es. Holt die anderen!«

Sie waren insgesamt zu zwölft. Michael und Evans hatten sich der Gruppe vor zwei Wochen angeschlossen, damals bestand sie nur aus fünf Leuten. Inzwischen hatten sie noch einige andere aufgelesen. Die Mutter und ihr Sohn waren zuletzt dazugekommen. Und jetzt war die Gruppe so groß, dass es Probleme gab. Es stimmte nicht, dass man zu mehreren sicher war, es führte nur dazu, dass man immer mehr Leute im Auge behalten musste. Eine größere Gruppe bedeutete, dass man mehr zum Essen brauchte. Es bedeutete auch, dass man lauter war.

Doch Michael gefiel es, zu einer Gruppe zu gehören. Es gab ihm das Gefühl, gebraucht zu werden. Er mochte es, Teil eines Größeren zu sein. So war er eben. Wenn es brenzlig wurde, war er selbstbewusst und stark. Sein Vater sagte immer, Michael sei die geborene Führungspersönlichkeit, und wenn er jetzt da wäre, wäre er sicher stolz darauf, wie gut Michael zurechtkam. Und es bestand immer noch die Möglichkeit, dass sich sein Vater irgendwo in Denver versteckt hatte. Er wusste eine Menge über Überlebensstrategien. Michael klammerte sich an den Gedanken, dass sie sich eines Tages wiedersehen würden, und er freute sich darauf, seinem Vater zu erzählen, wie gut er die Situation gemeistert hatte. Schließlich war er der Anführer ihrer Gruppe, obwohl er jünger als die meisten anderen war. Evans war mindestens vierzig. Billy war dreißig, wirkte wegen seiner fehlenden Zähne aber älter.

Michael war siebzehn, doch wenn die anderen Antworten haben wollten, fragten sie ihn. Er hatte es nicht so geplant. Es war einfach passiert.

Er stand auf und verzog das Gesicht, als seine Knie knackten. Er hatte zu lange auf dem Boden gesessen. Er ging zu der Mutter hinüber und kniete sich neben sie. Warum konnte er sich nicht an den Namen des Kindes erinnern? Eigentlich sollte er sie ja danach fragen, aber er wollte sich nicht die Blöße geben.

Es war ihm irgendwie peinlich, dass er sich als Anführer die Namen der Gruppenmitglieder nicht merken konnte.

»Hallo.« Er sprach leise.

Sie hörte zu singen auf und hob den Kopf. Ihr Blick ging an ihm vorbei ins Leere. Erst als sie mehrmals geblinzelt hatte, gelang es ihr, ihm ins Gesicht zu sehen. Ihre Augen waren strahlend blau, doch sie wirkte verwirrt.

»Wir werden uns jetzt das Haus ansehen«, sagte er. »Willst du mitkommen? Du kannst hierbleiben, aber ich halte es für besser, wenn wir zusammenbleiben. Ich kann dir helfen. Brauchst du Hilfe? Ich kann ihn tragen.«

Er streckte die Arme aus, doch sie wich zurück und drückte ihr Kind an sich. »Nein«, murmelte sie. »Er bleibt bei mir. Glaubst du, es gibt dort ein Bett? Es wäre schön, wenn er sich eine Weile hinlegen könnte.«

»Wir werden nicht lange bleiben können«, gab er zu. »Wir gehen nur rein, um nach Lebensmitteln zu suchen. Es ist zu gefährlich, wenn wir uns länger dort aufhalten.«

»Nur eine Weile«, beharrte sie. »Er muss sich ausruhen. Es geht ihm nicht gut.«

Michael nickte. »Wir werden sehen, was wir tun können.«

Sie stand auf, das Kind immer noch in den Armen haltend, und ging auf Evans zu. Ihre Beine zitterten, doch sie brach nicht zusammen.

In ihrer Stärke lag etwas Tröstendes. Michael fragte sich, ob er den Jungen mit der gleichen Entschlossenheit beschützen würde, wenn er sein Vater wäre. Egal, wie schwach sie auch wurde, sie würde niemals aufgeben.

Er wollte so stark sein wie sie. Niemand wusste, wie lange dieser Krieg noch dauern würde. Die Hetzer waren ihnen überlegen, doch wenn sich genug Leute zusammentaten, waren sie vielleicht stark genug, um die Oberhand zu gewinnen. Und selbst wenn sie immer nur einen Hetzer nach dem anderen erledigen konnten, war das schon ein guter Anfang.

Michael wollte es glauben. Er musste es glauben. Auch wenn die gesamte Menschheit kurz vor dem Untergang stand, zog er es vor, optimistisch zu bleiben. Niemand wusste, wie viele Leute gestorben waren, da es keinerlei Kommunikationsmöglichkeiten mehr gab. Es wäre gut, wenn er ein Kurzwellenradio oder etwas Ähnliches finden würde. Vielleicht benutzten andere Überlebende auch solche Geräte. Doch bis jetzt hatte die Gruppe in den Häusern, die sie durchsucht hatte, nichts gefunden, bis auf Mobiltelefone, Computer, Fernseher und alle möglichen Varianten der nutzlos gewordenen Spielereien, mit denen er aufgewachsen war.

Früher hatte er immer gedacht, ohne sein Handy könne er nicht leben. Erstaunlich, wie schnell sich so etwas ändern konnte.

Die Hetzer waren schlau. Den Gerüchten zufolge waren sie es gewesen, die die Netze so schnell abgeschaltet hatten. Sie hatten die Mobilfunktürme blockiert und das Internet zerstört. Ohne Kommunikation war die Welt wie gelähmt. Niemand wusste genau, was geschah. Niemand hatte Informationen darüber, wo es noch sicher war oder wie man sich schützen konnte. Wenn man herausfinden wollte, ob jemand aus der Familie noch am Leben war, musste man in ein Auto steigen und losfahren. Deshalb hatten die Hetzer auch so schnell töten können. Die Leute wagten sich aus ihrem Versteck und wurden leichte Beute.

Zumindest hatten die Mitglieder ihrer Gruppe das vermutet, wenn sie spät in der Nacht darauf warteten, dass sie endlich einschliefen. Sie hatten auch darüber geredet, warum manche Leute zu Hetzern wurden, andere dagegen nicht. Warum und wie hatten sie sich verändert? Was hatten die Hetzer mit der Welt, die sie zerstörten, vor? Und unausgesprochen schwebte über allen die Angst: Sie waren keine Hetzer. Noch nicht. Evans war der Meinung, dass aus ihnen keine werden würden, weil sie sich bis jetzt noch nicht verändert hatten. Michael dachte genauso. Doch die Angst blieb. War es vielleicht nur eine Frage der Zeit? Würde er eines Nachts aufwachen, weil ihm einer aus der Gruppe die Kehle zerfetzte?

Nein, so wollte er nicht denken. Und was immer es auch war, es schien nicht ansteckend zu sein. Das musste er glauben. Sie glaubten es alle.

Da draußen gab es eine Menge anderer Leute, die noch normal waren, die sich in ihren Häusern versteckten oder an Orte geflohen waren, die noch sicher waren. Michael hatte vor, sie zu finden.

»Fertig?« Evans kam zu ihnen. Er faltete die Landkarte zusammen und steckte sie in die Tasche.

»Ja.« Michaels Magen knurrte und erinnerte ihn an das, was wichtig war. »Es geht los.«

Sie ballten ihre Hände zur Faust und schlugen sich damit gegenseitig leicht auf den Oberkörper. Es war ihr Mantra geworden, ihr Glücksbringer.

Billy und er übernahmen die Führung, während Evans ganz am Schluss ging. Sie waren die drei Stärksten und litten am wenigsten unter dem Hunger. Das war jedenfalls der Eindruck, den sie den anderen vermittelten. In Wahrheit waren sie nur geschickter darin, so zu tun, als würde ihnen das laute Knurren in ihrem Magen nichts ausmachen.

Sie waren beileibe keine Armee, doch bis jetzt hatten sie es geschafft, am Leben zu bleiben. Sie waren zäh. Allerdings hatten sie auch noch nie so lange ohne Essen aushalten müssen. Wie lange würde ihre Kraft noch reichen?

Sie liefen an der Grenze zum Wald entlang und hielten sich in der Nähe der Bäume, für den Fall, dass sie flüchten mussten. Wachsamkeit allein konnte sie nicht vor allem schützen. Und wenn man sie jetzt entdeckte, würden sie nicht alle davonkommen. Sie wussten, dass Überleben seinen Preis hatte. In den letzten Wochen hatte jeder Einzelne von ihnen einen Angriff der Hetzer miterlebt. Oder auch zwei oder drei. Sie kannten die Konsequenzen. Nicht alle kamen mit dem Leben davon. Jeder von ihnen hatte Familienangehörige sterben sehen. Und einige von ihnen hatten miterlebt, wie Menschen, die ihre Freunde waren, sich gegen sie wandten. Doch solange sie in der Gruppe blieben, waren sie noch menschlich. Und solange sie menschlich waren, waren sie noch am Leben. Michael starrte zu dem Haus hinüber und suchte nach einer Bewegung. Ein Flimmern, eine Hand am Vorhang – irgendetwas, das er vorhin übersehen hatte. Gänsehaut war ihm inzwischen so vertraut wie atmen. Es war gut, Angst zu haben; es war das Einzige, was sie am Leben hielt. »Vorsicht« war die neue Losung.

Moment mal.

Da bewegte sich doch etwas im Fenster.

Nein. Er hatte es sich nur eingebildet. Der Hunger spielte seinen Augen einen Streich.

Trotzdem. Er konnte es sich nicht leisten, sich zu irren.

Er blieb stehen, um zu lauschen. Ihm fiel nichts Ungewöhnliches auf. Über ihnen huschten Eichhörnchen durch die Bäume und in einiger Entfernung konnte er ein schmales V am Himmel sehen – ein Schwarm kanadischer Wildgänse, der die Sonne suchte. Vor ihnen lag das Haus, einsam und verlassen, und wartete nur darauf, hungrigen Heimatlosen wie ihnen ein Dach über dem Kopf zu bieten. Die Hintertür lag in ihrem Blickfeld, sie war geschlossen und vermutlich verriegelt. Vielleicht fanden sie einen Schlüssel im Briefkasten oder unter der Matte; falls nicht, würden sie ein Fenster einschlagen.

Es sah alles ganz normal aus.

Warum ging dann plötzlich seine Körpertemperatur in den Keller?

»Ich habe ein ungutes Gefühl bei der Sache«, sagte er.

»Das sagst du jedes Mal.« Billy zog die Nase hoch und spuckte auf einen verkohlten Baumstamm.

»Dieses Mal ist es anders.«

»Hier ist nichts. Das hast du selbst gesagt. Wir beobachten die Ranch jetzt schon seit Stunden. Ich habe Hunger. In dem Haus dort ist etwas zu essen. Ich kann es riechen. Vielleicht finden wir Dosenschinken. Den würde ich jetzt wirklich gern essen. Und vielleicht eine Gewürzsoße, die noch nicht schlecht geworden ist, und ein paar Kartoffelchips als Beilage.«

Billy, der laut von Essen fantasierte, ging an Michael vorbei und lief auf das Haus zu.

»Hey!« Michael rannte ein paar Schritte, um wieder die Führung übernehmen zu können. Während er das Fenster im ersten Stock im Auge behielt, ging er mit der Gruppe zur Hintertür. Er konnte keine Bewegung ausmachen.

Es war leicht, alles zu übertreiben, wenn der eigene Körper mit Adrenalin geflutet wurde.

Michael und Billy stiegen die Treppe zur Veranda hoch, während die anderen unten auf sie warteten. Die Mutter hielt ihren

Sohn in den Armen, die Finger in den weißblonden Haaren des Kindes vergraben. Offenbar gehorchten ihr die Beine nicht mehr richtig und selbst aus einiger Entfernung konnte Michael sehen, dass sie unter dem zusätzlichen Gewicht zitterten. Evans hatte sich direkt neben sie gestellt und beobachtete sie aufmerksam, für den Fall, dass sie stolperte oder zusammenbrach.

Die Veranda war leer, bis auf ein paar Klappstühle, die an der Hauswand lehnten. In einer Ecke hingen Windspiele aus Messing, reglos und stumm. Auf dem Boden hatten sich große Haufen aus altem und verbranntem Laub gesammelt. An einem Ende der Veranda standen ein altmodischer Handrasenmäher und ein leicht verrosteter Grill. Nichts sah so aus, als wäre es durcheinander oder fehl am Platz. Die Windspiele waren mit Spinnweben überzogen. Es waren auch keine frischen Fußabdrücke im Staub zu erkennen.

Die Tür war zu, und als Michael den Griff umdrehte, bewegte sie sich keinen Millimeter. Abgeschlossen. Das war ein gutes Zeichen. Es bestand immer die Möglichkeit, dass Überlebende im Haus waren, die sich verbarrikadiert hatten und auf Hilfe warteten. Und wenn sie Waffen hatten, war das noch besser. Mehrere gesunde Menschen an einem Ort würden Beweis genug dafür sein, dass die Hetzer noch nicht bis zu ihnen in den Norden vorgedrungen waren. Dann brauchten sie endlich einmal nicht mehr so wachsam zu sein, selbst wenn es nur für eine Weile war. Es wäre schön, wenn sie einmal schlafen könnten, ohne beide Augen aufbehalten zu müssen.

Kein Schlüssel im Briefkasten. Michael fuhr mit den Fingern über den oberen Rahmen der Tür. Dann machte er einen Schritt nach hinten, bückte sich und drehte die Matte um. Nichts. Nur ein wenig Schmutz und ein paar Kieselsteine.

Billy gesellte sich zu ihm und fing an, die Blumentöpfe vor dem Fenster umzudrehen. Erde rieselte auf die Fensterbänke aus Holz.

»Kein Schlüssel«, stellte Michael fest.

»Dann schlagen wir eben ein Fenster ein«, erwiderte Billy. »Ohne Fleiß kein Preis.«

»Kein Lärm.«

Billy zog seine Jacke aus und wickelte sie um seinen Arm. Dann lehnte er sich an den Türrahmen und drückte kräftig gegen die Fensterscheibe. Als das Glas zersprang und auf dem Boden landete, hielten alle den Atem an.

Sie warteten.

Der Wind fuhr durch die Zweige der abgestorbenen Bäume und brachte die Windspiele aus Messing zum Klimpern. Michael lief es wieder eiskalt über die Haut und er spürte, wie sich die Haare in seinem Nacken aufrichteten.

Billy holte Glasscherben aus dem Rahmen, bis das Loch in der Tür so groß war, dass er seinen Arm hindurchstecken und den Riegel umlegen konnte. Metall schabte auf Holz und die Tür öffnete sich einige Zentimeter.

»Hereinspaziert«, sagte Billy. »Gleich werden wir wie die Könige speisen.«

»Es muss schnell gehen«, drängte Michael. »Rein und wieder raus. Wir sind hier viel zu ungeschützt.«

»Du machst schon wieder auf paranoid. Komm mal wieder runter, Mann. Hier gibt es keine Hetzer. Wir sind sicher.«

Sie waren nie sicher.

Michael wusste das. Aber da Billy in diesem Moment nur daran dachte, sich den Bauch vollzuschlagen, war es sinnlos, ihm einen Vortrag zu halten.

Die Hintertür führte zu einem kleinen Vorraum. An Garderobenleisten aus Holz hingen Jacken für alle Jahreszeiten und auf Regalen standen Schuhe und Stiefel. Eine der Jacken, die direkt hinter der Tür hing, war leuchtend pink und hatte eine mit Kunstpelz besetzte Kapuze. Daneben baumelten Handschuhe, die durch ein Band miteinander verbunden waren. Auf dem Boden lag eine Schultasche, deren Reißverschluss geöffnet war. Lose Blätter mit der Handschrift eines Kindes lugten heraus.

Michael warf sofort einen Blick auf Evans, um seine Reaktion einzuschätzen. Der Ältere starrte mit versteinertem Gesicht die pinkfarbene Jacke an. Für Evans war es am schlimmsten; er würde wohl nie erfahren, was aus seiner Familie geworden war. Und es würde immer etwas geben, das ihn daran erinnerte und dafür sorgte, dass er es nie vergaß.

Evans streckte die Hand aus und berührte die Jacke. Um ein Haar hätte Michael ihn gefragt, ob alles in Ordnung sei, ließ es dann aber. Außer ihm hatte niemand etwas von Evans' Geste mitbekommen und das Ganze war zu persönlich, um ihn vor den anderen darauf anzusprechen. Michael fand den Lichtschalter an der Wand und legte ihn ein paarmal um. Nichts passierte, aber das hatte er auch erwartet. Es gab schon seit Wochen keinen Strom mehr. Seine Hand ging immer zum Lichtschalter; nicht, weil alte Gewohnheiten schwer abzulegen waren, sondern weil es ihm Hoffnung gab. Vielleicht würden sie eines Tages wieder den Luxus genießen, auf Knöpfe drücken zu können und alles zu haben, was sie wollten. Doch jetzt gab es Wichtigeres zu tun, als zu träumen – vor allem, weil Billy schon wieder vorausgegangen war und die Küche betreten hatte, ohne auch nur einen Gedanken daran zu verschwenden, dass es gefährlich sein könnte. Bisher hatten sie Glück gehabt, aber es konnte auch schnell vorbei sein.

Michael rannte ihm hinterher in eine der schönsten Küchen, die er je gesehen hatte. Sie war riesig, größer als die Wohnung mit nur einem Schlafzimmer, in der er mit seinem Vater gewohnt hatte.

Billy riss mit einer erstaunlichen Geschwindigkeit die Schranktüren auf. Bis jetzt hatte er nur zahllose Teller, Kaffeebecher und Tupperware gefunden. Auf der Arbeitsplatte standen alle möglichen Geräte. Tischbackofen, Espressomaschine, Küchenmaschine, Standmixer – alles so strategisch platziert, als hätte Martha Stewart die Inneneinrichtung übernommen. Über einer gigantischen Kücheninsel hingen Töpfe und Pfannen aus Kupfer und auf ihrer Arbeitsplatte stand eine silberne Schale mit verschimmelten Äpfeln und Birnen. Das verdorbene Obst war der einzige Beweis dafür, dass diese Küche früher einmal von jemandem benutzt worden war.

»Wir sollten uns zuerst den Rest des Hauses ansehen«, sagte Evans. Er hatte sich neben Michael gestellt und sah zu, wie Billy die Schränke durchsuchte. Eines der anderen Gruppenmitglieder riss die Tür des Edelstahlkühlschranks auf und der Geruch nach saurer Milch und verschimmeltem Gemüse stieg in die Luft. Michael hielt sich die Nase zu. Der Gestank genügte, um das Knurren in seinem Magen abzustellen.

Evans führte die Mutter, die immer noch ihren Sohn an sich drückte, zu dem Tisch auf der anderen Seite der Küche. Michael ging zum Kühlschrank, unterdrückte den Würgereiz und durchsuchte die Fächer, bis er eine kleine Dose Fruchtcocktail fand. Er holte einen Löffel aus einer Schublade und brachte alles der Mutter.

»Hier«, sagte er, während er den Deckel der Dose aufriss und Zuckersirup über seine Finger lief. »Probier mal, ob er das isst.«

»Danke«, flüsterte sie.

»Volltreffer!«, brüllte Billy von der anderen Seite des Raums. Er war viel zu laut. Was dachte er sich nur dabei? So dumm konnte er doch nicht sein.

Doch Billy hatte die Speisekammer gefunden. Er konnte an nichts anderes mehr denken als an die Lebensmittelvorräte, die er vor sich auf den Regalen sah. Es war eine Goldgrube. Dutzende Konservendosen: Suppen, Mais, Erbsen, Peperoni, Thunfisch, Lachs, Birnen und anderes Obst. Es gab sogar ein paar kleine Dosen mit Schinken, genau das, wovon Billy geträumt hatte. Tüten mit Kartoffelchips und Salzstangen, Kartons mit Cornflakes, Müsliriegeln und allem Möglichen, das nicht verderben konnte – sie hatten so viele Lebensmittel gefunden, dass sie einige Wochen damit auskommen würden.

Billy riss eine Packung Müsliriegel auf und warf Michael einen davon zu. Michael reagierte zu langsam, ließ den Riegel fallen und musste ihn unter einem Stuhl hervorholen.

»Ich werde mich ein wenig umsehen«, sagte er zu niemand Bestimmtem. »Macht es euch nicht zu gemütlich. Wir wissen immer noch nicht, ob wir allein sind.«

Die Mutter sah etwas beunruhigt aus, als er das sagte. Sie zuckte zusammen und einige der Obststückchen landeten auf dem Hemd ihres Kindes.

»Ich komme mit«, sagte Evans. Wenigstens zwei von ihnen wussten, worauf es hier ankam. Michael hatte Verständnis dafür, dass die anderen Hunger hatten und das viele Essen ihr Urteilsvermögen beeinträchtigte, doch mit genau so etwas rechneten die Hetzer. Die Mitglieder der Gruppe hatten sich in der Küche verteilt und viele saßen auf dem Boden und stopften alles in sich hinein, was sie in die Finger bekamen. Wenn Michael jetzt anfing, über Sicherheit zu reden, würde er wie ein weinerliches Kind wirken. Das war einer der Nachteile, wenn man jung war.

Michael und Evans gingen ins Wohnzimmer. Eine Ledercouch, die von einer dünnen Staubschicht überzogen war, dominierte den Raum. An der Wand hing ein 50-Zoll-Flachbildschirm, daneben stand ein Bücherregal mit Hunderten von Filmen, von denen die meisten Disney-Animationen waren. Auf dem Boden vor dem Fernseher lag eine halb ausgezogene Puppe.

Neben der Haustür standen mehrere Koffer. Michael hob einen davon hoch. Er war schwer. »Sieht ganz so aus, als wäre hier jemand ganz schnell abgehauen«, sagte er.

»Hoffentlich«, erwiderte Evans. Sie waren immer noch nicht im Obergeschoss gewesen.

In der Küche stieß Billy plötzlich lautes Freudengeheul aus.

»Der Idiot wird uns noch alle umbringen«, murmelte Evans.

Sie gingen die Treppe hinauf nach oben und durchsuchten alle Räume. Es gab fünf Schlafzimmer und zwei Bäder, die zu Michaels Erleichterung alle leer waren.

»Das Wasser läuft noch«, stellte Evans fest, als er aus einem der Bäder kam. »Draußen steht ein Grill mit einer Propangasflasche. Mit dem Gas kann ich das Wasser heiß machen. Solange wir uns ruhig verhalten, können wir heute Abend duschen.«

»Ich kann mich gar nicht mehr daran erinnern, wie es sich anfühlt, wenn man sauber ist«, sagte Michael. Wann hatte er zum letzten Mal geduscht? Er hob die Hand und kratzte sich am Kopf. Seine langen Haare waren fettig und die Enden verfilzten langsam.

»Ich freue mich darauf. Nachdem ich jetzt drei Wochen mit dir zusammen bin, kann ich dir ganz ehrlich sagen: Du hast eine Dusche dringend nötig.«

»Und das von einem Typ, der furzt *und* schnarcht.«

»Du solltest auf dieses Haargel verzichten. Es fängt an, dir das Hirn kaputt zu machen.«

Sie grinsten sich an.

Als sie wieder in der Küche waren, sahen die anderen leicht aufgedunsen aus, weil sie so viel gegessen hatten. Nur die Mutter schien keinen Bissen zu sich genommen zu haben, was wohl daran lag, dass ihr Sohn den Fruchtcocktail nicht hatte schlucken können.

»Komm mit«, sagte Evans zu ihr. »Oben ist ein Zimmer. Wir sollten den Jungen für eine Weile schlafen lassen. Ich glaube, wir sind hier sicher und können über Nacht bleiben. Aber nur eine Nacht. Bei Sonnenaufgang müssen wir weiter. Der Rest von euch sollte es sich besser nicht zu gemütlich machen. Wir müssen schon etwas tun, um uns unser Essen zu verdienen. An beiden Türen und draußen werden Wachposten aufgestellt.«

Michael nickte. Er hätte es nicht besser sagen können. Er half der Mutter beim Aufstehen. Sein Angebot, den Jungen zu tragen, schlug sie aus, doch sie war damit einverstanden, dass er sie nach oben zu einem der leeren Schlafzimmer begleitete.

Sie waren in Sicherheit. Es geschahen also doch noch Wunder.

MASON

Mitten im Stadtzentrum von Calgary blieb sein Auto schließlich stehen. Er hörte ein lautes Geräusch, das wie ein Schuss klang, und duckte sich automatisch, während er auf die Bremse trat. Das Lenkrad ruckte unter seinen Händen, als der Wagen zum Stehen kam. Der Motor stotterte und ging dann aus. Über ihm schwankte die nach dem Stromausfall nutzlos gewordene Ampel im Wind. Es war die einzige Bewegung auf der ansonsten leeren Straße.

Er fluchte, zog die Schlüssel aus der Zündung und warf sie auf das Armaturenbrett. Das bisschen Leben, das in der Stadt noch übrig war, schien vor der Zerstörung und dem Tod da draußen einen Heidenrespekt zu haben und verbarrikadierte sich zu Hause. Wie viele Menschen waren noch am Leben? Wie viele von ihnen waren nicht verrückt? Oder infiziert? Oder was auch immer das hier eigentlich war? Mehrere Wochen waren vergangen und Mason (und vermutlich auch alle anderen) hatte immer noch keine Ahnung, was vor sich ging. Es gab zumindest auch nach wie vor keine Möglichkeit zu kommunizieren. Falls jemand wusste, was los war, konnte er das niemandem sagen.

Mason wusste nur, dass viele Menschen gestorben waren. Sehr viele. Wenn die Fernsehstationen noch senden würden, würden sie das hier wohl eine Pandemie epischen Ausmaßes nennen.

Er stand mitten auf der Kreuzung. Die Ampeln über ihm blieben dunkel. Die Stadt war ein Friedhof aus Stromkabeln und Elektrogeräten. Er war fast die ganze Nacht gefahren und hatte kein einziges Mal Licht gesehen, weil auch die meisten der kleinen Gemeinden auf dem Land keinen Strom mehr hatten – bis auf einige wenige Farmen, die vermutlich einen Generator benutzten. Mason wollte nicht anklopfen und fragen. Das Letzte, was er jetzt wollte oder ihm zustand, war Gesellschaft.

Er würde nie wieder etwas empfinden. Irgendwie war er nicht mehr der gleiche Mason wie früher. Seine Mutter war gestorben, damit er leben konnte. Doch Mason war überzeugt, dass sie ihn mit einem Fluch zurückgelassen hatte.

Mehrere Gebäude in der Nähe des Deerfoot Trails standen in Flammen. Er konnte den Rauch im Rückspiegel sehen. Vor einer halben Stunde war er noch mittendrin gewesen, das Hemd fest auf die Nase gedrückt, die Fenster geschlossen. Er kam nur langsam vorwärts, zu viele Autos standen verlassen und mit offenen Türen auf dem Freeway herum. Neben der Straße lagen verbrannte Leichen. Ihre Münder waren wie zu einem stummen Schrei aufgerissen. Die irren Bestien, die die Stadt unsicher machten, mussten sie in das Feuer getrieben haben. Was war schlimmer? Von Wahnsinnigen in Stücke gerissen zu werden oder bei lebendigem Leib zu verbrennen? Mason wusste es nicht.

Als er an ihnen vorbeigefahren war, hatte er den Blick starr geradeaus gerichtet und so getan, als würde es die Leichen gar nicht geben. Und er hatte sich einzureden versucht, dass der Gestank in der Luft nicht von verbranntem Fleisch kam.

Er beschloss, nie wieder durch Rauch zu fahren. Wenn er das nächste Mal ein Feuer sah, würde er die Stadt komplett umfahren. Auf diese Bilder konnte er gerne verzichten. Und auf den Geruch. Bei der ersten Gelegenheit würde er seine Kleidung loswerden müssen.

Du vergisst das Gute und erinnerst dich nur an das Schlechte. Das hatte seine Mom früher immer gesagt. Fetzen von Erinnerungen an sie schlichen sich immer noch in sein Bewusstsein, wenn er am wenigsten damit rechnete. Der Duft ihres Parfüms. Die Art, wie sie lächelte. Er gab sich solche Mühe, sie zu vergessen. In den letzten Wochen war er so weit gefahren, doch sie verfolgte ihn immer noch. Wenn er einschlief, war sie da. Wenn er anhielt, um eine Pause zu machen, oder wenn er einmal nicht auf der Hut war, war sie das Einzige, an das er denken konnte. Mit geschlossenen Augen hatte sie dagelegen, an Geräte angeschlossen, und ihren letzten Atemzug getan, bevor sie den Kampf aufgegeben hatte. Sie hatte sich nicht einmal von ihm verabschieden können.

Nein. Daran wollte er sich nicht erinnern.

Mason wandte den Blick vom Rückspiegel ab und stieg vorsichtig aus dem Wagen. Dann ging er zur Vorderseite des Autos, um sich den Schaden anzusehen.

Beide Vorderreifen waren platt.

Als er einen Blick auf die Straße hinter ihm warf, sah er Glassplitter in der Morgensonne glitzern. Wie um alles in der Welt hatte er die übersehen können? Er fluchte wieder und schlug mit der Faust auf die Motorhaube.

Jetzt würde er sich ein anderes Auto suchen müssen, was aber nicht allzu schwer sein dürfte. Vermutlich gab es ein Dutzend Autohändler, die er zu Fuß erreichen konnte. Er konnte sich eins aussuchen. Ein Hummer oder ein Porsche waren in greifbare Nähe gerückt. Aber er hatte sich noch nie etwas aus schnellen Autos gemacht. Den Unterschied zwischen sechs und sechzig Zylindern kannte er gar nicht und daher war ihm auch jetzt egal, womit er fuhr. Außerdem brauchte ein schnelles Auto mehr Benzin und das hieß, er würde öfter anhalten müssen. Er traute den Tankstellen nicht. Sie lagen völlig ungeschützt und wer wusste schon, was in der Umgebung wartete. Nein, er brauchte nur ein Auto, das fuhr – mit intakten Reifen und so weiter.

Hier mitten auf der Kreuzung war er völlig ungeschützt.

Wie lange würde es dauern, bis sie ihn entdeckten?

»Brauchst du Hilfe?«

Mason drehte sich blitzschnell um und hob abwehrend die Hände. Doch nach einem Blick auf den Mann, der hinter ihm stand, entspannte er sich sofort wieder. Der Typ musste mindestens siebzig sein. Sein weißes Haar war ordentlich gekämmt und mit Pomade nach hinten gelegt. Er trug einen dieser Anzüge, die in den Fünfzigern das letzte Mal modern gewesen waren, dazu eine Krawatte und ein Taschentuch mit roten Tupfen in der Brusttasche. Und er hatte nur ein Bein. Unter den Armen steckten Krücken, auf die er sich stützte.

»Ich wollte dich nicht erschrecken«, sagte der Alte. »Aber ich glaube, man kann zurzeit niemanden grüßen, ohne ihm gleich Angst zu machen.«

»Das glaube ich auch«, erwiderte Mason.

»Du siehst ja, dass ich harmlos bin«, sagte der Mann, während er wie zur Bestätigung mit den Krücken auf den Boden klopfte. »Ich hoffe, du bist es auch. Ich habe noch nie miterlebt, dass einer von denen wegen einer Kleinigkeit so viel Aufhebens macht. Schließlich stehen hier Tausende Autos rum. Das macht dich, glaube ich, ziemlich menschlich.«

»Ich bin normal«, sagte Mason. Er wollte etwas tun, um es zu beweisen, daher drehte er sich langsam um sich selbst, um zu zeigen, dass er nichts hinter seinem Rücken oder in seinen Ärmeln versteckt hatte.

»Normal?« Der Mann lachte. »Gibt es so was wie normal eigentlich noch?«

»Vermutlich nicht.«

Der Alte drehte sich ein wenig auf seinen Krücken und musterte die Straße. »Ich weiß ja nicht, wie's dir geht, aber ich halte mich nur sehr ungern längere Zeit im Freien auf. Meine Wohnung ist ganz in der Nähe. Warum kommst du nicht mit und ich mache uns Tee und Frühstück? Dann können wir überlegen, wie wir dich wieder auf die Straße bekommen. Was meinst du?«

Mason warf einen Blick auf die platten Reifen des Autos, das er am Stadtrand von Drumheller gefunden hatte. Seinen eigenen Wagen hatte er kurz hinter Rosetown am Straßenrand stehen gelassen, was ihm sehr schwergefallen war. Jetzt kam es ihm dumm vor, so an einem Auto zu hängen. Es war doch nur ein Stück Metall mit ein paar Teilen, die sich bewegten, wenn er den Schlüssel in die Zündung steckte. Er wusste nicht mehr, warum ihm der Wagen so viel bedeutet hatte. Das schien vor einer Million Träumen gewesen zu sein. Er griff durch das offene Fenster und nahm den Rucksack, den er an dem Morgen gepackt hatte, an dem er sein Haus niedergebrannt hatte. Von der Sonnenblende nahm er das Bild, das er in seiner Hosentasche mit sich herumgetragen hatte. *Mason und Mom in der Sonne.* Ein glücklicher, fröhlicher Mason – wann war er erwachsen geworden?

»Gehen wir«, sagte er.

»Ich bin Winston Twilling«, stellte sich der Mann vor. »Aber alle nennen mich Twiggy. Na ja, früher jedenfalls. Heute ist es ja ziemlich schwierig, jemanden zu finden, der irgendwas zu einem sagt.«

»Mason Dowell.«

»Schön, dich kennenzulernen. Ich wünschte, die Umstände wären anders. Auf Rosen sind wir ja heutzutage nicht gebettet. Aber ich habe guten Tee. Den habe ich aus dem Delikatessengeschäft ein Stück die Straße hinunter mitgehen lassen. Dort gibt es ein ganzes Regal voll mit Tee- und Kaffeesorten aus der ganzen Welt. Vorher habe ich dort nie eingekauft; mit ihren Wucherpreisen haben sie die Leute doch nur ausgenommen. Aber ein kostenloses Mittagessen ist ein kostenloses Mittagessen. Zumindest heute. Wer wird sich da schon beschweren?«

Zwanzig Minuten später saß Mason in dem einzigen Stuhl in Twiggys Junggesellenwohnung und wartete, während der Alte an den Knöpfen eines alten Propangasherdes, der jetzt mit Benzin lief, herumfummelte. Mason legte die Hand auf den Mund, um ein Gähnen zu unterdrücken. Es wurde immer schwieriger, eine Nacht durchzuschlafen. Twiggy dagegen sah aus, als hätte er in der Nacht zuvor zehn Stunden Schlaf bekommen. Die Augen des Alten glänzten und schienen voller Energie.

Twiggys Wohnung sah eher wie ein Museum aus. Die Regale waren mit allem Möglichen vollgestopft. Tausende Bücher, Notizbücher, Statuen, ausgeschnittene Zeitungsartikel und Nippes, übereinanderstapelt und durcheinandergeworfen, bis jeder Zentimeter Platz belegt war. An den Wänden hingen Weltkarten und Karten des Sonnensystems. Zeichnungen und Bilder, vor allem von Orten – Wasserfälle, Strände, Dschungel, Schluchten, Ruinen vergangener Zivilisationen und sogar ein paar lächelnde Leute –, waren mit Reißzwecken und Stecknadeln befestigt worden und fügten sich zu einer gigantischen Collage zusammen.

In den Ecken stapelten sich Ordner und ausgeschnittene Zeitungsartikel. Selbst in der Küche waren Bücherkartons neben den Kühlschrank und vor die Türen der Schränke gerückt worden.

Die Wohnung ließ Mason leicht klaustrophobisch werden. Twiggy dagegen schien sich nicht im Geringsten an der Enge zu stören.

»Wir waren eine Generation, die nur noch Knöpfe gedrückt hat«, sagte Twiggy. »Wir mussten nie für etwas arbeiten. Alles, was man wollte, war in Reichweite. Wenn man hungrig war, steckte man etwas in die Mikrowelle und drückte auf einen Knopf. Wenn man etwas trinken wollte, stellte man die Kaffeemaschine an. Wir hatten Knöpfe für Fahrstühle, Autos, Fernseher, Alarmanlagen. Und wenn jemand etwas neu erfunden hat, gab es auch immer jemanden, der den passenden Knopf dafür gemacht hat. Junge, ich gehöre nicht zu diesen alten Trotteln, die ständig davon reden, dass die Welt früher so viel besser war, damals, als ich noch ein Kind war. Sie war es nicht. Zumindest nicht bis vor ein paar Wochen. Mit heute kann man sie wohl nicht vergleichen, oder? Nichts ist schlimmer als das hier.«

Mason nickte. Er starrte die Bücherstapel an, die so aussahen, als würden sie beim geringsten Luftzug umkippen. Twiggys Wohnung war nicht schmutzig, aber sauber war sie auch nicht gerade. Das Geschirr war gespült und ordentlich in den Schränken gestapelt und die Bettwäsche sah frisch gewaschen aus. Aber es war alles abgenutzt – alt und ausgeblichen. Mason musste unwillkürlich denken, wie deprimierend dieser Ort doch wirkte.

Twiggy bemerkte, dass er sich umsah. »Stimmt, es macht nicht viel her, aber es ist mein Zuhause. Ich wohne hier schon lange. Wenn ich wirklich wollte, könnte ich mir wahrscheinlich eine nette Wohnung im Stadtzentrum suchen. Ich bin sicher, dass es gerade eine Menge guter Immobilien gibt, die nur darauf warten, dass sie sich jemand unter den Nagel reißt. Da könnte man ein echtes Schnäppchen machen.«

Mason, der von einem zerquetschten Käfer an der Decke abgelenkt wurde, nickte.

»Aber das hier gehört mir. Nicht das Gebäude zählt, sondern das, was drinsteckt. Ich wohne hier schon seit rund dreißig Jahren. Ich hätte schon lange ausziehen können, aber ich hatte nie das Gefühl, dass ich etwas anderes brauche. Abgesehen von Büchern und Wissen habe ich schon immer an das einfache Leben geglaubt. Nie geheiratet, keine Kinder, nichts als mein Job, und das war genug. Selbst nach der Pensionierung war mir nicht danach, nach Florida zu ziehen, oder was auch immer Senioren heutzutage tun. Außerdem: Kannst du dir vorstellen, wie viel es kosten würde, mit dem Zeug hier umzuziehen?«

»Als was haben Sie gearbeitet?«

Der Teekessel begann zu pfeifen und Twiggy stellte die Herdplatte ab. Er goss das Wasser in Porzellanbecher, in denen teuer aussehende Teebeutel lagen. Obwohl er nur ein Bein hatte, bewegte er sich ausgesprochen geschickt. Auf einer Krücke balancierend, nahm er einen der Becher und brachte ihn Mason, ohne auch nur einen einzigen Tropfen zu verschütten.

»Ich war Soziologieprofessor an der Universität«, sagte Twiggy, während er wieder in die Küche ging. Er nahm eine Packung

Kekse und warf sie auf das Bett. »Jetzt mach nicht so ein überraschtes Gesicht: Verrückte Professoren sehen immer so aus, als hätten sie gerade in eine Steckdose gefasst. Wirre Haare und Tweedanzüge liegen uns, glaube ich, in den Genen.«

»Cool.«

»Und wie«, sagte Twiggy. »Ich hatte mich auf den Niedergang spezialisiert, auf die Zerstörung von Kulturen. Du kannst dir vorstellen, dass mich diese Sache hier ganz schön aufgerüttelt hat.«

Vor dem Fenster ertönte ein Schrei. Masons Hände zuckten vor Schreck und verschütteten Tee auf seinem Hemd. Fluchend sprang er auf und zog an dem Stoff, um zu verhindern, dass die siedend heiße Flüssigkeit ihm die Brust verbrannte.

Twiggy hüpfte zum Fenster und zog den Vorhang zur Seite, um besser sehen zu können. »Ich kann dir nicht sagen, ob das einer von denen war oder ob jemand in Schwierigkeiten ist. Aber wir könnten sowieso nichts tun.«

»Sollten wir nicht nachsehen gehen?« Mason, dessen Hemd sich abgekühlt hatte, stellte sich neben Twiggy an das Fenster, das den Blick auf eine schmale Gasse freigab. Es war niemand zu sehen.

»Auf keinen Fall. Ich bin zwar alt, aber sterben will ich noch nicht. Vor ein paar Tagen habe ich gesehen, wie sie einen der Plünderer in Stücke gerissen haben. Der Idiot hat doch tatsächlich versucht, einen von diesen 72-Zoll-Fernsehern wegzuschleppen. Ich weiß ja nicht, was er sich damit ansehen wollte. Vielleicht dachte er, das Ding läuft mit Feenstaub? Wer weiß? Sie haben ihn jedenfalls umgebracht. Ich habe noch nie einen Mann so schreien hören. Du solltest dich lieber bedeckt halten, wenn du willst, dass die Menschheit überlebt.«

Mason wandte sich ab. Er wusste, dass Twiggy recht hatte. Es war sowieso zu spät – der Mann, der geschrien hatte, war weg. Oder zum Schweigen gebracht worden.

Twiggy zog den Vorhang wieder vor das Fenster. Er ging zum Bett zurück und setzte sich. »Du redest nicht viel, stimmt's?«

»Eigentlich nicht.«

»Es liegt wohl nicht daran, dass du nichts zu sagen hast.«

Mason zuckte mit den Schultern.

»Ich werde dich nicht fragen, wen du verloren hast«, sagte Twiggy. »Man kann es in deinem Gesicht lesen. Aber ich werde dir etwas sagen: Einfach losrennen und den Helden spielen wird sie nicht zurückbringen. Du brauchst keine Schuldgefühle zu haben, weil du überlebt hast.«

»Darum geht es nicht«, sagte Mason.

»Dann suchst du also nach Antworten? Es gibt keine.«

»Warum?«

»Gute Frage.« Twiggy kratzte sich am Bein. »Aber darauf habe ich auch keine Antwort. Warum geschieht etwas? Ich glaube, die Krankheit ist einfach zu stark geworden.«

»Die Krankheit?«

»Die Menschheit.«

Mason zuckte wieder mit den Schultern, vor allem, weil er keine Ahnung hatte, was er darauf antworten sollte. Twiggy starrte ihn aufmerksam an und Mason wurde langsam unbehaglich zumute. Sein Mathematiklehrer hatte das Gleiche gemacht, vor allem, wenn er wusste, dass Masons Antwort nicht die richtige sein würde. Vielleicht machten das alle Lehrer so?

»Geboren im Blut, aufgewachsen im Blut«, sinnierte Twiggy. Er hüpfte zum Bücherregal, nahm ein Album heraus und gab es Mason. Auf der ersten Seite war das Schwarz-Weiß-Foto einer zerstörten Welt. Im Hintergrund ragten die Trümmer von Gebäuden in den Himmel und die Straßen waren mit Hunderten Leichen übersät. »Die gewalttätigste Spezies auf diesem Planeten ist der Mensch. Wir haben alles aufgeschrieben, alle niederträchtigen Taten, die wir je begangen haben. Wir sind bis ins Mark verdorben. Ein Heilmittel hat es nie gegeben. Und jetzt hat die Krankheit den Kampf gewonnen. Wir machen endlich etwas richtig, indem wir unseren Planeten von unserer Gegenwart befreien.«

»Soll das heißen, *wir* sind dafür verantwortlich? *Wir* haben das geschaffen?«

»Nicht direkt«, erwiderte Twiggy. Er blätterte einige Seiten um, bevor er fand, wonach er suchte. Ruinen einer vergangenen Zivilisation. Ein von Kletterpflanzen und Sträuchern überwucherter Tempel. Mumifizierte Skelette, deren Münder für immer zu einem Schrei geöffnet waren. »Wir sind am Ende unserer Tage, Mason. Wie alle großen Kulturen vor uns, hat auch unsere begonnen, sich selbst von innen heraus zu fressen – zu kannibalisieren, wenn man so will. Denk an die großen Kulturen der Vergangenheit. Maya. Azteken. Römer. Alle sehr fortgeschritten für ihre Zeit. Und alle zerstört und verschwunden. Sie haben nichts hinterlassen, nur ein paar Hinweise für Leute wie mich, die sie dann ausgraben.«

Twiggy deutete auf ein Bild an der Wand. Hunderte von Toten, die zu Leichenbergen aufgetürmt waren. »Murambi Technical School in Ruanda«, sagte er. »Der Genozid einer gesamten Kultur. Hunderttausende wurden getötet. Mit Macheten in Stücke gehackt. Abgeschlachtet. Kein schöner Anblick, nicht wahr?«

»Das ist krank.«

»Jetzt sind wir an der Reihe, uns von innen heraus aufzufressen. Es ist etwas geschehen, das die Zerstörung auf eine universale Ebene gebracht hat. Wir sind nicht länger eine Anhäufung von Gesellschaften, die vom Ackerbau leben. Wir haben uns auf die ganze Erde ausgedehnt und sind zu groß geworden. Und jetzt sorgt irgendetwas dafür, dass wir durchdrehen. Wir haben keinen freien Willen mehr. Menschen sind wie Hunde. Es gibt einen Rudelführer, der uns in den Untergang führt. Aber bevor es dazu kommt, taucht immer erst mal jemand oder etwas auf und wirft uns einen Knochen vor die Füße. Philosophen behaupten gern, dass wir einen freien Willen haben, aber ich glaube, die Mehrheit der Menschen kann gar nicht anders, als hinterherzulaufen. Was auch immer diese Sache steuert, es hat sich den perfekten Zeitpunkt für seinen Angriff ausgesucht. Ich glaube, es waren die Erdbeben. Hast du gewusst, dass Tiere sie im Voraus fühlen können? Das ist eine Tatsache. Aber irgendetwas hat die Erde gespalten und dieses Etwas ist wütend. Es ist gekommen, um uns zu holen. Und wir haben es eingeladen.«

»Die Scheiße glaube ich nicht.«

»Es ist egal, was du glaubst. Meinst du etwa, das hier wird aufhören oder sich ändern, weil du vergessen hast, wie der schwarze Mann aussieht? Vielleicht ist es deshalb so wütend. Es mag nicht, wenn man es vergisst. Und deshalb hat es beschlossen, ein bisschen Leben in die Bude zu bringen.«

Twiggy nahm das Album an sich und blätterte noch einige Seiten weiter, bis er zu einem Bild völliger Zerstörung kam. Eine Frau hielt ihr totes Kind in den Armen, das Gesicht verzerrt, während sie versuchte, nicht zusammenzubrechen. Hinter ihr lagen mehrere Leichen in einer Reihe. Menschen stolperten zwischen den Trümmern herum und suchten verzweifelt nach

Angehörigen. Ein anderes Bild – die Leichen von zwei jungen Mädchen, Seite an Seite, die auf der Straße verwesten, weil niemand da war, um sie zu begraben.

»Früher hat es auch schon Erdbeben gegeben«, wandte Mason ein.

»Stimmt. Und vielleicht lauerte das Böse auch schon während dieser Katastrophen«, entgegnete Twiggy. »Vielleicht wurden einige falsch interpretiert. Wir müssten uns ansehen, ob es eine Verbindung gibt. Aber das spielt jetzt keine Rolle mehr. Ich glaube nicht, dass ich heute noch irgendwo Forschungsmaterial herbekomme. In Millionen von Jahren werden sie die Überreste unserer Städte aus der Erde ausgraben, um zu verstehen, was unseren Untergang verursacht hat. Stell dir mal vor, was sie von unseren Laptops und Mikrowellen halten werden.«

»Ich glaube nicht an das Böse.«

»Ich sage es noch einmal: Wir sind nur kleine Spielfiguren in dieser Sache. Glaube hat damit nichts zu tun. Nach allem, was wir wissen, könnte dieses Böse die Dinosaurier ausgerottet haben. Vielleicht war es ja auch ein Meteor. Oder vielleicht ist Geschichte auch nur als eine Laune Gottes zu verstehen – mit ihr haben wir schließlich etwas, über das wir uns auf Dinnerpartys streiten können.«

Durch das geschlossene Fenster drang das gedämpfte Geräusch von splitterndem Glas. Mason erstarrte und er ärgerte sich, dass er überhaupt noch darauf reagierte. Twiggy zuckte nicht einmal zusammen. Wie lange würde es dauern, bevor Schreie und splitterndes Glas bei Mason nicht einmal ein Blinzeln auslösten? Würde er jemals so ruhig werden wie der Alte vor ihm? Wenn er nicht mehr so nervös wäre, würde er nachts vielleicht sogar schlafen können.

»Es wird bald dunkel«, sagte Twiggy. »Ich würde dich ja ein-laden zu bleiben, aber wie du siehst, bin ich nicht auf Gäste eingerichtet.« Er wies auf das schmale Bett.

»Ich muss sowieso weiter«, erwiderte Mason, während er auf-stand. »Sie wissen nicht zufällig, wo es hier einen Autohändler gibt?«

»Moment.« Twiggy humpelte zur Kommode und zog eine Schublade auf. Er holte einen Schlüsselbund heraus und warf ihn Mason zu. »Unten in der Tiefgarage. Ich fürchte, er macht nicht viel her. Nur ein alter, zerbeulter Honda. Ich fahre nicht viel, aber dir wird er gute Dienste leisten. Der Tank ist voll.«

Masons Finger krampften sich um die Schlüssel. »Sind Sie si-cher? Wollen Sie nicht mitkommen? Ich weiß zwar noch nicht, wo ich hingehe, aber Sie können gern ...«

»Schluss damit«, unterbrach ihn Twiggy. »Mason, ich werde nirgendwohin gehen. Das da draußen ist nicht meine Welt. Hier bin ich sicher. Ich habe alles, was ich brauche, und aus dem De-likatessengeschäft kann ich mir noch mehr stehlen. Ich bin kein Mann, der mit Veränderungen gut zurechtkommt. Und ich habe absolut keine Lust, dich bei deinem Abenteuer zu beglei-ten.«

»Okay«, sagte Mason. »Aber fragen musste ich.«

»Ja, natürlich musstest du fragen.« Twiggy lachte. »Und nach-dem du gefragt hast, kannst du mit reinem Gewissen weiterzie-hen. Das ist gut für die Seele. Jetzt bedank dich und geh.«

»Danke.«

»Gern geschehen.«

Twiggy brachte ihn zur Tür. »Geh einfach die Treppe runter ins Untergeschoss. Der Honda steht ganz hinten in der Ecke. Ich glaube nicht, dass jemand unten ist. Das Tor nach draußen hat zwar eine Automatikschaltung, aber du wirst es mit der Hand öffnen müssen. Und pass auf, dass niemand reinkommt, wenn du losfährst.«

»Vielen Dank für Ihre Hilfe!« Mason drehte sich um und wollte gehen.

»Ach, Mason? Da ist noch was.«

Mason wandte sich wieder zu Twiggy. »Ja?«

Der Porzellanbecher schoss durch die Luft und traf Mason an der Schläfe. Weiße Sterne explodierten in alle Richtungen und er konnte nur noch verschwommen sehen. Er verlor die Kontrolle über seinen Körper – seine Knie gaben nach, die Arme wurden totes Gewicht und seine Beine klappten wie in Zeitlupe zusammen. Im Fallen prallte er mit dem Kopf gegen den Türrahmen.

Er konnte sich nicht mehr bewegen. Wie durch einen Nebel sah er, wie Twiggy auf ihn zuhumpelte, bis die Krücken gefährlich nah an Masons Gesicht zum Stehen kamen. Er wollte etwas tun, doch sein Blick ging einfach ins Leere. Er bekam keine Luft mehr.

Das Letzte, was er sah, bevor alles um ihn herum dunkel wurde, war Twiggy, der sich mit einem schiefen Lächeln über ihn beugte. Seine Augen sahen irgendwie merkwürdig aus. Blutunterlaufen. Doch die Adern waren nicht rot. Sie waren schwarz.

»Vertrau niemandem!«, sagte Twiggy.

Dann nichts.

NICHTS

Mir ist heute nicht nach Reden. Such dir jemand anders, dem
du auf die Nerven gehen kannst.

Ich meine es ernst. Bleib weg.

Bring mich nicht dazu, dich zu hassen.

ARIES

Ihr war kalt. Eiskalt. Ihre Finger waren ganz weiß und steif. Irgendetwas stimmte nicht. Normalerweise war der Oktober nie so kalt. Und nass. Die winzige Wohnung in Gastown war mit Wasser vollgelaufen. Vancouver war zwar für seinen hohen Niederschlag bekannt, aber das war zu viel. Es regnete jetzt schon seit einer Woche und nichts deutete darauf hin, dass es je wieder aufhören würde. Fette graue Wolken hingen am Himmel und die Erde hatte sich so mit Wasser vollgesogen, dass sie kurz vor dem Platzen stand.

Es war schon merkwürdig, dass ein grauer Himmel in ihr den Wunsch auslöste, sich zu einem Ball zusammenzurollen und zu weinen, vor allem nach dem, was in den letzten Wochen alles passiert war.

Es war deprimierend.

Aries zog die Decke enger um ihre Schultern. Sie war rau und schmutzig und roch leicht nach Schimmel, aber wenigstens wärmte sie ein bisschen. Luxus gab es nicht mehr. Außerdem hatte sie seit Tagen nicht mehr geduscht und roch vermutlich auch nicht ganz frisch. Wann hatte sie sich eigentlich das letzte Mal in einem Spiegel gesehen?

Am Fenster beobachtete sie, wie ein Mann mit einem quietschenden Einkaufswagen durch den Regen schlurfte. Er hatte kein Gesicht, zumindest keines, das sie sehen konnte, und trug eine Plastikfolie als behelfsmäßigen Regenmantel über dem Kopf. Die Augen waren durch die transparente Folie hindurch nur undeutlich zu erkennen.

»Das ist einer von denen.«

Sie drehte den Kopf in die Richtung, aus der die Stimme kam. »Wie kannst du das aus der Entfernung sehen?«

»Niemand, der noch bei Verstand ist, würde bei dem Wetter draußen sein.«

»Haha. Das ist überhaupt nicht lustig.«

Jack zuckte mit den Schultern. »Ich werde trotzdem kein Risiko eingehen und den Typen auf keinen Fall zu einer Tasse Tee einladen.«

Aries nickte. »Schon verstanden. Vorsicht ist besser als der Tod.«

»Es heißt: ›Vorsicht ist besser als Nachsicht‹.«

»Nachsicht kann mir egal sein, wenn ich tot bin!« Aries schloss die Augen und lehnte sich zurück. Sie war müde. Sie alle waren müde. Zurzeit bekam niemand genug Schlaf. Wer hat schon Zeit für ein Nickerchen, wenn es so viel Mühe macht, am Leben zu bleiben?

Bis jetzt war alles gut gegangen. Sie waren noch am Leben. Zumindest einige von ihnen. Das musste etwas zu bedeuten haben. Wie viele Menschen waren noch übrig? Zehn Prozent der Stadt? Fünf? Schwer zu sagen, weil sich so viele versteckten. Inzwischen hörte man nicht mehr so häufig Schreie auf der Straße, was Glück im Unglück war. Sollte sie die Monster in ihre Opferstatistik mit einbeziehen? Waren sie eigentlich noch Menschen oder nicht?

»Du solltest eine Pause machen und eine Weile schlafen.« Jack beugte sich vor und nahm die Wasserflasche vom Fensterbrett.

»Mir geht's gut«, antwortete sie.

»Du sitzt jetzt seit mindestens sechs Stunden da. Wir hatten doch vereinbart, dass wir uns abwechseln. Es ist schon okay, wenn du jemand anders eine Chance gibst. Sie werden nicht gleich die Tür einschlagen, wenn du mal die Augen zumachst. Ich bin da. Ich passe auf dich auf.«

»Darum geht es nicht.«

»Du vertraust mir nicht?« Er setzte die Flasche an die Lippen, was aber nicht verhindern konnte, dass sie sein Lächeln sah.

»Ich vertraue dir.« Sie entriss ihm die Flasche, bevor er etwas trinken konnte. Wasser spritzte heraus, landete auf seiner Nase und brachte sie dazu, wie eine Wahnsinnige zu grinsen.

Es war schön, dass es sie noch gab, diese Momente, in denen sie vergessen konnten, was draußen geschah, und einfach nur ausgelassen lachen konnten. Das Problem war nur, dass es viel zu selten geschah. Aries stellte die Flasche auf die Fensterbank zurück und suchte die Straße unter ihr ab. Der Mann mit dem Einkaufswagen bewegte sich immer noch in ihre Richtung. In ein paar Minuten würde er in Hörweite sein. Das reichte, um sie aus ihrer Albernheit zu reißen.

Was auch immer aus der Menschheit geworden war, sie hatte immer noch ein gutes Gehör.

Sie warteten schweigend, bis der Mann am Gebäude vorbei war. Er bewegte sich langsam und blieb einmal stehen, um zu schnuppern und einen Blick in die Richtung zu werfen, aus der er gekommen war. Mit dem Fuß stieß er eine alte Getränkedose in den Rinnstein, dann hob er etwas von der Straße auf – einen Fahrradhelm, der an der Seite gebrochen war. Er wühlte eine Weile in dem Einkaufswagen herum und zog dann den Kopf eines Menschen heraus. Jack packte Aries an der Schulter. Entsetzt beobachteten die beiden, wie der Mann mit der Plastikfolie den Fahrradhelm auf den abgetrennten Kopf setzte und ihn dann wieder im Einkaufswagen verstaute. Schließlich ging der Mann weiter und schlurfte langsam die Straße hinunter. Erst als das Ungeheuer um die Ecke bog, stellte Aries fest, dass sie die Luft angehalten hatte.

»Ich glaube, wir sind sicher«, murmelte sie. Ihr Herz klopfte wie wild und sie war wütend, dass sie selbst nach drei Wochen noch immer Angst bekam. Sie wollte stärker sein. Sie musste stärker sein, wenn sie die Anführerin dieser Gruppe sein wollte. Die anderen richteten sich nach ihr, bis auf Colin, doch selbst er war zähneknirschend mit allem einverstanden, was sie vorschlug. Na ja, zumindest meistens.

Eine Bewegung auf der Straße erregte ihre Aufmerksamkeit. Ein herrenloser Schäferhund steckte den Kopf hinter einem geparkten Auto hervor. Ein kleinerer Hund, vielleicht ein Shih-Tzu, kauerte hinter ihm. Sie hatten offenbar auch darauf gewartet, dass das Ungeheuer verschwand. Der Schäferhund schnupperte ausgiebig, bevor er vorsichtig in die Mitte der Straße trottete und seine Nase in einen Stapel Zeitungspapier steckte. Als er den Kopf wieder hervorzog, hatte er etwas im Maul und kaute. Die Tiere fanden jetzt eine Menge zu fressen.

»Es gibt noch andere Überlebende«, sagte Aries plötzlich. »Es muss welche geben. Wir können nicht die Einzigen sein, die übrig sind. Es wäre schön, wenn wir sie finden könnten. Wir wären stärker. Wir haben ja nicht mal Waffen.«

»Irgendwann werden wir sie schon finden.«

Sie trank einen Schluck Wasser. Ihre Kehle war seit Neuestem immer so trocken. »Wir sollten nach ihnen suchen. Suchtrupps ausschicken. Das ist bestimmt nicht so schwer.«

»Es wäre Selbstmord. Du hast selbst gesagt, dass wir keine Waffen haben.«

»Dann besorgen wir uns eben welche.«

Sie gähnte und versuchte, es durch ein Husten zu verbergen.

»Du bist müde«, beharrte Jack.

»Mir ist jetzt aber nicht nach Schlafen.«

»Wen siehst du, wenn du die Augen zumachst?«

Aries warf ihm einen wütenden Blick zu. »Das ist mir zu persönlich.«

»Ich sehe Ms Darcy.«

Sie nickte. »Ich auch.«

Und eine Million andere.

Vor dem Schlaf hatte sie keine Angst. Es war die Zeit vor dem Einschlafen, wenn ihr Kopf auf dem Kissen ruhte, die sie fürchtete. Sie konnte ihr Gehirn nicht abschalten; es war wie eine Einladung an alles, was sie in den letzten Wochen erlebt hatte. Es beschäftigten sie zu viele Dinge und genau um diese Zeit schlichen sie sich in ihren Kopf. Wenn sie die Augen zumachte, sah sie die Leichen, die Leichen von Fremden und die Leichen der Menschen, die ihr etwas bedeuteten. Ihre Schreie gellten durch ihren Kopf wie eine zerkratzte Schallplatte, die an einer Stelle hängen blieb. Sie wollte schlafen. Sie wünschte sich nichts so sehr, wie endlich einmal zu schlafen. Doch sie bekam ihren Kopf nicht frei. Sie wusste nicht, was sie tun konnte, damit die Bilder aus ihrem Kopf verschwanden.

Aries blinzelte ein paarmal, um die Müdigkeit aus ihren Augen zu vertreiben. Sie griff nach der Decke und zog sie sich wieder über die Schultern. »Wo sind die anderen?«

»Im ersten Stock. Sie versuchen es noch einmal mit dem Laptop, aber ich glaube, der Akku ist im Eimer. Ich hätte es schon lange aufgegeben. Der Laptop ist kaputt, er lässt sich nicht reparieren. Und ohne Internet nützt uns das Ding sowieso nichts. Colin ist auf dem Dach. Er sagte was von »frische Luft schnappen«, aber ich glaube, er hält den Geruch nicht mehr aus. Da kann ich ihn nur zu gut verstehen. Ich wünschte, wir hätten was zum Kiffen. Wenn sich der Druck in meinem Kopf noch mehr verstärkt, wird er platzen.«

In dem Gebäude, in dem sie sich versteckten, stank es nach Schimmel und Spiegeleiern. Nachts, wenn sie wegen des Geruchs nicht schlafen konnten, hatten sie eine Menge schlechter Witze darüber gemacht. Was riecht noch schlimmer als zehn Tage alter Madenmundgeruch? Dieses Gebäude. Was riecht noch schlimmer als Colins Füße? Dieses Gebäude.

Sie hatten leise in der Dunkelheit gelacht. Man musste lachen, wenn man leben wollte. Aber man musste es leise tun. Wer wusste schon, was in den Schatten draußen lauerte?

Sie waren sechs Überlebende. Colin, Joy, Jack und Aries hatten es als Einzige lebend aus der Schule geschafft. Eine Woche später hatten sie Eve und Nathan getroffen. Sie waren Bruder und Schwester und hatten sich in einem Seven-Eleven über Wasser gehalten, indem sie sich hinter einer Reihe Kartons in einem Lagerraum versteckt hatten. Zusammen waren sie zu sechst. Allein waren sie, na ja, allein. Sie erinnerte sich an das, was Daniel zu ihr gesagt hatte, bevor er verschwunden war. Gruppen sind schlecht. Menschen tun merkwürdige Dinge, wenn sie zusammen sind. Aries war anderer Meinung. Teil einer Gruppe zu sein, gab ihr Kraft. Wenn ihre Freunde nicht gewesen wären, hätte sie nicht überlebt.

Daniel. War er irgendwo da draußen und versteckte sich in einem aufgegebenen Lebensmittelladen oder in einem der vom

Erdbeben beschädigten Gebäude, ähnlich dem, in dem sie jetzt gerade waren? Sie dachte oft an ihn, öfter, als sie zugeben wollte. Sie fragte sich, ob er noch lebte oder schon eine der vielen Leichen war, die auf den Straßen herumlagen wie die Überreste eines bizarren Festumzugs, den Gevatter Tod angeführt hatte.

Als sie aus der Schule geflüchtet und blindlings auf die Straße gerannt waren, hatte sie überrascht festgestellt, dass die Gruppe automatisch in Richtung der Bushaltestelle und des Supermarkts gelaufen war. Ihr Herz raste, als sie den umgestürzten Bus erkannte und ihr klar wurde, dass ihre beste Freundin immer noch dort drin war, mit Daniels Jacke über dem Gesicht. Der Bus würde ihre letzte Ruhestätte sein; ein richtiges Begräbnis würde sie nie bekommen. Gott sei Dank rannten alle an dem Bus vorbei. Niemand kam auf die Idee, dort Schutz zu suchen.

Sie hatten Glück und konnten sich in einer Garage verstecken. Dicht aneinandergedrängt saßen sie in der Dunkelheit und lauschten den Schreien, warteten auf jemand oder etwas, das das Tor öffnete und sie fand. Es war ein Wunder, dass sie nicht entdeckt wurden.

»Sie gehen von Haus zu Haus«, hatte Jack in der ersten Nacht zu ihr gesagt. Es war drei Uhr morgens und bis auf sie beide schliefen alle. Jack lugte vorsichtig aus dem Fenster.

»Wer?«, fragte sie. Ein kalter Eisschauer schoss ihr den Rücken hinunter.

»Sechs oder sieben von ihnen«, erwiderte er. »Sie haben gerade eine Frau auf die Straße gezerrt. Sie trägt einen Bademantel. Oh mein Gott, ein Kind ist auch dabei.«

Aries stellte sich neben ihn ans Fenster. Sie konnte einfach nicht anders.

»Bist du sicher, dass du das sehen willst?«, flüsterte er.

Sie nickte und er deutete auf einen Platz die Straße hinunter, wo sich die Bestien um ihre Opfer geschart hatten und sie in Stücke rissen. Ein leiser Schrei entwich ihren Lippen und sie schlug beide Hände vor den Mund.

Jack legte den Arm um sie und zog sie an sich. Für ein paar Sekunden vergrub sie ihr Gesicht an seiner Brust, doch dann wurde sie wütend. Nein. Sie wollte sich nicht verstecken. Sie würde stärker sein müssen, wenn sie das hier lebend überstehen wollte. Sie löste sich von ihm und zwang sich zuzusehen, wie die Gruppe ihre grausige Arbeit vollendete, bevor sie zum nächsten Haus ging.

»Irgendwann kommen sie hierher«, sagte sie schließlich.

»In der Ecke dahinten liegt eine Abdeckplane für ein Auto«, meinte Jack. »Wir könnten uns darunter verstecken.«

»Wir brauchen Waffen«, entgegnete sie.

Zum Glück für sie kam der mörderische Mob nicht bis zu der Garage. Als die Ungeheuer das Haus erreichten, brach die Morgendämmerung an und die Killer waren vermutlich erschöpft. Sie schlugen die Tür des Hauses auf der anderen Straßenseite ein. Aries klammerte sich an Jack, als eines der Monster eine hilflose Frau durch das Wohnzimmerfenster warf. Nachdem er sich davon überzeugt hatte, dass sie tot war, ging der Mörder wieder hinein und machte die Tür hinter sich zu. Sie mussten beschlossen haben, sich auszuruhen, denn im Haus wurde es ruhig.

Aries war den ganzen Tag lang fest davon überzeugt, dass sie bei Einbruch der Dunkelheit tot sein würde. Doch als der Mob am Abend seine Gewaltorgie fortsetzte, ging er wie durch ein Wunder an ihrem Versteck vorbei.

Der Rest der Straße hatte nicht so viel Glück.

Drei Tage später zogen Aries und ihre Freunde weiter. Vor allem, weil sie Hunger hatten und zu schwach werden würden, wenn sie noch länger blieben. Im Schutz der Dunkelheit verließen sie die Garage.

Überall lagen Leichen. Es war fast unmöglich, sich zu bewegen, ohne einen Fuß auf eine Hand oder einen Bauch zu setzen. Joy trat jemandem auf die Finger, die unter ihren Stiefeln brachen. Anschließend musste sie sich auf einer zurückgelassenen Büchertasche übergeben. Die anderen stellten sich um sie herum, aber nicht, weil sie um sie besorgt waren. Sie hatten Angst, dass das Geräusch sie verriet. Obwohl Joy kurz davor war, komplett die Nerven zu verlieren, schaffte sie es, sich zusammenzureißen. Doch von da an achtete sie genau darauf, wo sie hintrat. Sie achteten alle darauf.

Überall war Blut. Es war zwar dunkel, doch die eingetrockneten Blutspritzer auf dem Beton konnte Aries trotzdem sehen.

Es war die längste Strecke, die Aries je gegangen war. Jedes Mal, wenn sie etwas hörten, sprangen sie in das Gebüsch am Straßenrand oder versteckten sich hinter einem geparkten Auto. Wenn Menschen schrien oder um Hilfe riefen, drehten sie um und gingen in die entgegengesetzte Richtung. Eine Leiche, bei der das Blut noch frisch war, versetzte sie in Panik, allerdings nur, weil es bedeutete, dass einer der Psychopathen in der Nähe war.

Schließlich schafften sie es bis ins Stadtzentrum, wo sie Eve und Nathan trafen. Die Nacht verbrachten sie unter der Granville Bridge, indem sie auf einen der Betonpfeiler kletterten. Es war kalt und unbequem und Aries machte die ganze Nacht lang kein Auge zu. Sie hatte Angst, dass sie hinunterfallen und in das dunkle Wasser klatschen würde, wenn sie einschlief.

Am nächsten Abend fanden sie das Apartmenthaus. Im Erdgeschoss lag ein Restaurant und bis auf zwei riesige Eisentüren mit massiven Schlössern gab es keinen Zugang von der Straße her. Die Fenster im ersten und zweiten Stock waren kaputt und während des Erdbebens war eine Ecke des Dachs eingestürzt, doch das Gebäude schien sicher. Mit einem Schlüssel, den jemand neben der Treppe verloren haben musste, verschafften sie sich Zugang. Innen war alles leer.

Es wurde zu ihrem Zufluchtsort.

Das Haus war in keinem guten Zustand. Viele der Apartments standen leer, anscheinend waren sie gerade renoviert worden, als das Erdbeben sich ereignet hatte. Die wenigen Apartments, die bewohnt schienen, waren nur spärlich möbliert. In den Schränken fanden sie einige Vorräte und den Rest beschafften sie sich, indem sie mitten in der Nacht zu einem Lebensmittelgeschäft ein Stück die Straße hinunter schlichen. Nachdem sie sich ein paar Wochen von Schokoriegeln und Kartoffelchips ernährt hatten, fingen sie an, nervös zu werden. Der viele Zucker strapazierte ihre Körper und verwirrte ihre Gedanken. Aries war die ganze Zeit müde und sie war sicher, dass es den anderen genauso ging. Sie wusste, dass es hier noch mehr Geschäfte gab, einige von ihnen waren nur wenige Häuserblocks entfernt. Allerdings war es riskant, dort hinzugehen, und Mut war bei ihnen gerade Mangelware. Vielleicht änderten sie ihre Meinung, wenn sie ein paar Tage gehungert hatten. Aber das war noch nicht passiert.

Sie saßen nur untätig herum und warteten. Das Gebäude war alt und feucht und der Regen hatte alles noch schlimmer gemacht. Da es keine Fenster mehr gab, herrschte ständig ein starker Zug, dem sie nicht entkommen konnten. Die ganze Zeit über fühlte sich Aries, als wäre sie nass bis auf die Knochen.

Wenn sie andere Überlebende fanden, würde sie das stärker machen. Sie konnten eine Gemeinschaft bilden. Sie würden die Aufgaben besser verteilen und organisieren können. Es wäre gut, wenn sie einen Arzt fänden. Und einen Polizisten. Dann konnten sie etwas über Selbstverteidigung lernen. Sie konnten lernen, wie man sich schützt. Je größer die Gruppe, desto stärker würden sie sein. Und irgendwann würden sie dann vielleicht eine Möglichkeit finden, um mit Menschen aus anderen Städten zu kommunizieren.

Wenn sie es schafften, sich gegenseitig ihre Geschichten zu erzählen, dann fanden sie vielleicht auch einen Weg, die Ungeheuer zu besiegen.

»Ich glaube, ich mache eine Pause«, gab Aries nach. Sie zwang sich zum Aufstehen und ignorierte ihre eingeschlafenen Beine. Dann zog sie die Decke von sich herunter und legte sie Jack um die Schultern.

»Gut«, erwiderte er. Als er an der kratzigen Wolle schnupperte, verzog er das Gesicht. »Das ist ekelhaft.«

»Besser als nichts«, sagte sie. »Ich setze Kaffee auf. Willst du einen?«

»Caramel macchiato mit extraviel Schaum. Und einem doppelten Schuss Vanille.«

»Ich servier nur schwarz, und wenn du Glück hast, rühr ich ihn mit einem Twix-Riegel um.«

Jack lachte. »Hervorragend.«

Sie blieb an der Tür stehen und achtete darauf, dass er ihr Gesicht nicht sehen konnte. »Manchmal, wenn ich die Augen zumache, habe ich Angst, dass es in meinem Gehirn dunkel wird. Dass ich aufwache und mich in eine von denen verwandelt habe.«

»Wenn du eine von denen wärst, würdest du es, glaube ich, schon längst gemerkt haben.«

»Das wissen wir nicht. Wir wissen nicht, wie alles zusammenhängt. Warum sie sich überhaupt verändert haben.« Ihr Blick suchte seine Augen.

»Du hast recht«, sagte er. »Wir wissen es nicht. Aber ich werde weiterhin daran glauben, dass sich nicht noch mehr verwandeln werden. Sonst werde ich nämlich verrückt. So kann ich nicht leben.«

Sie nickte. »Verstehe. Komisch nur, dass ich dich in der Schule nie so vernünftig erlebt habe.«

»Manchmal bin ich geradezu erschreckend intelligent.«

»Das sehe ich. Einmal Twix-Riegel-Kaffee also. Kommt gleich.« Sie ließ ihn am Fenster sitzen und ging in die Küche, die sie benutzten. Es war niemand dort und sie goss Wasser aus einer Flasche in einen Topf. Sie stellte ihn auf den Gaskocher und drehte das Gas auf. Die Flasche war schon fast leer. Bald würde es auch mit diesem Luxus vorbei sein.

Während sie darauf wartete, dass das Wasser kochte, lehnte sie sich gegen die Arbeitsplatte und starrte gedankenverloren auf die Straße hinunter. Sie war leer, trotzdem musste sie an die Leute denken, von denen sie hoffte, dass sie noch am Leben waren. Sie dachte oft an ihre Eltern. Waren sie in Sicherheit? Mehr als alles in der Welt wünschte sie sich, sie könnte zu sich nach Hause gehen und nachsehen, ob ihre Eltern dort auf sie warteten. Sie konnte sich noch ganz deutlich an ihre Gesichter erinnern. Mehrmals am Tag stellte sie sich vor, wie das Wiedersehen aussehen würde, die überraschten, erleichterten Blicke, wenn sie durch die Tür kam. Sie würde alles darum geben, sich in ihr eigenes Bett zu kuscheln, umgeben von wärmenden Decken. Ihr Bett war wie ein unerreichbarer Traum.

Denn ihr Haus befand sich auf der anderen Seite der Stadt. Selbst wenn es ihr gelänge, ein Auto zu finden, würde es Stunden dauern, die vielen Autoschlangen und Unfälle zu umfahren. Sämtliche Brücken wurden durch liegen gebliebene Fahrzeuge blockiert. Es gab keinen Weg in das Stadtzentrum und auch keinen hinaus. Sich zu Fuß auf den Weg zu machen, war unmöglich. Es gab zu viele von diesen Bestien, die nur darauf warteten, die letzten Reste der Menschheit zu erwischen.

Ihr Haus war weiter weg als der Mond.

CLEMENTINE

Lieber Heath, ich bin ja so blöd und jetzt werde ich sterben. Wenn es tatsächlich einen Himmel gibt, hoffe ich, dass du dort auf mich wartest.

Sie lag hinter der Spielerbank eines Baseballfelds auf dem Rücken und presste ihre zitternde Hand auf den Mund. Keinen halben Meter von ihr entfernt führten zwei Fremde eine Diskussion darüber, was sie tun würden, wenn sie ein hübsches junges Mädchen fänden.

»Es wird immer schwieriger, eine Tussi zu finden«, beschwerte sich der eine.

»Das liegt daran, dass du sie alle umbringst«, sagte der andere. »Ich weiß wirklich nicht, warum du die hübsche Brünette abgemurkst hast. Ich hätte mich gern noch eine Weile mit ihr amüsiert. So etwas muss man doch ausnutzen, gute Frauen wird es bald nicht mehr geben. Du weißt doch, dass ich nur die mag, die schreien, und die werden bald so ausgestorben sein wie die Dinosaurier.«

»Dann sollten wir Spaß haben, solange wir noch können.«

Gott sei Dank war es dunkel, die Nacht war ihr einziger Schutz. Doch wenn einer der beiden zufällig nach unten geblickt hätte, hätte er gesehen, wie sich das Mondlicht in Clementines weit aufgerissenen Augen spiegelte.

Sie hatte es für eine gute Idee gehalten, sich dort zu verstecken, wo sie für alle sichtbar war, an einem Ort, wo niemand nach ihr suchen würde – es war genial. Alle anderen Vorsichtsmaßnahmen hatte sie schon durch. In den ersten Nächten war sie vom Highway abgefahren und hatte versucht, im Pick-up zu schlafen. Das war gründlich danebengegangen. Jedes Mal, wenn sie die Augen zumachte, stellte sie sich vor, wie eine zur Faust geballte Hand durch die Windschutzscheibe krachte und Glassplitter auf sie herabregneten, während muskulöse Arme versuchten, sie an den Haaren zu packen. Selbst wenn sie über kleine Anliegerstraßen fuhr, auf denen die Wahrscheinlichkeit, dass jemand nach ihr suchte, gegen null ging, bildete sie sich jedes Mal irgendwelche Geräusche ein. Sah, wie Schatten durch die Dunkelheit huschten. Sie fing an, nach verlassenen Gebäuden zu suchen, Farmen oder Tankstellen, wo sie sich in ein Zimmer im oberen Stock einsperrte, um wenigstens ein paar Stunden Schlaf zu bekommen.

In Des Moines war sie gar nicht gewesen. Es war klar, dass dort keine Polizei sein würde, die ihr helfen konnte. Eine halbe Stunde bevor sie die Stadtgrenze erreicht hatte, hatte sie einen Streifenwagen auf der Straße gesehen. Er lag auf dem Dach und die Beamten darin waren zu Tode geprügelt und ihrer Waffen beraubt worden. Es waren nicht die einzigen Toten am Straßenrand. Auf dem Highway, der von der Stadt wegführte, standen unzählige Autos – einige waren einfach stehen gelassen worden, andere waren voll mit Leichen. Überall in Amerika geschah das Gleiche wie in Gilmore. Hinter Des Moines traf sie zwei Erwachsene, die ihr erzählten, dass irgendwelche Verrückten von Haus zu Haus gingen, alle nach draußen zerrten, die sich versteckten, und sie auf offener Straße umbrachten. Nach dieser Begegnung sah Clementine auch Häuser als Bedrohung an. Sie konnte nicht einmal mehr eines ansehen, ohne dabei vor Angst zu zittern.

Sie war nirgendwo mehr sicher.

»Sie blockieren auch die großen Highways«, sagte die Frau zu ihr, bevor Clementine weiterfuhr. »Sie tun so, als wären sie vom Militär. Sie ziehen die Leute aus ihren Autos und erschießen sie. Oben im Norden sind sie schon überall. Das sind regelrechte Todeszonen. Kilometerweit Autos mit Leichen. Sei vorsichtig. Meide die Hauptverkehrsstraßen.«

Sie fuhr weiter, nachdem sie das Angebot des Paares, sich ihnen anzuschließen, abgelehnt hatte. Die beiden fuhren nach Süden und sie wollte sich um keinen Preis davon abbringen lassen, Seattle zu erreichen. Ihre Eltern waren tot. Sie hatte ihre Leichen zurücklassen müssen – in der einzigen Stadt, in der sie je gelebt hatte. Clementine war es ihnen schuldig, vor allem ihrer Mutter mit ihren unheimlichen Vorahnungen. Sie musste versuchen, ihren Bruder zu finden, und ihm sagen, was passiert war.

Doch Clementine kam nur langsam vorwärts. Benzin zu bekommen, konnte einen ganzen Tag dauern. Zum Glück hatte sie in den letzten beiden Sommern an einer Tankstelle gearbeitet und wusste, wie man Benzin aus dem unterirdischen Lagerbehälter zapfte. Es war nicht einfach und manchmal verbrachte sie Stunden damit, eine Tankstelle zu beobachten, bevor sie sich überhaupt in die Nähe wagte.

Dass sie die großen Highways umfahren musste, hielt sie noch mehr auf. Viele der kleinen Anliegerstraßen waren in keiner Karte verzeichnet und häufig landete sie in einer Sackgasse, nachdem sie bereits stundenlang umhergefahren war.

Sie fuhr jetzt schon das dritte Auto, seit sie vor drei Wochen aus dem Haus ihrer Eltern geflohen war. Den Pick-up hatte sie stehen gelassen, nachdem sie bei dem Versuch, einer Gruppe Kühe auf der Straße auszuweichen, in den Graben gefahren war. Den zweiten Wagen holte sie sich von einem Parkplatz, doch vor der ersten größeren Straßenbarrikade vor Sioux City musste sie ihn aufgeben. Danach hatte sie sich mehrere Tage auf der Ladefläche eines Transporters versteckt und versucht, all ihren Mut zusammenzunehmen und weiterzugehen. Schließlich hatten der Hunger und der Geruch ihres ungewaschenen Körpers sie dazu getrieben, die Straße entlangzuschleichen, bis sie die Überreste der Zivilisation erreichte. Zum Glück waren fast alle in der Gegend entweder geflüchtet oder schon tot. So konnte sie sich ohne Probleme einige Vorräte und ein neues Auto vom Parkplatz eines Lebensmittelgeschäfts beschaffen.

Sie sagte sich immer wieder, dass es kein Diebstahl sei, dass die Autos und Pick-ups, die sie sich nahm, von niemandem mehr benutzt wurden und dass es die echte Welt sowieso nicht mehr gab.

Ich komme, Heath.

Sie weigerte sich zu glauben, dass er tot war. Es war vielleicht naiv, aber die Hoffnung gab ihr Kraft.

Hinter der Spielerbank auf dem Baseballfeld zu übernachten, war eine gute Idee gewesen. Wer um alles in der Welt sollte sie dort schon suchen? Es war ja nicht so, dass jemand versuchte, ein Team für ein Freundschaftsspiel zusammenzustellen. Das Feld lag neben einer Highschool, von der nur noch die abgebrannten Trümmer übrig waren. Sie brauchte sich also keine Gedanken darüber zu machen, dass das Gebäude vielleicht jemanden anlocken könnte. Außerdem war sowieso niemand mehr am Leben, um sich darin zu verstecken.

Clementine hatte einen Schlafsack. Sie hatte den Reißverschluss nicht zugezogen, für den Fall, dass sie schnell flüchten musste. Doch sie war zur falschen Zeit eingeschlafen und davon aufgewacht, dass zwei Männer über den Rasen gingen. Vor zwanzig Minuten hätte sie noch eine Chance zur Flucht gehabt.

Jetzt war ihre brillante Idee nichts mehr wert und mit jeder Sekunde schwand die Hoffnung, die Nacht zu überleben.

Sie mussten ihren Herzschlag gehört haben. Er hatte sie verraten. Ihr Herz schlug wie wild in ihrem Brustkorb, es hämmerte gegen ihre Rippen und suchte verzweifelt nach einem Weg hinaus.

»In der Stadt lebt niemand mehr«, sagte eine der beiden Stimmen über ihr. Der Mann räusperte sich und spuckte in den Staub, nur wenige Zentimeter von Clementines Gesicht entfernt.

»Hat Spaß gemacht, findest du nicht auch?«

Ein heiseres Lachen fiel auf sie hinab.

Es war völlig unmöglich, ruhig zu bleiben. Jeder einzelne Muskel in ihrem Körper wollte loslaufen. Ihre Synapsen explodierten und schickten falsche Informationen an ihr Gehirn. Eine Million Insekten krochen über ihre Haut, Spinnen krallten ihre Beine in ihre Haare. Ihre Knie schmerzten und hätten sie um ein Haar durch unwillkürliche Tritte verraten. Ein Kribbeln in ihrer Nase kündigte ein lautes Niesen an. Selbst ihre Augen bettelten darum, geblinzelt zu werden.

»Wir sollten für heute Schluss machen.«

»Gute Idee.«

Schritte knirschten und fast hätte sie vor Erleichterung laut aufgeschrien. Doch dann blieb einer der beiden stehen.

»Warte mal. Ich muss pissen.«

Das Geräusch des Reißverschlusses ließ ihr Tränen in die Augen schießen. Obwohl sie wusste, was kam, zuckte sie zusammen, als der Urinstrahl den offenen Schlafsack traf und das wasserfeste Gewebe und ihre Bluse feucht werden ließ. Warum hatte sie sich nicht richtig zugedeckt? Sie biss sich fest auf die Lippen, um zu verhindern, dass die Dämpfe ihre Lungen erreichten.

Es schien eine Ewigkeit zu dauern. Der Urin durchnässte ihre Kleidung, drang bis auf ihre Haut, besudelte ihren Körper.

»Schon besser.« Der Reißverschluss wurde zugezogen, dann entfernte sich der Mann von der Spielerbank.

Sie blieb liegen, durchnässt und frierend, und wagte sich nicht zu bewegen, selbst als die Schritte schon lange verklungen waren. Ein Teil von ihr war felsenfest davon überzeugt, dass die Männer auf sie warteten. Sie hatte sie nicht im Geringsten täuschen können. In dem Moment, in dem sie aufstand, würden sie über sie herfallen, sie würden sie in Stücke reißen, sie würden ihr Dinge antun, die viel schlimmer waren als alles, wovor ihre Mutter sie immer gewarnt hatte.

Es war der Gestank, der sie schließlich aktiv werden ließ. Sie hielt ihn nicht mehr aus. Vorsichtig rollte sie den Schlafsack zur Seite, wobei sie darauf achtete, nicht noch mehr Urin auf ihrer Kleidung zu verteilen. Während sie auf den Knien lag, lauschte sie in die Nacht. Sie ignorierte das Zirpen der Grillen und das leise Rascheln des Präriegrases und wartete, bis sie sicher war, allein zu sein. Sie musste das Risiko eingehen, sonst würde sie zusammenbrechen und anfangen zu weinen.

Clementine stand auf, ließ den Blick über das Baseballfeld schweifen und vergewisserte sich, dass es leer war. Wieder kamen ihr fast die Tränen, doch sie lenkte sich ab, indem sie ihre Bluse untersuchte. Am liebsten hätte sie sich das Kleidungsstück vom Leib gerissen, doch sie hatte nichts anderes zum Anziehen dabei. Wenn sie die Bluse auszog, war sie fast nackt, und sie glaubte nicht, dass sie stark genug dafür war.

Nein, sie musste etwas anderes zum Anziehen finden. Die Innenstadt lag nur zwei Straßen weiter. Dort gab es mit Sicherheit eine Boutique oder eine Tankstelle, die T-Shirts für Touristen verkaufte. Wenn man in Urin gebadet hatte, durfte man nicht wählerisch sein. Nach einem Blick auf ihren Schlafsack beschloss sie, ihn einfach dazulassen. Er würde nur die Luft im Pick-up verpesten und sie würde sowieso nie wieder darin schlafen.

Den Pick-up hatte sie hinter der abgebrannten Highschool geparkt, auf einer Seitenstraße, wo er zwischen den anderen abgestellten Fahrzeugen nicht auffiel. Fürs Erste würde sie ihn dort lassen, wo er war. Die beiden Männer – und weiß der Himmel, wer noch – waren irgendwo in der Nähe und würden es hören, wenn sie den Motor anließ. Doch wenn sie sich beeilte, konnte sie irgendein Geschäft finden, sich ein paar Kleidungsstücke besorgen und innerhalb einer Stunde wieder bei ihrem Wagen sein und von hier wegfahren. An Schlaf war sowieso nicht mehr zu denken. Hoffentlich hatte sie morgen mehr Glück.

Sie ging langsam über das Baseballfeld und in die Stadt zurück. Die Stille war gut, doch sie zerrte an ihren Nerven. Hier gab es keine Durchgänge zwischen den Häuserblocks, daher blieb sie auf dem Gehsteig und hielt sich dicht an den Hauswänden. Sie machte sich darauf gefasst, beim leisesten Geräusch loszurennen.

Die Hauptstraße hieß Fourth Avenue. Die Straßenbeleuchtung funktionierte nicht, worüber sie heilfroh war. Mit einem einzigen Blick erfasste sie endlose Reihen leerer Parkplätze. Kein einziges Auto war zurückgelassen worden. Die Straße war gesäumt von Geschäften mit großen Schaufensterfronten, einem Eisenwarengeschäft, einer Apotheke, drei Bars, einem Lebensmittelgeschäft und einem Reisebüro, das auch Versicherungen verkaufte. Zwei Motels, die mit Satellitenfernsehen und Klimaanlage warben. Am Ende des Häuserblocks fand sie, wonach sie gesucht hatte: einen kleinen Secondhandladen mit einem Gestell voller gebrauchter Schuhe, das immer noch vor dem Geschäft stand. Die Tür war geschlossen, doch als sie die Klinke hinunterdrückte, öffnete sie sich.

Plötzlich ging über ihrem Kopf ein Glockenton los.

Sie brauchte ihre gesamte Willenskraft, um sich nicht einfach umzudrehen und in die Nacht zu rennen.

Nichts passierte. Der Glockenton hörte einfach auf und das Geräusch der leeren Straße dröhnte in ihren Ohren. Sie konnte nicht einmal mehr die Grillen hören.

Warum hatte sie nicht daran gedacht, die Tür nach einer Glocke abzusuchen? So langsam wurde sie leichtsinnig. Noch vor ein paar Tagen wäre ihr das nicht passiert. Sie hätte eine halbe Stunde gewartet, um sicher zu sein, dass niemand in dem Geschäft war, wäre um das Gebäude herumgeschlichen und hätte nach einer Hintertür Ausschau gehalten. Dann hätte sie sich vergewissert, dass sie wirklich allein war – und schließlich hätte sie die Tür nach einer Glocke oder Bewegungsmeldern abgesucht.

Aber sie war müde. Wenn man müde war, machte man Fehler.

Ein Narr und sein Leben sind bald geschieden.

Nach einem Blick auf die Straße zuckte sie mit den Schultern und betrat das Geschäft. Jetzt, wo die ganze Stadt wusste, dass sie da war, spielte es sowieso keine Rolle mehr, ob sie noch wartete oder nicht, doch sie wollte wenigstens überprüfen, ob es einen zweiten Ausgang gab.

Sie fand ihn in einem Hinterzimmer, eine verriegelte Tür mit einem unbeleuchteten Notausgangsschild. Nachdem sie den Riegel umgelegt hatte, konnte sie die Tür aufstoßen und stellte fest, dass sie in einer Art Hinterhof stand. Falls sie eine Fluchtmöglichkeit brauchte, war das hier nicht schlecht. Zufrieden ließ sie die Tür zufallen, legte den Riegel vor und ging wieder in den vorderen Teil des Geschäfts, wobei sie schon davon träumte, wie gut es sich anfühlen würde, ihre Bluse loszuwerden und etwas Frisches anzuziehen. In einer kleinen Toilette fand sie ein halbes Seifenstück und ein orangefarbenes Handtuch und hinter dem Tresen eine Flasche Wasser – das würde helfen, wenigstens ein bisschen von dem Urin auf ihrer Haut abzuwaschen.

Clementine sah die Kleidungsstücke auf einem der Regale durch und warf die ersten Sachen auf den Boden, weil sie entweder zu groß oder zu hell waren. Dunklere Farben waren sicherer. Nachdem sie eine gebrauchte rosa Strickjacke zur Seite geschoben hatte, fand sie eine blau-grün karierte Bluse, die ungefähr ihre Größe hatte. Clementine warf noch einen Blick zur Eingangstür, um sich zu vergewissern, dass sie allein war, bevor sie ihr Oberteil über den Kopf zog und das stinkende Stück Stoff auf den Boden fallen ließ.

Sie tränkte das Handtuch mit dem Wasser aus der Flasche, fuhr sich damit über den Körper und versuchte, alle Spuren des Urins zu beseitigen. Dann kam die Seife zum Einsatz und sie säuberte sich, so gut es ging, den Blick ständig auf die Tür gerichtet. Sie bewegte sich leise, wie eine kleine Maus, die sämtliche Spuren ihres Geruchs tilgte, damit die Schlangen sie nicht finden konnten.

Als Clementine die Bluse über den Kopf zog und die Knöpfe zumachte, hätte sie vor Erleichterung fast aufgeschrien. Die Bluse passte wie angegossen und es fühlte sich großartig an, den widerlichen Gestank los zu sein. Sie wollte sich gerade Richtung Ausgang drehen, als ihr der Gedanke kam, dass sie vielleicht ein paar Sachen zum Wechseln einpacken könnte, falls sie noch einmal in eine solche Situation geriet. Wer wusste, wann sie das nächste Mal ein Modegeschäft fand? Einen Mantel wollte sie auch mitnehmen.

Sie entdeckte eine Jeansjacke, die ihr eine Nummer zu groß war, und zog sie an. Das würde gehen. Als sie wieder am Regal stand, zog sie einen schwarzen Pullover und ein T-Shirt mit dem Schriftzug *Michigan State* heraus. Hinter dem Tresen fand sie eine Tüte, in die sie ihre neuen Sachen steckte.

Lieber Heath, das eben war vielleicht der schnellste Einkaufsbummel, den ich je gemacht habe. Du wärst stolz auf mich. Du hast doch immer gesagt, ich hätte zu viele Schuhe. Jetzt habe ich nur noch ein Paar. Wie heißt es so schön? These Boots Are Made for Walking … Bald fahre ich weiter, um nach dir zu suchen.

Sie kam hinter dem Tresen hervor, erstarrte aber mitten in der Bewegung, als ihr Blick aufs Schaufenster fiel und sie die Männer vom Baseballfeld auf dem Gehsteig sah. Blitzschnell ließ sie sich auf den Boden fallen, während ihr Herz so schnell zu rasen begann, dass sie die Schläge in den Ohren hörte. Eiskalter Speichel sammelte sich in ihrem Mund; sie konnte ihn nicht schlucken.

Der Glockenton ging los, als die Tür geöffnet wurde.

»Komm raus, Schätzchen«, sagte einer der beiden Männer. »Wir wissen, dass du hier bist. Wir haben dich durch die Scheibe gesehen.«

Ihr Blick huschte über die Regale unter dem Tresen. Sie brauchte eine Waffe. Irgendetwas. Hinter den Stapeln mit Tüten entdeckte sie einen Brieföffner. Ihre Finger schlossen sich um das Metall. Das musste genügen.

»Hey, du Schnecke, wir haben nicht den ganzen Tag Zeit. Gib lieber gleich auf!«

Sie hob den Kopf, bewegte sich aber nicht von der Stelle. Sie wollte auf keinen Fall, dass die beiden Männer um den Tresen herumkamen, um sie zu packen. So war wenigstens etwas zwischen ihnen. Vielleicht hatte sie ja noch Zeit wegzurennen. Aber würde sie es bis ins Hinterzimmer schaffen und die Tür entriegeln können, bevor die Männer sie schnappten? Sie wusste es nicht.

Lieber Heath, gib mir Kraft!

»Oh, da haben wir aber was ganz Hübsches.«

Sie wusste, was die Männer vorhatten. Während der Erste redete, würde der Zweite langsam auf sie zukommen und versuchen, um den Tresen herumzugehen, damit sie in der Falle saß.

»Bleiben Sie, wo Sie sind!« Clementine hob abwehrend den Brieföffner.

»Was hast du denn mit dem Ding da vor, Herzchen? Willst du mich etwa erstechen?«

Der zweite Mann hatte sie schon fast erreicht. Sie musste handeln. Mit aller Kraft warf sie dem Mann die volle Einkaufstüte entgegen, drehte sich um und rannte ins Hinterzimmer.

Sie schaffte es bis zur Tür, doch bevor sie den Riegel zurückziehen konnte, fiel eine schwere Hand auf ihre Schulter und riss sie zurück.

»Du Miststück, ich werde …«

Clementine überlegte nicht. Der Brieföffner schoss wie von selbst durch die Luft; sie war ganz sicher, dass sie nichts damit zu tun hatte. Silberfarbenes Metall schlitzte seinem Opfer den Bauch auf. Wie konnte etwas so leicht Gewebe und Muskeln durchdringen?

Der Mann stöhnte. Sie wusste nicht, welcher von beiden es war – es war zu dunkel, um etwas erkennen zu können. Der Mann kippte auf sie und drückte ihren Körper gegen die Tür. Sein Atem lag schwer auf ihrem Gesicht. Sie konnte Bier und Kartoffelchips riechen. Und Zwiebeln. Mit aller Kraft stieß sie ihn von sich und es gelang ihr, sich umzudrehen, sodass sie den Riegel zurückschieben konnte. Die Tür ging nach draußen auf, sodass sie mit dem Mann zusammen in den Hinterhof stolperte und zu Boden stürzte.

Clementine zögerte keine Sekunde. Sie trat mit den Füßen gegen den Körper, der auf ihr lag, schob sich unter ihm hervor und kroch ein Stück von ihm weg, bis es ihr gelang, aufzustehen und wegzurennen. Sie hörte noch, wie der zweite Kerl ihr etwas nachrief, doch falls er ihr nachlief, war er nicht schnell genug, um sie einzuholen.

Sechs Häuserblocks weiter schloss sie den Pick-up auf und ließ den Motor an, noch bevor die Tür hinter ihr ins Schloss gefallen war. Sie drückte das Gaspedal durch, raste in die Nacht hinein und ließ die Stadt und alles, was sich darin befand, hinter sich.

Erst nach mehreren Kilometern hielt sie bei laufendem Motor

am Straßenrand und wischte sich die Tränen weg, die ihr über die Wangen liefen und alles vor ihren Augen verschwimmen ließen.

Ihre Bluse war mit Blut durchtränkt und ihre Haut fühlte sich schon wieder klebrig an.

Dafür der ganze Aufwand?

MICHAEL

»Hey!«

Durch die Dunkelheit drang eine Stimme zu ihm.

»Hey! Schwachkopf! Wach auf! Wir müssen hier weg!«

Michael zwang sich, seine Gedanken von dem Nebel freizubekommen, der nichts mit seinen Träumen zu tun hatte. Wann war er eingeschlafen? Sollte er nicht Wache schieben?

»Was ist denn los?« Sein Mund schmeckte wie vergammelte Wattebällchen. Sein Kopf lag in einem merkwürdigen Winkel am Fensterrahmen und er konnte spüren, dass seine Halsmuskeln völlig verkrampft waren. Wenn er sich aufrichtete, würden die Schmerzen losgehen.

»Im Keller liegen ein paar Leichen.«

Michael sprang auf. »Was? Was sagst du? Leichen? Wer?«

»Irgendwelche Leute. Ich habe keine Ahnung. Vielleicht die, denen das Haus hier gehört. Was spielt das denn für eine Rolle? Wir müssen hier weg. Das Haus ist eine Falle.«

Evans' Gesicht war bleich und seine Augen irrten umher, ohne irgendetwas wirklich zu fokussieren. Er rannte zum Fenster und starrte in die Nacht hinaus. Michael ging zu ihm, doch es gab nichts zu sehen. Der Himmel war bedeckt, selbst die Sterne waren nicht zu sehen. Wann war es dunkel geworden? Als er das letzte Mal einen Blick nach draußen geworfen hatte, war die Sonne noch am Himmel gewesen. Wie hatte er einfach einschlafen können? Diese Leute verließen sich auf ihn. Er hatte Evans und Billy gesagt, dass er oben nach Brauchbarem suchen wollte: Waffen, Kleidung, solche Sachen eben. Er hatte es nicht einmal aus dem ersten Schlafzimmer geschafft. Was für eine Art von Anführer war er, wenn er es nicht einmal fertigbrachte, wach zu bleiben?

Wenn es eine Falle war, würden die Hetzer kommen. Vielleicht waren sie ja schon da – es war zu dunkel, um draußen etwas erkennen zu können. Der Wald, von dem die Ranch umgeben war, machte sie zum perfekten Versteck, aber er bot auch eine hervorragende Deckung für einen Hinterhalt.

Warum war ihm das nicht schon früher aufgefallen?

»Wer weiß noch davon?«

»Niemand.« Evans ging vom Fenster weg. »Ich habe im Keller nach dem Boiler für das heiße Wasser gesucht. Ich wollte ihn einschalten. Da habe ich sie gefunden, ganz hinten, neben dem Heizraum. Aufeinandergestapelt wie erlegtes Wild. Irgendjemand oder irgendetwas hat sie dort hingelegt. Sie sind nicht einfach so gestorben.«

»Das ist doch verrückt. Wo sind die anderen?«

»Billy und die Übrigen schlafen im Wohnzimmer. Die Idioten haben zu viel gegessen und sind dann alle eingeschlafen. Die Mutter ist, glaube ich, noch im Schlafzimmer, zusammen mit ihrem kranken Kind.«

»Weck sie zuerst auf«, sagte Michael. »Sie wird länger brauchen als die anderen. Vergewissere dich, dass alle Türen und Fenster verschlossen sind. Und dann sag Billy, dass er so viele Lebensmittel wie möglich zusammensuchen soll. Aber nichts, was zu schwer ist. Es wird uns nur aufhalten, wenn wir wegrennen müssen.«

»Was hast du vor?«

»Ich suche nach Waffen.«

Evans rannte hinaus und ließ Michael im Schlafzimmer allein. Michael machte sich an die Arbeit. Zuerst durchsuchte er
die Schränke und zog dann Kartons von den Regalen, deren
Inhalt er auf dem Parkettboden verteilte. Wenn jemand so weit
draußen in der Wildnis lebte, hatte er mit Sicherheit Waffen. Er
musste sie finden. Er versuchte sich daran zu erinnern, ob er
einen Schuppen im Garten gesehen hatte, doch er konnte nicht
klar denken. Sein Gehirn funktionierte noch nicht richtig, weil
er so lange geschlafen hatte.

Vielleicht war seine Reaktion ja übertrieben. Nur weil im Keller Leichen versteckt waren, bedeutete das noch lange nicht,
dass die Hetzer das Haus beobachteten. Die Killer waren sehr
unterschiedlich; es war durchaus möglich, das diese hier einfach nur zwanghaft ordentlich waren und nach dem Töten aufgeräumt hatten. Oder vielleicht hatten sie die ganze Familie im
Keller gefunden und dort auch erledigt. Wenn sie sie irgendwo
anders im Haus getötet hatten, hätte es doch Hinweise auf einen
Kampf geben müssen. Blutlachen auf dem Boden oder Spritzer
an der Wand – irgendwo hätte er Spuren finden müssen, oder
nicht?

Das Bett.

Michael drehte sich um und starrte auf die Bettdecke. Sie war
burgunderrot mit einem schwarz-silbernen Muster. Auf der
Decke lag ein halbes Dutzend Kissen, die an den Bettpfosten
lehnten. Das Schlafzimmer war penibel aufgeräumt, selbst die
Kleidung im Schrank war nach Farbe und Stil sortiert. Das Bad
hatte er sich schon angesehen und sämtliche Toilettenartikel
waren ordentlich aufgereiht und frisch abgestaubt.

Warum lagen die Kissen dann so schief?

Michael streckte die Hand aus und griff sich die Kissen, die ihm am nächsten lagen. Er packte immer zwei Kissen auf einmal und warf alle auf den Boden. Dann krallten sich seine Finger in den Rand der Bettdecke und rissen sie mit einer einzigen Bewegung vom Bett.

Die Laken waren mit Blut befleckt. Nein, das war nicht das richtige Wort. Sie schwammen in Blut.

»Oh Gott.«

Er musste Evans holen. Michael durchquerte das Zimmer, legte die Hand auf den Knauf, drehte ihn herum und zog die Tür auf.

Von unten kam das Geräusch von brechendem Glas. Holz zersplitterte, als die Hintertür eingetreten wurde. Billy brüllte etwas, doch seine Worte waren nicht zu verstehen. Jemand schrie.

Zu spät.

Michael knallte die Tür zu und verriegelte sie instinktiv. Als er auf das Bett zuging, schlug sein Herz so schnell, dass er es bis in die Kehle spürte. Schreie drangen die Treppe herauf, Stimmen, die er kannte. Etwas oder jemand wurde gegen die Wand geschleudert. Noch mehr Glas brach.

Er musste sich bewegen. Er musste etwas tun. Doch er konnte nicht. Seine Füße waren am Boden festgeklebt. Blut schoss ihm in den Kopf, pochte in seinen Ohren, verdrängte die Schreie und den Krach. Er war wie gelähmt. Dort unten wurden gerade die anderen abgeschlachtet und er konnte nichts tun, um sie zu retten.

»Michael!«

Eine Faust, die gegen die Tür hämmerte, riss ihn aus seiner

Starre. Er zuckte zusammen und machte einen Schritt nach hinten, wobei er über eine Ecke des Betts stolperte. Er stürzte und krachte mit dem Rücken gegen eine Holztruhe, so fest, dass er sich auf die Zunge biss. Er schmeckte Blut. Es sammelte sich in seinem Mund und brachte ihn zum Würgen. Als sich ihm der Magen umdrehte, kroch er ins Bad und steckte den Kopf in die Toilette.

»Michael, mach die verdammte Tür auf! Wir brauchen Hilfe!«

Er hörte, wie Evans nach ihm rief, doch er war zu weit weg. Die Stimme klang wie aus weiter Ferne, wie etwas aus einem schlechten Traum. Er schlug noch ein paarmal mit der Faust gegen die Tür und den Rahmen.

Dann nichts mehr.

Mit zitternden Knien stand Michael auf und öffnete den Hahn am Waschbecken, um sich Wasser ins Gesicht zu spritzen. Er hatte jeden Sinn für die Realität verloren. Er musste denken, er musste sein Gehirn dazu bringen, wieder zu funktionieren. Wenn er nicht bald etwas unternahm, würden sie unten fertig sein, dann war er der Nächste. Doch irgendetwas in ihm schaltete einfach ab. Er konnte nichts tun, nur vor dem Spiegel stehen und sein nasses Gesicht anstarren. Braune Augen glotzten ihn an. Er hob die Hand und zupfte an ein paar fettigen Haarsträhnen herum.

Sah so ein Feigling aus?

»Was zum Teufel machst du da?«

Er wollte schreien, doch Evans legte ihm blitzschnell die Hand auf den Mund. Wieso war ihm nicht aufgefallen, dass das angrenzende Schlafzimmer ebenfalls eine Tür zum Bad hatte?

»Ich … ich kann nicht. Fass mich nicht an. Es ist alles okay,

Mann, alles okay.« Die Worte strömten einfach so aus seinem Mund, ohne Sinn, ohne Rhythmus. Er stammelte.

Evans gab ihm eine schallende Ohrfeige. »Reiß dich zusammen!«

Es funktionierte. Der brennende Schmerz auf seiner Wange sorgte dafür, dass sein Körper wieder zum Leben erwachte.

»Das wäre nicht nötig gewesen«, log er.

Evans antwortete nicht. Er drehte sich um und ging wieder in das zweite Schlafzimmer, in dem die Mutter auf der Bettkante saß, ihr halb totes Kind in den Armen wiegte und ihm zuflüsterte, dass alles wieder in Ordnung komme.

»Wir müssen hier raus!«, rief Evans. Er ging an der Mutter vorbei und sah zum Fenster hinaus. »Wir müssen auf das Dach klettern.«

»Das kann ich nicht«, murmelte die Frau. »Wir können nicht. Wir sind nicht stark genug.«

»Ich werde ihn tragen«, entgegnete Evans.

Michael sah ihn verärgert an. Evans übernahm die Führung. Einfach so. Er musste sich nicht übergeben, er verlor nicht die Kontrolle über seinen Körper. Er behielt die Nerven.

»Wir könnten uns verstecken«, schlug Michael vor. »Sie wissen vielleicht gar nicht, dass wir hier oben sind.«

»Bist du bescheuert?«, fuhr Evans ihn an.

Michael starrte wütend zurück.

Mit einem lauten Knall warf sich jemand gegen die Tür. Die Mutter schrie auf und drückte ihr Kind so fest an sich, dass es fast erstickt wäre. Vom Flur her drang ein tiefes, kehliges Fauchen zu ihnen herein, dann rüttelte jemand am Schloss, dass es wackelte.

Ein zweiter Knall.

Ein dritter.

Die Tür ächzte und stöhnte unter dem Gewicht. Sie kamen.

Evans konnte das Fenster nicht öffnen. Er zog mit aller Kraft daran.

»Hilf mir!«, brüllte er Michael zu.

Das Holz der Tür zersplitterte.

Er wollte nicht sterben. Nicht hier. Nicht so.

Die Tür gab nach. Die Hetzer stürmten herein. Es waren vier: drei Männer, eine Frau. Zwei von ihnen hielten sich an den Händen, als wären sie zwei Irre in den Flitterwochen. Von ihrer Kleidung tropfte Blut auf den Boden und sie grinsten wie wilde Hyänen, die ihre Beute eingekreist hatten.

Hiermit erkläre ich Sie zu Mann und Frau. Sie dürfen jetzt die Gäste töten.

Der Gedanke war so lächerlich, dass Michael fast hysterisch wurde.

Die Entscheidung war ganz einfach. Im Grunde genommen hatte er gar keine Wahl, er zog lediglich das Leben dem Tod vor. Michael ging wieder ins Bad, knallte die Tür hinter sich zu und sperrte ab.

Das Letzte, was er sah, war der Ausdruck auf Evans' Gesicht. Als sich ihre Blicke trafen, verengten sich Evans' Augen zu schmalen Schlitzen. Seine Hände ballten sich zu Fäusten. Abscheu. Bedauern. Nicht wegen der Hetzer.

Seinetwegen.

Verräter.

Er hatte keine Zeit mehr, es sich anders zu überlegen. Einer der Hetzer warf sich bereits gegen die Tür zum Bad. Michael hatte nur noch Sekunden, um zu handeln. Er drehte sich um und rannte zum Fenster im Schlafzimmer. Auch dieses Fenster ging nicht auf. Es musste eine Art Verschluss geben, den er übersah. Danach zu suchen, würde viel zu lange dauern. Auf dem Nachttisch neben dem Bett stand ein großer Wecker. Michael packte ihn und warf ihn durch die Scheibe. Dann hob er eines der Kissen vom Boden auf und drückte damit die Scherben aus dem Fensterrahmen.

Evans brüllte etwas. Das Kind weinte. Laute Schreie, die abrupt verstummten. Evans rief wieder etwas, doch Michael konnte die Worte nicht verstehen. Irgendetwas rumste im anderen Zimmer mit voller Wucht gegen die Wand. Ein Gemälde über dem Bett fiel krachend herunter und landete in dem blutigen Laken.

Michael kletterte auf das Dach hinaus, kroch auf allen vieren bis zum Rand und sprang, ohne einen Blick nach unten zu werfen. Als er den Boden unter seinen Füßen spürte, rollte er sich ab; seine Knöchel und Knie protestierten energisch. Ein stechender Schmerz fuhr ihm in die Seite und nahm ihm den Atem. Er landete mit dem Gesicht im Dreck und spürte Zweige und Kieselsteine auf seiner Zunge. Dann lag er auf der Erde und rang nach Luft, unfähig, sich zu bewegen, unfähig, zu atmen.

Eine halbe Minute lang war er wie erstarrt. Tränen strömten ihm aus den Augen und durchnässten den Boden an der Stelle, an der seine Wange lag. Als Luft seine Lungen erreichte, kam langsam wieder Leben in seinen Körper. Er legte die Hände flach auf den Boden und drückte sich ab, bis er auf den Knien lag, heftig keuchend, als wäre er gerade einen Marathon gelaufen. Erdfarbener Speichel rann ihm über die Lippen.

Er musste weiterlaufen. Es würde nur noch Sekunden dauern, bis sie ihn eingeholt hatten.

Schließlich hatte er wieder genug Kraft in den Beinen und er schaffte es, sich aufzurappeln und ein paar Schritte zu machen, schwankend zuerst, wie ein Betrunkener, der seine Beine nicht unter Kontrolle hat. Ohne sich umzusehen, rannte er auf die Bäume zu. Er wusste, dass er stehen bleiben würde, wenn er sah, dass sie ihn verfolgten. Und dann würden sie auch über ihn herfallen.

MASON

Plopp.
  Plopp.
  Peng!
Die Welt war ganz plötzlich wieder da. Sein Gehirn versuchte, den Geräuschen ein Bild zuzuordnen. Kein Auto mit Fehlzündung. Keine Schüsse. Das Geräusch kannte er. Er hatte es in letzter Zeit oft genug gehört. Jemand zündete Feuerwerkskörper, direkt vor dem Fenster.

Er konnte nicht sehr lange bewusstlos gewesen sein. Ein paar Minuten vielleicht – nicht genug Zeit für Twiggy, um etwas zu unternehmen. Mason lag immer noch auf dem Boden, mit pochenden Kopfschmerzen und nassen Haaren, vom Tee. Zumindest hoffte er, dass es Tee war. Der kaputte Porzellanbecher lag nur wenige Zentimeter von seiner Nase entfernt.

Twiggy stand am Fenster und hatte den Kopf hinausgestreckt. Sein Bein wippte auf und ab, als er etwas nach unten brüllte.

»Geht weg, ihr Heiden! Ihr seid hier nicht willkommen! Bringt mich bloß nicht dazu, runterzukommen und euch abzumurksen!«

Mason richtete sich zu schnell auf. Vor seinen Augen explodierten Sterne und alles um ihn herum drehte sich, viel schneller als die schnellste Achterbahn, mit der er je gefahren war. Er hob eine Hand und berührte seinen Kopf. Als er sie wieder wegzog, waren seine Finger blutig. Nachdem er sich auf die Knie gekämpft hatte, gelang es ihm, aufzustehen und sich an die Wand zu lehnen. Die Tür stand noch offen. Twiggy hatte sich nicht die Mühe gemacht, sie zu schließen, nachdem er Mason den Becher an den Kopf geworfen hatte.

»Hey, du.« Twiggy drehte sich vom Fenster weg. Er hatte seine Krücken neben dem Bett gelassen. Während er auf seinem Bein auf und ab hüpfte, schien er zu überlegen, ob er den Raum schnell genug durchqueren konnte, bevor seine Beute entwischt war.

Mason stand näher bei den Krücken. Er packte sie und warf sie in den Hausflur. Seine Beine zitterten immer noch, doch die Sterne vor seinen Augen wurden langsam weniger. Als er wieder alles sehen konnte, fand er seinen Rucksack auf dem Boden und hob ihn auf.

»Du bist früher aufgewacht, als ich erwartet hatte«, stellte Twiggy fest. »Schade.« Sein Gesicht drückte Enttäuschung aus.

»Warum?«, fragte Mason. »Sie hätten mich doch schon unten auf der Straße töten können. Warum das ganze Theater?«

»Du hast mir jedes Wort geglaubt, stimmt's?«, sagte Twiggy. »Eine gute Show habe ich schon immer gemocht. Das war viel besser, als dir einfach eine Kugel ins Gehirn zu schießen. Ich wollte erst sehen, ob ich dich überzeugen kann.«

»Was zum Teufel habe ich Ihnen getan? Was haben *wir* Ihnen getan?«

Twiggys Gesicht wurde von einer tiefen Röte überzogen. »Bist du tatsächlich so dumm? Nein, warte. Sag nichts. Die Teenager heutzutage glauben, sie wüssten alles. Ihr seid doch nur ein Haufen fauler Penner! Ihr seid schuld daran, dass die Gesellschaft zugrunde geht. Euretwegen muss die Welt gereinigt werden. Euretwegen kommen die Stimmen zu uns und verwandeln ein paar von uns in hirnlose Rudelhunde. Der Rest von uns bekommt Klarheit. Ich sehe alles, was ich sehen muss.«

»Das ist eine lahme Ausrede.«

»Das ist keine Ausrede!«, fuhr Twiggy ihn an. Speichel spritzte aus seinem Mund. »Wir sind schon sehr lange hier, Mason. Länger als du oder deine dummen kleinen Freunde euch das vorstellen könnt. Wir haben uns im Verborgenen aufgehalten und auf den richtigen Moment gewartet. Ihr würdet uns vielleicht als Krankheit bezeichnen. Eine Seuche. Das Böse. Aus den Tiefen der Erde steigt es nach oben, wie so oft in der Vergangenheit. Es hat uns unsere Mission gegeben. Wir reinigen. Wir räumen den Dreck aus der Welt, den sie geschaffen hat. Wir ziehen einen Schlussstrich. Wir Auserwählten schätzen uns glücklich, dabei sein zu dürfen. Es hat mich aus einem ganz speziellen Grund ausgesucht und ich bin froh darüber. Ich gehöre zu den besonderen Menschen, die immer noch alle Sinne beisammenhaben. Meine Befehle werden viel komplexer und erfüllender sein als die dieser verrückten Heiden da draußen.«

»Dann sind Sie also auch nur einer von den Hunden«, höhnte Mason.

Twiggy lachte. »Weißt du, warum wir einige von euch am Leben lassen? Es ist die Angst. Der Schmerz. Die Freude daran, euch die Haut in Fetzen zu reißen. Wir laben uns daran.«

»Vielleicht bin ich einfach klüger als Sie«, erwiderte Mason. »Haben Sie das nicht gerade gesagt? Freier Wille? Vielleicht bin ich ja in der Lage, dagegen anzukämpfen. Aber Sie sind schwach. Sie sind ein Idiot!«

»Du wirst schon noch still sein, wenn ich dir die Zunge herausreiße.«

Masons Beine waren jetzt wieder stark genug. Seelenruhig drehte er sich um und ging zur Tür hinaus. »Viel Glück dabei, Humpelbein!«

»Du bist jetzt ganz allein!«, rief Twiggy ihm nach. »Wir werden euch finden. Ihr werdet euch nie lange genug verstecken können. Wir werden euch finden und jeden Einzelnen von euch töten. Du bist ganz allein. Lauf nur, Mason, lauf! Du wirst nicht weit kommen. Und schlaf bloß nicht ein! Schlaf bloß nicht ein!«

Der Hausflur war kein Problem für Mason. Auf der Treppe musste er schon etwas mehr achtgeben. Sein Gleichgewichtsgefühl war gestört, doch es gelang ihm, nach unten zu kommen, indem er sich am Geländer festhielt und immer eine Stufe nach der anderen nahm. Twiggy keifte weiter und jedes Mal, wenn Mason einen Blick zurückwarf, rechnete er damit, den Alten hinter sich herhumpeln zu sehen. Doch er kam nicht.

Für welchen Weltenretter Twiggy sich auch hielt, er kannte seine Grenzen. Das nächste Mal würde er sein Opfer mit einem schwereren Gegenstand bewerfen und dafür sorgen, dass es liegen blieb.

Draußen war es so hell, dass Masons Gehirn vor dem Licht zurückzuckte. Er blieb an der Tür stehen, unsicher, was er als Nächstes tun sollte.

Eines nach dem anderen – zuerst musste er so weit wie möglich von diesem Gebäude weg. Und dann sollte er vielleicht einen Ort finden, an dem er sich verkriechen konnte, bis sein Gehirn aufhörte, ihn zu bestrafen. Wie war das noch mal? Was sollte man bei Gehirnerschütterungen tun? Nicht schlafen. Er musste wach bleiben. Vielleicht konnte er ein Hotel mit einem Pool finden. Kaltes Wasser würde guttun und es würde dafür sorgen, dass er einen klaren Kopf behielt. Vor sich sah er einige Hinweisschilder für ein Travelodge Hotel, das nur ein paar Häuserblocks entfernt war. Das würde er schon schaffen. Es war nah genug, um hinlaufen zu können, ohne dabei zu sterben, und weit genug, um Twiggy davon abzuhalten, ihm zu folgen.

Es ging nur mühsam voran. Die Sonne brannte ihm auf den Rücken und sorgte dafür, dass sein Hemd nach kurzer Zeit nass vor Schweiß war. Wenn er die Augen zusammenkniff, hatte er das Gefühl, dass sein Kopf gleich explodierte, doch es war nichts im Vergleich zu dem Dröhnen, das das gleißend helle Licht auslöste. Sein Rucksack hing schwer an seinen Schultern und zog ihn nach unten.

Das Paar, das langsam auf ihn zukam, sah er erst, als er irgendwann den Kopf hob. Sie trugen beide Wanderkleidung mit Rucksäcken und Schlafsäcken. Er erstarrte mitten in der Bewegung und versuchte, nicht hin und her zu schwanken.

Ganz ruhig, Mason. Nur nicht unsicher wirken.

»Hallo«, rief der Junge. »Brauchst du Hilfe?«

Mason antwortete nicht. Seine Knie zitterten. Er war sich zu hundert Prozent sicher, dass er keinen Schritt weitergehen konnte. Als Twiggy ihn mit dem Becher getroffen hatte, musste er sein zentrales Nervensystem verletzt haben oder so etwas in der Art.

»Hallo«, sagte das Mädchen. Sie waren schon ein ganzes Stück näher gekommen und hatten ihn fast erreicht. »Du bist verletzt.«

»Bleibt weg!«, murmelte er.

»Du blutest.« Sie hob die Hand, um ihn zu berühren, und er wich zurück, wobei er um ein Haar gestolpert wäre.

»Pass auf, Chee!«, rief der Junge. »Er hat Angst.«

»Leck mich!«, grummelte Mason.

»Schon okay, Mann. Du kannst uns vertrauen.«

»Woher weiß ich denn, dass ihr nicht zu denen gehört?«

Das Mädchen schnaubte empört und ihre langen Haare flatterten hinter ihr. »Woher wissen wir, dass *du* nicht einer von denen bist?«

»Wenn ich es wäre, wärt ihr jetzt schon tot.«

Das Mädchen machte einen Schritt nach hinten. »Also schön, wenn du lieber ein Arsch sein willst ... Komm, Paul. Das brauchen wir jetzt wirklich nicht.«

Doch der Junge rührte sich nicht vom Fleck. »Wir können ihn nicht hierlassen. Sie werden ihn jagen.«

»Er sieht ziemlich übel aus.«

Mason wusste nicht, was er tun sollte. Die beiden schienen normal zu sein, aber den Eindruck hatte Twiggy auch gemacht. Wem sollte er in dieser neuen Welt noch trauen? Mehr noch, wer konnte *ihm* vertrauen? Vielleicht war sein Befall ja der Grund dafür, warum er noch am Leben war und Twiggy ihn nicht getötet hatte.

In seinem Kopf gab es zu viel Dunkelheit.

Bis er ganz sicher war, war es besser für ihn, allein zu sein.

Der Junge schien sein Misstrauen zu spüren. »Hör zu«, sagte er. »Wir sind nicht wie die. Wir werden dir nichts tun und auch nicht versuchen, dich auszurauben. Uns geht es wie dir.«

Mason beschloss, das Risiko einzugehen. »Es tut mir leid«, sagte er. »Irgendein Verrückter mit nur einem Bein hat mich gerade in seine Wohnung zum Tee eingeladen und dann hat er versucht, mir mit einem Porzellanbecher den Schädel einzuschlagen. Mit Vertrauen hapert es bei mir gerade ein bisschen.«

»Er hatte nur ein Bein?« Das Mädchen schnaubte wieder. »Und trotzdem hat er das geschafft?«

»Zuerst schien er ja ganz normal zu sein«, blaffte Mason zurück. Dann begann er zu grinsen. »Wie viel Ärger kann einem ein Einbeiniger schon machen?«

»Ist das jetzt ein schlechter Scherz oder fragst du das im Ernst?« Das Mädchen grinste zurück.

»Ein bisschen von beidem.«

Ein kurzes, verlegenes Schweigen entstand und das Mädchen wurde zunehmend ungeduldiger. Ihr Blick ging von einem zum anderen, dann wurde sie unruhig und schließlich war klar, dass sie genug von der Stille hatte.

»Ich bin Barbara Flying Eagle, aber alle sagen Chickadee oder Chee zu mir, weil ich so klein bin. Ich hasse Barbara, also nenn mich bloß nicht so. Fürchterlich. Und das hier ist Paul Still Waters. Wir nennen ihn einfach Paul. Aber er ist so groß, dass er dich nur hören wird, wenn du schreist.«

Mason musste schon wieder grinsen. Das Mädchen war eindeutig klein, nicht einmal einen Meter fünfzig. Sie hatte lange Haare, die ihr fast bis zum Po reichten und sie noch kleiner aussehen ließen, falls das überhaupt möglich war. Paul, der Junge neben ihr, war das komplette Gegenteil – ein schlaksiger, ernster Riese, der sie um einige Köpfe überragte. Mason war sofort klar, dass sie eines dieser Paare waren, über die ständig Witze gerissen wurden. So unterschiedlich wie Tag und Nacht. Feuer und Eis.

»Mason Dowell«, sagte er.

»Schön, dich kennenzulernen«, erwiderte sie. »Nachdem wir das nun alles hinter uns haben, schlage ich vor, dass wir schnellstens von hier verschwinden. Hast du vorhin Schüsse gehört?«

»Ich dachte, das wären Feuerwerkskörper.«

»Ja, klar, die Art von Feuerwerkskörpern, die vorn aus einem Gewehr rauskommen.«

Sie gingen weiter, doch wegen Mason etwas langsamer. Seine Beine funktionierten wieder, aber sein Kopf fühlte sich immer noch wie eine schwammige Masse an. Chickadee und Paul führten und waren ihm etwa einen Meter voraus. Sie hatten sich zwar vorgestellt, doch keiner von ihnen wollte ein Risiko eingehen.

Sie waren immer noch Fremde.

»Wo willst du hin, Mason?«, fragte Chickadee, die leise sprach. Sie wies mit dem Kopf auf seinen Rucksack.

»Nach Westen«, antwortete er. Automatisch griffen seine Finger in die Gesäßtasche seiner Jeans, um sich zu vergewissern, dass das Stanley-Park-Foto noch da war. »Vancouver.«

»Cool«, sagte sie. »Wir gehen nach Norden. Paul hat einen Onkel in Yukon und wir dachten, das wäre ein gutes Ziel. Da oben gibt es nicht viele Leute. Ich kann mir nicht vorstellen, dass es dort so übel zugeht wie hier. Sein nächster Nachbar wohnt eine Stunde entfernt.«

»Das klingt, als wäre es eine gute Idee.«

»Das ist eine gute Idee, wenn wir es bis dahin schaffen«, erwiderte Chickadee. »Das ist so gruselig. Als wir heute Morgen in die Stadt gekommen sind, war es ganz schön knapp. Hast du das Feuer gesehen? Ein paar von diesen Irren haben uns gejagt, aber der Rauch hat dafür gesorgt, dass wir sie abhängen konnten. Sie sind überall.«

»Ich bin daran vorbeigefahren«, sagte Mason. »Aber mein Wagen ist ein paar Straßen von hier liegen geblieben. So habe ich Twiggy getroffen.«

»Einen Teil der Strecke sind wir auch gefahren. Vor ein paar

Wochen sind wir dann in eine dieser Straßensperren geraten. Sie sind mit Schrotflinten auf uns zugekommen. Ich hatte noch nie in meinem Leben solche Angst. Zum Glück war gerade Nacht und wir konnten uns in einem Weizenfeld verstecken. Aber wir haben Trevor verloren. Er war der Freund meiner Schwester. Meine Schwester ist schon vor ein paar Wochen gestorben, als das Ganze losging. Ich träume immer noch jede Nacht von ihr. Paul hat seine ganze Familie verloren, weil seine ältere Schwester verrückt geworden ist. Eines Nachmittags ist sie einfach auf sie losgegangen. Ich weiß immer noch nicht, wo meine Mom ist. Ich hoffe, es geht ihr gut, aber ich befürchte das Schlimmste. Sie ist nicht sehr belastbar, du weißt schon, was ich meine.«

Mason nickte. Chickadee wartete ein paar Minuten, um herauszufinden, ob er reden würde, doch Mason wollte nicht. Noch nicht. Sollten sie sich doch weiter Gedanken machen. Als er nichts sagte, erzählte sie im Flüsterton weiter, und ihr Geplapper füllte die Stille, während sie weitergingen. Er hörte nur mit halbem Ohr zu. Es war schwer, sich zu konzentrieren, wenn man pochende Kopfschmerzen hatte.

»Ich kann nicht mehr weiter«, sagte er nach einer Weile. Sie hatten das Hotel erreicht, dessen Werbung er vorhin gesehen hatte. »Mein Kopf platzt gleich«, fügte er hinzu, als die beiden ihn verwundert anstarrten. »Aber geht ruhig weiter. Ich komm schon zurecht.«

Chickadee und Paul wechselten einen Blick, bevor sie etwas sagte: »Nein, das ist schon in Ordnung. Der Platz hier ist so gut wie jeder andere und ich bin auch hundemüde. Wir können uns getrennte Zimmer nehmen und abschließen, wenn du immer noch Angst hast.«

»Vor euch habe ich keine Angst«, erwiderte er.

»Okay, dann bist du eben vorsichtig.« Sie kicherte. »Aber das ist eine gute Idee. Bald wird es dunkel sein. Ich bin nachts nicht gern draußen. Dann sieht man sie so schlecht kommen.«

Das Hotel hatte ein Hallenbad, doch es würde lange dauern, bis wieder jemand im Pool schwimmen würde. Sie nahmen sich nebeneinanderliegende Zimmer im elften Stock, weil sie dachten, ganz oben sei es am sichersten. Bis dahin war es ein langer Weg zu Fuß, und als sie ihre Zimmer erreichten, war Mason kurz davor zusammenzubrechen. Normalerweise war er hervorragend in Form. Wenn Tom und seine Freunde ihm jetzt von da oben zusahen, lachten sie sich vermutlich den Arsch ab.

Mason bekam das erste Zimmer. Chickadee machte die Tür auf und gab ihm den Schlüssel. »Wir sind direkt nebenan, wenn du etwas brauchst.«

»Ich komm schon klar«, versicherte er. »Ich muss mich nur eine Weile hinlegen.«

»Bist du sicher, dass du keine Gehirnerschütterung hast?« Sie musterte ihn besorgt.

»Ich glaube nicht«, meinte er. »Es sind nur Kopfschmerzen. Ich könnte ein paar Tabletten vertragen, aber es wird schon gehen.«

»Ich hol dir welche«, sagte sie. »Ich will nur schnell meine Sachen ins Zimmer bringen. Unten habe ich ein Souvenirgeschäft gesehen, da finde ich sicher auch Kopfschmerztabletten.«

Er wollte nicht, dass sie seinetwegen noch einmal nach unten ging. »Ich komm schon klar«, sagte er. »Ehrlich.«

»Na gut.«

»Bis dann«, fügte Paul hinzu. Das war alles, was er in der letzten halben Stunde gesagt hatte. Soweit Mason das beurteilen konnte, redete Chickadee für sie beide.

Er schloss die Tür hinter sich und warf seinen Rucksack auf den Boden. Das Zimmer war dunkel – Strom gab es natürlich nicht –, daher ging er zum Fenster und zog die Vorhänge etwas zur Seite. Er glaubte nicht, dass jemand ihn bemerken würde, da das Zimmer so hoch oben lag, aber es war besser, auf Nummer sicher zu gehen. Als er einen Blick nach unten auf die Straße warf, sah er, wie ein paar Leute ein Auto mit einem Baseballschläger oder einer Brechstange zertrümmerten. Rechts von ihm, einige Häuserblocks weiter, hatte eine größere Gruppe jemanden eingekreist und rückte auf ihn zu, um ihn zu töten. Ein Stück weiter wurden Leichen zu einem gigantischen Scheiterhaufen aufeinandergestapelt.

Mason wollte nichts mehr davon sehen. Er legte sich hin und versuchte, nicht daran zu denken. Von nebenan konnte er hören, wie Chickadee auf dem Bett herumhüpfte. Ihre gedämpfte Stimme klang vergnügt.

Er wollte allein sein. So viel wusste er. Doch gleichzeitig war er froh, dass er die beiden getroffen hatte. Chickadees Fröhlichkeit war ansteckend und Paul sah aus wie jemand, auf den man sich verlassen konnte, wenn es brenzlig wurde.

Mason machte die Augen zu. Dann schlief er ein.

Er wachte auf, als jemand leise an die Tür klopfte. Er brauchte ein paar Sekunden, bis er wusste, wo er war. Die Dunkelheit war verwirrend und er begriff nicht gleich, warum er in einem fremden Bett schlief. Vielleicht hatte ihn Twiggy doch schwerer getroffen, als er zuerst gedacht hatte.

»Mason?«, hörte er Chickadees Stimme durch die Tür.

»Moment.« Er rollte sich herum, setzte sich auf und betastete prüfend seinen Kopf. Er spürte eine Menge getrocknetes Blut und es tat auch weh, wenn er mit den Fingern auf der Beule herumdrückte, doch die Kopfschmerzen waren weg. Und schwindlig war ihm auch nicht mehr.

Als er aufstand, gaben seine Knie nicht unter ihm nach, was er für ein gutes Zeichen hielt. Er stolperte über seine Schuhe, als er sich durch das dunkle Zimmer tastete und nach der Tür suchte. Das Mädchen wartete davor, eine brennende Kerze in der einen Hand, eine Einkaufstüte in der anderen. Paul, der sich hinter ihr hielt, hatte die Finger in einer Tüte mit Tortillachips.

»Ich hab dir was mitgebracht«, sagte sie. »Du brauchst es mir nicht zurückzuzahlen. Ich habe Geld wie Heu, das muss ich jetzt alles ausgeben.«

Mason grinste. »Warte«, rief er. »Die Vorhänge sind ein Stück auf. Ich will sie erst zuziehen, bevor du mit der Kerze reinkommst.«

Die beiden warteten an der Tür, während er die Fenster überprüfte. Die Straßen sahen von hier oben so winzig aus; er konnte nicht viel erkennen. Wenn die Ungeheuer dort draußen waren, war die Nacht ihre Tarnung.

»Ich konnte auch ein paar Schmerztabletten ergattern«, sagte sie. Sie holte eine kleine Packung aus der Tüte und warf sie ihm zu. »Damit musst du auskommen. Kopfschmerztabletten konnte ich keine finden.«

»Danke.« Er sah sich die Packung an, öffnete sie aber nicht. »Meinem Kopf geht es besser. Ich glaube nicht, dass ich die Tabletten brauche.«

»Das ist gut.« Chickadee griff wieder in die Tüte und holte einen Sixpack Root Beer heraus. »Alkohol hab ich keinen aufgetrieben«, sagte sie. »Ich hatte das Gefühl, dass du vermutlich keinen willst, und Paul trinkt nicht.«

»Schon in Ordnung«, sagte er. »Ich glaube, für eine Weile habe ich jetzt erst mal genug von Kopfschmerzen. Ich bleibe beim Zucker.« Er öffnete die Dose und trank einen großen Schluck. Die Limonade war warm, doch das war ihm egal.

»Die Lebensmittel in der Küche sind fast alle verdorben«, sagte sie. »Aber ich habe Erdnussbutter und Cracker gefunden.« Sie drehte die Tüte um und kippte den Inhalt auf das Bett. Es war vor allem Junkfood – Kartoffelchips und Schokoriegel –, aber es waren auch ein paar verschrumpelte Äpfel und die bereits erwähnte Erdnussbutter und eine Packung Cracker dabei.

»Wow!«, rief er.

Von dem Essen rührte er nichts an. Sein Magen war noch etwas empfindlich, daher beschränkte er sich auf das Root Beer und schluckte dann vorsichtshalber doch ein paar von den Tabletten.

Paul und Chickadee teilten sich die Cracker und holten die Erdnussbutter mit den Fingern aus dem Glas, weil sie vergessen hatten, ein Messer mitzubringen. Eine Weile aßen sie schweigend, während das Licht der Kerze auf dem Nachttisch flackerte.

»Wir würden gern mit dir kommen«, sagte Paul schließlich.

»Was?« Mason war in Gedanken versunken gewesen.

»Wir wollen nach Westen«, erklärte Paul.

Mason starrte ihn verständnislos an.

»Eigentlich wollen wir gar nicht nach Norden«, ergänzte Chickadee. »Ich meine, eigentlich wollen wir schon, aber wir wissen nicht so genau, wo Pauls Onkel wohnt. Wir haben nicht mal eine Adresse. Das ist wohl eher so ein Wunschtraum von uns.«

»Oh.« Mason zuckte mit den Schultern.

»Aber wenn wir mit dir gehen, sind wir wenigstens zusammen«, redete Chickadee weiter. »Wir finden dich sympathisch. Paul und ich. Als Gruppe wären wir sicherer.«

Mason zuckte wieder mit den Schultern.

»Wir brauchen nicht viel Platz«, plapperte Chickadee weiter, die sein Zögern bemerkte. »Paul ist zwar ein Riese, aber meistens sagt er nicht viel. Dir wird gar nicht auffallen, dass er da ist. Bei mir ist das natürlich anders. Ich rede die ganze Zeit, aber die meisten Leute finden das recht erheiternd.«

»Darum geht es nicht«, sagte er. »Ich weiß nur nicht, ob das eine gute Idee ist.« Mason konnte ihnen doch nicht die Wahrheit sagen. Er konnte ihnen nicht sagen, dass er sie wegen der Dunkelheit in sich nicht dabeihaben wollte. Er verdiente keine Gesellschaft. Er wollte allein gelassen werden, damit er sich nicht um andere kümmern musste. Allein konnte er härter sein.

»Drei Augenpaare sehen mehr als eines.«

Mason musste schlucken.

Chickadee beugte sich vor. Sie starrte ihn fragend an und blinzelte nicht dabei. Er konnte nicht anders, er musste einfach lächeln.

»Siehst du«, sagte sie, während sie sich zurücklehnte und ebenfalls grinste. »Du kannst mir nicht widerstehen.«

Er warf einen Blick auf Paul, doch der Junge schien ihn gar nicht zu beachten. Er sah aus dem Fenster und Mason vermutete, dass er sich damit zufriedengab, ihr die Verhandlungen zu überlassen. Paul wusste schon, was Mason erst noch lernen musste. Chickadee konnte sich sehr gut durchsetzen.

»Dann wollt ihr also nach Westen?«, fragte er.

»Westen ist wärmer als Norden«, meinte Paul. »Verdammt, dort ist es sogar wärmer als hier, obwohl wir die Chinook-Winde haben. Es wird bald kalt werden. Eisbärklima. Ich glaube, wir sollten an die Küste gehen. Vancouver ist perfekt. Dort sind die Temperaturen okay. Es regnet nur viel. Aber dort können wir den Winter überstehen.«

Chickadee nickte. Sie hatte den Mund mit Erdnussbutter voll. Sie kaute ein paarmal und schluckte dann. »Ich liebe Vancouver. Ich bin seit zwei Jahren nicht mehr dort gewesen. Ich würde gern mal wieder im Meer schwimmen.«

»Okay«, erwiderte Mason. »Wir bleiben zusammen.«

Über alles andere würde er sich später Gedanken machen. Schließlich konnten sie sich ja immer noch trennen, wenn es nicht funktionierte.

»Ich bin so aufgeregt«, rief Chickadee. »Das ist das erste Mal seit langer Zeit, dass ich mich auf etwas freue.«

»Ich auch«, sagte Mason, der überrascht feststellte, dass es stimmte.

Am nächsten Morgen trafen sie sich in der Lobby, wo Mason einen Autoatlas aus dem Souvenirgeschäft holte. Zwischen Calgary und der Küste gab es nicht viele Straßen. Sie mussten vorsichtig sein.

NICHTS

Ich bin wieder da.

Ich glaube, ich habe mir gefehlt.

Unter meinen Fingernägeln klebt Blut. Auf meiner Kleidung auch. Ich habe Blut in den Haaren und auf meinen Schuhen. Es ist durch meine Haut gedrungen und hat sich mit meiner DNS vermischt. Ich habe seine ganze Kraft in mich aufgesogen.

Ich bin mir ziemlich sicher, dass es nicht mein Blut ist.

Das Leben ist nur noch ein unscharfer Fleck. Immer wieder verschwimmt die Zeit. Das graue Licht übernimmt die Macht über meinen Körper, es frisst meinen Verstand und lässt mich mit den Stimmen zurück. Ich höre sie. Sie rollen sich in meinem Frontallappen zusammen und verdrängen jegliche Wärme aus meinem Blut. Und das Leben. Lebe ich überhaupt noch?

Warum bin ich noch bei Bewusstsein, obwohl es so viele andere nicht mehr sind? Tun sie das mit Absicht, und wenn ja, warum? Oder ist mein Gehirn irgendwie anders? Was macht mich stärker? Manchmal wache ich auf und weiß noch, was ich getan habe, selbst wenn es nur für einen kurzen Moment ist. Ich vermute, dass es nicht viele gibt, die hin und her wechseln, so wie ich das tue. Wenn alle von ihnen diese klaren Momente hätten, würde es, glaube ich, weniger Tote geben. Weniger Zerstörung. Ich kann mich kaum noch ertragen.

Ich wünschte, ich könnte aufhören, mich zu erinnern. Ich will mich nicht erinnern. Wenn sie mir meinen Verstand nehmen und meinen Körper kontrollieren wollen, warum lassen sie mich dann hin und wieder frei? Wenn ich töten muss, warum quälen sie mich dann mit Erinnerungen an das, was ich getan habe?

Das Mädchen. Ich erinnere mich an sie. So jung. So hübsch. Ich wollte ihr helfen, aber man kann mir nicht trauen. Sie war verwirrt und das kann ich gut verstehen. Sie wollte zu den Guten gehören. Doch ich konnte die Dunkelheit in ihr sehen. Das Potenzial zu töten war bereits in ihrer Seele vorhanden. Sie war genauso wie die anderen, sie wusste es nur noch nicht.

Irgendwann werden sie uns alle besitzen. Das Chaos, das wir geschaffen haben, wird zu einer neuen Weltordnung werden.

Der Tod wird eine Erlösung sein.

ARIES

»Ich mache es nicht.«

»Du warst einverstanden. Wie der Rest von uns.«

»Ich habe es mir anders überlegt.«

Sie saßen in einer kleinen Zweizimmerwohnung im ersten Stock in einem Halbkreis auf dem Boden. Jack war in der Mitte. Er hielt einen Karton in der Hand, der Zettel mit ihren Namen enthielt. Die Regeln waren ganz einfach und alle waren damit einverstanden. Sie wollten drei Namen ziehen und die, die ausgelost wurden, sollten gehen. Sie hatten nichts mehr zu essen. Es musste sein.

Joys Name wurde als erster gezogen. Sie sagte kein Wort.

Aries war die Nächste, die ausgelost wurde. Sie hatte es so mit Jack vereinbart, als sie mit ihm darüber gesprochen hatte.

»Mach es so, dass du meinen Namen ziehen kannst«, hatte sie gesagt. »Ich lasse die anderen nicht allein gehen. Betrachte mich einfach als schweigende Freiwillige.«

»Dann komme ich auch mit.« Jack hatte sich eine Strähne seiner sandbraunen Haare aus der Stirn gestrichen. »Du gehst nicht ohne mich.«

»Nein«, hatte sie geantwortet. »Du musst hierbleiben, für den Fall, dass ich nicht zurückkomme. Also sorge dafür, dass du dich nicht selbst ziehst.«

Das war jedenfalls der Plan gewesen. Sie waren alle einverstanden gewesen. Nach Joy und Aries hatte nur noch ein Name gefehlt. Aber als Colin gezogen wurde, weigerte er sich.

»Ich mache es nicht«, sagte er.

»Großer Gott, dann gehe eben ich«, rief Nathan. Er nahm Jack den Karton aus der Hand und suchte nach seinem Namen. »Mir ist das egal. Ich will gehen.«

»Nein«, widersprach Aries. »Er kann sein Wort nicht einfach so zurücknehmen.«

»Ich bin erkältet«, entgegnete Colin. »Ich werde dieses Gebäude erst verlassen, wenn ich wieder vollkommen gesund bin. Es ist viel zu riskant.«

»Du kommst mit einer Ausrede nach der anderen«, fuhr Eve ihn an. Sie senkte ihre Stimme, um Colin nachmachen zu können. »Ich bin zu müde. Ich kann nicht kochen. Ich will nicht!«

»Eve, hör auf«, sagte Nathan.

»Ich habe es so satt«, redete Eve weiter. »Er ist überhaupt keine Hilfe. Und jetzt will er auch noch alle bescheißen, weil er ein Feigling ist.«

Colin sprang auf. »Das nimmst du zurück!«

»Zwing mich doch dazu!«

»Kinder! Kinder!« Jack sprang auf und stellte sich zwischen sie. »Seid brav. Ich werde gehen. Ich gehe für Colin.«

»Nein!«, rief Aries.

»Okay, es reicht jetzt«, sagte Nathan ganz ruhig. »Es lohnt sich doch nicht, darüber zu streiten. Ich werde gehen und damit basta.«

Aries nickte ihm zu. Nathan hatte recht. In letzter Zeit fing Colin wegen jeden Vorschlags einen Streit an. Er wollte nie etwas tun und war nie eine Hilfe. Er wollte nachts keine Wache übernehmen, stattdessen jammerte er darüber, wie müde er doch sei. Er weigerte sich sogar, im Gebäude nach nützlichen Dingen zu suchen. Es war Joy, die die Fahrräder im Lagerraum gefunden hatte. Die Welt hatte sich verändert, doch Colin war immer noch der Alte. Er war so arrogant wie immer; schwierig zu sein, war für ihn etwas ganz Normales. Natürlich war er nicht der Einzige. Sie waren zurzeit alle gereizt und sprangen sich gegenseitig an die Kehle. Schuld waren der Mangel an Essen, der Mangel an Platz, der Mangel an Komfort, die Unfähigkeit, ruhig und gefasst zu bleiben. Doch Colin schien sich geradezu Mühe zu geben, die anderen zur Weißglut zu treiben.

Nathan hatte recht. Es lohnte sich nicht, darüber zu streiten.

»Also gut«, sagte Aries. »Nathan, Joy und ich werden gehen.«

Jack knallte den Karton auf den Tisch und stürmte aus dem Zimmer.

Aries wollte ihm nachlaufen, ließ es dann aber. Sie konnte es nicht jedem recht machen, außerdem hatte sie es satt, immer die Friedensstifterin zu sein und für Ruhe zu sorgen. Jack würde sich schon wieder beruhigen. Sie hatten jetzt Wichtigeres zu tun.

»Wie wollen wir vorgehen?«, fragte sie.

»Ich mache Tee«, warf Eve ein. »Möchte jemand eine Tasse?«

Nachdem Eve die Bestellungen aufgenommen hatte, ging sie in die Küche. Aries starrte Colin an, der sich wieder auf den Boden setzte und in einem alten Magazin blätterte. Er tat so, als hätte es gar keinen Streit gegeben, als hätte er Nathan nicht gerade gezwungen, die Aufgabe zu übernehmen, mit der er sich einverstanden erklärt hatte, als er den Zettel mit seinem Namen in den Karton geworfen hatte. Es war wie mit dem Theaterstück in der Schule; Colin machte eine Szene, weil es nicht so lief, wie *er* wollte.

Schließlich drehte Aries Colin den Rücken zu und setzte sich mit Joy und Nathan zusammen. Sie würde es ihm schon zeigen. So dermaßen wütend zu sein, war fürchterlich. Es war eine Seite an ihr, die ihr nicht gefiel. Außerdem kostete es Kraft. Kraft, die sie für andere Dinge brauchte.

»Ich glaube, wir sollten die Fahrräder nehmen«, schlug sie vor. »Sie sind gut in Schuss, Jack hat sie sich angesehen. Mit den Rädern sind wir schneller – aber wir fallen auch mehr auf.«

»Was passiert, wenn wir normale Leute finden?«, fragte Nathan. »Ich glaube, du hast recht. Irgendwo muss es noch eine Menge von ihnen geben.«

»Deshalb sollten wir uns auch ein paar Handfunkgeräte besorgen. Wenn wir anfangen, die Stadt zu durchsuchen, müssen wir in Verbindung bleiben.«

»In Ordnung«, rief Joy. »Wir sollten eine Liste mit den Dingen machen, die wir außer Lebensmitteln noch brauchen. Zum Beispiel Decken, die nicht so stinken. Ich brauche eine Jacke. Und Waffen natürlich auch. Wir müssen uns bewaffnen.«

»Wir brauchen alle etwas Warmes zum Anziehen«, ergänzte Nathan. »Das wird ziemlich viel werden. Bist du sicher, dass wir das mit den Fahrrädern schaffen? Wir könnten ein Auto stehlen. Weiß jemand, wie man ein Auto kurzschließt?«

Colin lachte höhnisch.

Aries ignorierte ihn. »Autos sind laut. Da können wir uns auch gleich einen Zettel mit *Hier bin ich* auf die Stirn kleben. Sie werden dem Motorgeräusch folgen. Wenn wir es schaffen, den Supermarkt zu erreichen, ohne dass sie uns bemerken, haben wir mehr Zeit, um die Sachen zu besorgen. Ich will nicht, dass wir in der Stadt in eine Falle geraten.«

»Und wir wollen sie auch nicht hierherführen«, stimmte Joy

zu. »Bis jetzt haben sie uns noch nicht gefunden. Ich hätte gern, dass das so bleibt.«

»Ich auch«, entgegnete Aries.

»Okay«, sagte Nathan. »Dann also mit den Fahrrädern. Vielleicht finden wir ein paar von diesen großen Campingrucksäcken. Damit können wir mehr tragen.«

Colin lachte schon wieder.

»Colin, möchtest du etwas sagen?«, fragte Aries.

»Nein«, erwiderte Colin, der nicht einmal den Kopf hob. »Ihr macht das sehr gut. Plant ruhig weiter. Wenn ihr gut aussehende weibliche Überlebende findet, schickt sie zu mir. Ich könnte etwas Abwechslung gebrauchen.«

»Warum bist du eigentlich noch hier?«, fuhr Joy ihn an. »Du hast doch gerade klar und deutlich gesagt, dass du nichts damit zu tun haben willst. Also warum gehst du nicht einfach? Lies woanders. Ich kann dein Gesicht nicht mehr sehen.«

Colin warf das Magazin hin und sprang auf. »Das kannst du haben«, rief er, bevor er im Korridor verschwand.

»Er ist furchtbar«, flüsterte Joy, nachdem er hinausgestürmt war. »Er beschwert sich über alles und jeden. Gestern hat er mich angebrüllt, weil kein Kaffee mehr da ist, dabei trinke ich nicht mal welchen.«

»Er hat Schwierigkeiten damit, sich auf die Situation einzustellen«, sagte Aries. »Ich glaube, er … vermisst Sara auch.«

»Wenn es ihm so schlecht geht, sollte er einfach gehen.«

»Wo soll er denn hin?«

»Das ist mir gerade so was von egal.«

Aries war es auch egal, aber sie sagte es nicht.

Ein Teil von ihr wünschte, sie wäre nie in die Schule gegangen. Sie hätte Daniels Warnungen ignorieren und versuchen sollen, ihre Eltern zu finden. Vielleicht hätte sie es ja bis zu ihnen geschafft oder vielleicht wäre sie ganz woanders gelandet, bei Leuten, die sie gar nicht kannte. Leute, die sie nicht ständig an das erinnerten, was sie verloren hatte. Sie konnte Colin immer noch nicht ansehen, ohne dabei an Sara denken zu müssen. Nein, das war nicht fair. Joy und Jack waren in Ordnung; sie hatten sich gegenseitig geholfen. Ohne die beiden wäre sie bestimmt nicht so weit gekommen.

Sie musste das Leben nehmen, wie es war. Sie musste es mit Colin aushalten, weil niemand sonst es konnte. Sie musste ihn weiter verteidigen, weil sie eine Gruppe waren und eine Gruppe bleiben mussten, um zu überleben. Wenn sie erst einmal so weit waren, dass sie anfingen, sich voneinander abzuwenden, und Einzelne aus dem Haus jagten, waren sie auch nicht besser als die Ungeheuer.

»Sehen wir uns die Fahrräder an«, sagte Nathan, der versuchte, das Thema zu wechseln.

»Okay«, erwiderte Joy. »Aber ich bekomme das blaue.«

Die Nacht brach herein.

Aries hatte eine Liste. Sie steckte in der Tasche ihrer Jeans. Nathan und Joy waren auch mit jeweils einer Liste bestückt. Sie hatten stundenlang diskutiert und versucht, die Dinge, die sie brauchten, auf das absolute Mindestmaß zu reduzieren. Es hatte keinen Sinn, etwas mitzuschleppen, das sie nicht unbedingt brauchten. Wenn alles gut ging, würden sie es noch einmal versuchen. Aries sollte Kleidung und Schlafsäcke finden. Nathan und Joy kümmerten sich um die Lebensmittel.

Der Supermarkt war etwa achtzehn Häuserblocks entfernt. Einer von diesen riesigen Alles-in-einem-und-unter-einem-

Dach-Verbrauchermärkten. Sie waren nicht einmal sicher, ob sie sich Zugang verschaffen konnten. Sie wussten nicht, wer dort auf sie wartete oder ob das Gebäude überhaupt noch stand. Das Erdbeben hatte so viel zerstört und in letzter Zeit hatte es viele Brände gegeben. Über der Stadt hingen dichte Rauchschwaden. So viele unberechenbare Faktoren. Aber sie mussten es versuchen.

Sie warteten hinter der verriegelten Tür, während Jack und Eve nachsahen, ob die Straßen leer waren. Gedankenverloren drückte Aries die Bremsen an ihrer Lenkstange. Es war, als würden sie sich psychisch auf einen Krieg vorbereiten. Sie waren Fahrradkuriere, die ausgeschickt wurden, um Lebensmittel für die Rettung ihrer Truppen zu beschaffen.

»Ich komme mir vor, als würde ich gleich direkt in die Hölle fahren«, gestand Joy. »Früher bin ich immer gern einkaufen gegangen.«

»Ich auch«, erwiderte Aries. »Aber ich kann mich nicht erinnern, dass es jemals so gefährlich war. Bis auf die vier Samstage vor Weihnachten vielleicht.«

Nathan grinste etwas gezwungen.

»Alles klar!« Eve lehnte sich über das Treppengeländer. »Fahrt nicht nach rechts. Eben ist eine Gruppe von ihnen in diese Richtung gerannt. Geradeaus ist alles frei, aber zwei Blocks weiter bei dem Irish Pub ist eine Menge Rauch. Die Low Road ist frei, die würde ich nehmen.«

Nathan wartete, während Eve die Treppe herunterrannte. Sie würden zum ersten Mal getrennt sein, seit das Ganze angefangen hatte. Eve versuchte, stark zu sein, doch Aries sah die Angst in ihren Augen. Eve schlang die Arme um ihn und hielt ihn fest.

»Ich bin bald wieder da«, tröstete Nathan sie, als klar war, dass sie ihn nicht loslassen wollte.

»Das will ich dir auch raten«, flüsterte sie, während sie widerwillig die Arme sinken ließ. »Ich brauche dich noch.«

Nathan nickte und wandte sich wieder an die Gruppe. »Also los!« Er beugte sich vor, zog den Riegel zurück und gab der Eisentür einen kräftigen Stoß. Frische Nachtluft schlug Aries ins Gesicht. Zum ersten Mal seit Wochen wünschte sie, es würde regnen. Die fallenden Tropfen hätten das Geräusch übertönt, das sie gleich machen würden.

»Und nicht vergessen«, rief Aries, »wenn wir in Schwierigkeiten geraten, trennen wir uns. Dann treffen wir uns auf der Rückseite des Supermarkts wieder. An der Laderampe. Dort wird es dunkler sein als auf dem Parkplatz. Und wenn es dort Probleme gibt, gehen wir rein und schnappen uns, was wir können.«

»Klingt gut«, erwiderte Nathan.

Joy nickte.

Aries schob ihr Rad auf die Straße, setzte den Fuß auf das Pedal und schwang ihr Bein über den Sattel. Das Rad war eigentlich zu klein für sie und Jack hatte den Sattel höher gestellt, damit sie mit den Knien nicht an die Lenkstange stieß. In einem Lagerraum hatte er eine kleine Flasche mit Öl gefunden und fast den ganzen Tag damit zugebracht, die Ketten zu ölen, damit sie besser liefen.

Sie fuhren leise in die Nacht. Die Reifen knarrten auf dem Asphalt, doch es war nicht sehr laut. Falls sie einem der Killer nicht direkt vor die Füße fuhren, würden sie es bis zum Supermarkt schaffen, ohne entdeckt zu werden. Ihr Herz klopfte wie verrückt in ihrer Brust, doch die Muskeln in ihren Armen lockerten sich ein wenig. Die Luft lag kühl auf ihrem Gesicht und Aries atmete tief ein. Nach dem Gestank in der schimmeligen Wohnung war das eine wunderbare Abwechslung.

Es war schlimm.

Das Erdbeben hatte einen großen Teil der Stadt zerstört. Die meisten Gebäude standen noch irgendwie, doch die Straßen waren mit Glassplittern übersät und dicke Brocken aus Beton und Ziegelsteinen erschwerten das Fahren noch mehr. Es gab auch Löcher in den Straßen, von denen einige sehr tief waren.

Überall standen zurückgelassene Autos herum, die es ihnen unmöglich machten, in einer geraden Linie zu fahren. Die Straßen wurden zu einem Labyrinth, in dem sie nur mühsam vorankamen, weil sie sich im Zickzack zwischen den Fahrzeugen durchschlängeln mussten. Bei vielen Autos standen die Türen offen, was das Ganze noch mehr zu einem Hindernislauf machte. Aries scherte nach links aus, um einem Transporter auszuweichen, und musste aufpassen, nicht gegen einen Briefkasten zu prallen.

Unzählige Leichen lagen auf den Straßen, den Gehsteigen, in den Autos, auf Bänken, überall. Einige von ihnen begannen bereits zu verwesen. Die frische Luft, die sich so wunderbar auf ihrem Gesicht angefühlt hatte, veränderte sich. Der Gestank von faulendem Fleisch erreichte ihre Lungen und wurde von ihrer Kleidung aufgesogen.

Aries fiel das Atmen schwer. Das Treten ging immer mühsamer; nach den drei Wochen, in denen sie sich in der Wohnung versteckt hatte, war sie völlig außer Form. Ihre Waden taten weh und Schweiß lief ihr über die Stirn. Sie fuhr sich immer wieder mit der Hand über das Gesicht und bald waren ihre Hände schweißnass. Die Lenkstange wurde rutschig. Sie warf einen Blick auf Nathan, dessen Atem völlig ruhig ging. Joy dagegen lag etwas zurück und Aries beruhigte es zu wissen, dass sie nicht die Einzige war, die Schwierigkeiten hatte.

Wenn sie das hier überlebten, wollte sie anfangen, jeden Tag Sport zu treiben. Die Treppe hoch- und wieder hinunterrennen oder Liegestütze machen, was auch immer sie tun konnte, um gesund und fit zu bleiben.

Aries hätte fast nicht bemerkt, dass Nathan gebremst hatte. Sie blieb so abrupt stehen, dass sie um ein Haar über den Vorderreifen geflogen wäre.

»Was ist los?«, flüsterte Joy.

»Da drüben«, murmelte Nathan.

Sie sahen alle gleichzeitig hin.

Einen Häuserblock vor ihnen ging eine Gruppe von Leuten die Straße hinunter. In der Dunkelheit konnten sie ihre Gesichter nicht erkennen, doch es waren zu viele, um ein Risiko einzugehen und sich ihnen zu nähern.

»Hier lang«, sagte Nathan. Er richtete sein Rad nach links, fuhr auf den Gehsteig und dann direkt auf einen Hinterhof zu. Aries und Joy folgten ihm.

»Glaubst du, sie haben uns gesehen?«, fragte Joy. Sie fuhren jetzt langsamer. Das Kopfsteinpflaster war glatt und die Reifen wackelten auf der unebenen Fläche hin und her.

»Ich weiß nicht«, erwiderte Nathan.

Sie durchquerten den Hinterhof und fuhren auf die nächste Straße dahinter. Es ging weiter in Richtung Supermarkt, doch Aries wusste, dass etwas nicht stimmte. Es war viel zu ruhig.

An der nächsten Kreuzung wurden sie erwartet. Etwa zwei Dutzend Leute rannten aus dem Schatten auf sie zu. Sie kamen aus allen Richtungen und näherten sich schnell.

»Auseinander!«, brüllte Nathan.

Aries lenkte ihr Rad nach links, in Richtung der Gruppe, die ihr am nächsten war. Sie entschied sich für einen Frontalangriff und fuhr direkt durch die Menge hindurch. Jemand packte sie an ihrer Bluse und hätte sie fast vom Rad gerissen. Es gelang ihr, auf dem Sattel zu bleiben, indem sie blindlings um sich trat. Sie hörte ein lautes Stöhnen, als ihr Fuß sein Ziel traf, und die Hand an ihrer Bluse ließ los.

Sie hatte keine Zeit, um sich nach den anderen umzusehen. Um einem Angreifer mit fettigen Haaren auszuweichen, bremste sie scharf und wechselte wieder die Richtung, dieses Mal nach rechts, und warf sich mit ihrem ganzen Gewicht in die Pedale. Sie wurde schneller, fuhr aber in die falsche Richtung.

Die Straße vor ihr war frei. Hinter ihr hallten Schritte auf dem Asphalt und sie hörte Schreie und Flüche, doch die Geräusche ebbten ab, als sie schneller wurde. Sie behielt das Tempo für ein paar Häuserblocks bei und änderte dann wieder die Richtung. Sie kannte einen kleinen Weg, der sie ihrem Ziel wieder näher bringen würde. Hinter ihr war alles ruhig, doch sie war viel zu erschrocken, um sich umzudrehen und nachzusehen. Vor sich konnte sie die Straße sehen, die sie nehmen musste. Sie trat mit aller Kraft in die Pedale und wurde schneller.

Sie bog viel zu schnell um die Ecke und spürte, wie die Reifen unter ihr wegrutschten. Ihre Kiefer pressten sich aufeinander, als sie auf dem Asphalt aufkam, und erstickten den Schrei, der ihr sonst über die Lippen gekommen wäre. Ihre Jeans zerriss, als sie über die Straße schlitterte. Kies und Erde fraßen sich in ihre Haut und ließen einen brennenden Schmerz durch ihr Bein zucken.

Als sie die Augen aufmachte, rechnete sie damit, dass die Bestien sie umringt hatten und auf sie herabstarrten. Doch die Straßen waren leer. Sie lauschte, konnte aber keine Schritte hören. Keine Schreie. Nichts. Alles, was sie sah, war der Nachthimmel über ihr. Als sie sich aufrichtete, weigerte sich ihr Körper und protestierte energisch. Alles tat weh, selbst ihre Augenlider.

Doch sie konnte es sich nicht leisten, darauf zu achten.

Mit zitternden Knien hob sie ihr Fahrrad auf, das neben einem verwaisten Auto auf der Straße lag. Die Gabel war leicht verbogen, die Lenkstange zerkratzt, doch die Kette saß noch auf dem Blatt und die Räder sahen so aus, als würden sie sich noch drehen. Hinkend schob sie das Rad einige Meter, um sich zu vergewissern, dass es in Ordnung war. Nachdem sie wieder in den Sattel gestiegen war, ignorierte sie die Schmerzen und begann zu treten. Wenn sie den Supermarkt erreichte, würde sie sich die Zeit nehmen und nachsehen, wie schwer verletzt sie war. Bis dahin blieb ihr nichts anderes übrig, als die Zähne zusammenzubeißen und den schmerzenden Haufen zu bezwingen, der ihr Körper war.

Erst nach mehreren Häuserblocks war sie wieder auf dem richtigen Weg. Sie kannte sich in der Gegend nicht sonderlich gut aus und bei Nacht, wenn die Schatten ihren Orientierungssinn verwirrten, war es noch schwieriger. Schließlich fand sie den Weg, der am Wasser entlang in die Stadt führte. Sie trat in die Pedale, während ihr Herz wie wild in der Brust klopfte.

Als sie den Supermarkt vor sich sah, hätte sie vor Erleichterung fast geweint. Das riesige, strahlend weiße Gebäude ragte in den Nachthimmel, umgeben von endlosen Reihen leerer Parkplätze. Es schien bei dem Erdbeben keinerlei Schäden davongetragen zu haben. Selbst das Glas in den Fenstern war noch intakt, was sie feststellte, als sie zum Eingang fuhr. Sie rüttelte an den Türen, die jedoch verschlossen waren. Dann legte sie die Hände an die Scheiben und versuchte hineinzusehen. Drinnen war es dunkel, die Gänge schienen leer zu sein. Sie konnte nichts Ungewöhnliches entdecken.

Es war ein Wunder, dass der Supermarkt noch nicht geplündert worden war. Aber sie hatten sich ihn deshalb ausgesucht, weil er etwas weiter draußen in einem Industriegebiet lag und sie gehofft hatten, dass dort weniger Leute sein würden. Vielleicht war das der Grund dafür. Der Costco war viel näher, aber mitten in der Stadt, und sie waren sich einig gewesen, dass es dort riskanter sein würde.

Sie beschloss, zur Rückseite zu fahren und nachzusehen, ob die anderen schon dort waren. In ihrem Kopf meldete sich eine leise Stimme und fragte, was sie tun würde, wenn Nathan und Joy nicht auftauchten. Sie versuchte, nicht darauf zu achten, doch die Stimme war stark.

Sie musste stärker sein.

Als sie hinter dem Gebäude war, stieg sie ab und schob das Rad neben sich her. Die Laderampe war am anderen Ende. Das große Tor war heruntergelassen und abgeschlossen. Sie ging zum Seiteneingang und drückte auf die Klinke. Wenn abgesperrt war, würde sie einen anderen Weg hinein finden müssen. Sie hatte keine Ahnung, wie man in ein Gebäude einbrach.

Die Tür ging auf.

Abgestandene Luft schlug ihr entgegen. Im Innern war es stockdunkel. Sie blieb einige Minuten an der Tür stehen und lauschte auf die Leere des Gebäudes. Wenn jemand im Supermarkt war, hatte er vielleicht nicht gehört, wie sie die Tür aufgemacht hatte. Doch wenn sich jemand dort versteckte, hätte er dann die Tür nicht wieder abgeschlossen? Es wäre das Erste gewesen, was sie getan hätte. Sie zog die Taschenlampe heraus, die Jack in einer der Wohnungen gefunden hatte, schaltete sie ein und richtete den Lichtstrahl in den großen Raum. Es war nicht viel zu sehen, nur viele Kartons, ein Schreibtisch und zwei Korridore, die in verschiedene Richtungen führten.

Es gab keinen Hinweis darauf, dass in letzter Zeit jemand hier gewesen war. Keiner der Kartons war geöffnet worden und auf dem Schreibtisch lag eine dünne Staubschicht. Sie richtete das Licht der Taschenlampe auf den Boden und suchte nach frischen Fußabdrücken im Staub. Es waren keine zu sehen.

Aries ging durch eine Tür in den Verkaufsbereich und durchsuchte die Gänge, um sicher zu sein, dass sie allein war.

In der Elektronikabteilung blieb sie zum ersten Mal stehen, um einige Packungen Batterien mitzunehmen. Als sie ihren Blick über die Regale schweifen ließ, fiel ihr etwas ins Auge und sie ging noch ein Stück weiter in den Gang hinein. Vor ihr hingen Dutzende von Handfunkgeräten. Walkie-Talkies hatte ihr Vater immer dazu gesagt. Als sie noch jünger gewesen war, hatte er ihr einmal ein Paar davon geschenkt. Sie hatten die Funkgeräte zum Camping mitgenommen und sich miteinander unterhalten, wobei sie so getan hatten, als wären sie Überlebende in der Wildnis. Sie holte vier von den am teuersten aussehenden Geräten aus dem Regal.

Aries wollte gerade weitergehen, als jemand hustete.

Sie ignorierte die Schmerzen in ihrem Bein und wirbelte herum. Der Gang war leer. Kalte Schauer liefen ihr über den Rücken. Sie hatte eindeutig etwas gehört. Aber von wo? Und wer war es? Nathan und Joy konnten es nicht sein. Sie hätten sich bemerkbar gemacht.

Vorsichtig schlich sie den Gang entlang und machte sich auf den Moment gefasst, in dem sie von jemandem angesprungen wurde. Doch nichts passierte. Sie bog um die Ecke, wobei sie die Taschenlampe wie eine Waffe vor sich gerichtet hielt. Auch der große Mittelgang war leer.

Vielleicht bildete sie sich die Geräusche ja nur ein. Doch dann fiel ihr Blick auf ein pinkfarbenes Futonbett mit violetten Kissen, das vor dem Gang mit der Bettwäsche stand.

Ein Schatten bewegte sich. Sie hörte das Klicken, mit der eine Taschenlampe eingeschaltet wurde, und gleich darauf wurde sie von einem Lichtstrahl geblendet. Sie kniff die Augen zusammen und versuchte, etwas zu erkennen.

Das Licht fiel von ihrem Gesicht ab, als die Person vor ihr auf die Knie stürzte. Der Mann, der einen schwarzen Kapuzenpullover und zerrissene Jeans trug, schwankte ein paarmal mit dem Oberkörper hin und her, bevor er umkippte, auf die Seite fiel und die Taschenlampe seinen Fingern entglitt. Er gab keinen Ton von sich, als er zu Boden ging und mit abgewandtem Gesicht liegen blieb. Ein paar Strähnen seines schwarzen Haars lagen auf seiner Wange. Aries bewegte sich langsam auf ihn zu und fragte sich, ob sie etwas sagen sollte. Wenn sie doch nur eine richtige Waffe gehabt hätte. Sie hätte in die Sportartikelabteilung gehen und sich einen Baseballschläger holen sollen. Warum war ihr das nicht schon früher eingefallen?

Aries ging näher, bis sie das Gesicht des Mannes sehen konnte.

Ihr stockte der Atem.

Es war Daniel.

CLEMENTINE

Ihre Turnschuhe hatten ein Loch. Sie konnte sich nicht daran erinnern, jemals ein Loch in einem Paar Schuhe gehabt zu haben. Jedenfalls nicht so. Nicht vom Laufen.

Sie war müde. Ihre Beine hatten noch nie in ihrem Leben so wehgetan. Ihre Füße brannten. Der untere Teil ihres Rückens war völlig verkrampft und ihre Schultern schmerzten, weil sie die ganze Zeit den Rucksack tragen musste. Sie wusste, dass sie Pausen einlegen sollte, doch sie hatte Angst, dass sie nicht mehr hochkommen würde, wenn sie sich erst einmal hingesetzt hatte. Seit zwei Tagen ging sie die Straße entlang. Zwei Tage, in denen sie keinen Menschen gesehen hatte. Über Letzteres beklagte sie sich nicht, obwohl es ihr in dieser neuen Welt fehlte, Leute um sich zu haben, mit denen sie reden konnte.

Lieber Heath, ich rede zurzeit ganz schön viel mit dir. Ich wünschte, du könntest mir antworten. Du fehlst mir. Ich glaube nicht, dass ich vorher jemals darüber nachgedacht habe. Du warst einfach immer da, selbst wenn es nur deine Stimme am anderen Ende des Telefons war. Aber haben wir je richtige Gespräche geführt? Hätten wir mehr zueinander sagen sollen?

Ich hoffe wirklich, dass du noch am Leben bist und auf mich wartest. Das würde dann mein ganzes Gequassel in meinem Kopf wenigstens ein bisschen rechtfertigen. Und dann würde ich auch wissen, dass ich mit dir und nicht nur mit einem Geist rede.

Sie dachte über den letzten Satz nach und wiederholte ihn ein paarmal in Gedanken. Sie wollte es zwar nicht glauben, aber insgeheim hatte sie schon akzeptiert, dass ihr Bruder höchstwahrscheinlich nicht mehr auf dieser Welt war. Sie versuchte, nicht darüber nachzudenken. Sie wollte weiterhin optimistisch sein. Sie brauchte ein Ziel – wenn Heath tot war, war ihre Reise sinnlos. Wo sollte sie dann hingehen?

Wenn du tot bist und im Himmel oder in irgendeinem Jenseits, das du gefunden hast, sag bitte Mom und Dad, dass es mir gut geht und dass sie sich keine Sorgen um mich machen sollen. Ihre Cheerleader-Tochter ist zäh.

Sie blieb stehen, fasste mit der Hand nach hinten und griff sich ihre Wasserflasche, die sie an einem Bach aufgefüllt hatte, an dem sie vorbeigekommen war. Als sie einen großen Schluck trank, spürte sie kaum, wie die kühle Flüssigkeit über ihre Zunge rann. Nichts schmeckte mehr richtig. Selbst ihre Geschmacksnerven waren erschöpft. Wann hatte sie das letzte Mal gegessen? Sie konnte sich nicht mehr daran erinnern. Essen hatte jeden Reiz verloren.

Die Dunkelheit brach herein, doch sie bemerkte es kaum. Ihre Füße bewegten sich über den Asphalt, immer ein Schritt nach dem anderen. Rechts, links, rechts und dann wieder links.

Eins und zwei und drei und vier, eins und zwei und drei und vier, eins, zwei, drei und vier, die Gewinner hier sind wir. Los, Glenmore Goblins!

Footballspiele und längst vergessen geglaubte Cheers schwirrten durch ihren Kopf. Jeder Schritt wurde von einem Reim begleitet. Ein paarmal kam sie von der Straße ab. Sie bemerkte es erst, als sie unter ihren Schuhen kleine Grashügel statt Asphalt spürte.

Als sie irgendwann zusammenbrach, registrierte ihr Gehirn das erst, als sie schon dabei war, auf die Straße zu stürzen. Sie war so überrascht, dass sie nicht einmal Zeit hatte, die Arme auszustrecken, um den Fall zu bremsen. Sie kam mit der Seite auf dem Gras auf und rollte die Böschung hinunter in den Graben. Dann blieb sie auf dem Rücken liegen und blinzelte ein paarmal, bevor ihr klar wurde, dass sie in den Nachthimmel starrte.

Er war wunderschön. Millionen Sterne glitzerten auf sie hinunter und der Mond war voll und gleißend hell, ein perfekter Kreis. Sie konnte sogar die Krater auf der zerklüfteten Oberfläche sehen. Sie streckte die Hand aus und versuchte, ihn zu berühren, aber er war zu weit weg.

»Der Große Wagen«, sagte sie laut. »Kassiopeia. Der Gürtel des Orion.«

Die Sterne würden immer da sein. Hunderte Millionen Jahre in der Zukunft, wenn die Menschheit schon längst von diesem Planeten verschwunden war, würde es die Sterne immer noch geben.

Wie lange würde es dauern, bis sie verschwunden war?

Ich werde wahnsinnig, Heath. Ich habe schon davon gehört. Schlafmangel kann merkwürdige Auswirkungen haben. Ich muss mich ausruhen, aber ich kann nicht schlafen. Ich habe solche Angst. Ich weiß nicht, was ich tun soll. Hilf mir!

Sie bekam keine Antwort. Heath meldete sich nicht. Sie war ganz allein.

Es war so friedlich im Straßengraben. Sie wusste, dass sie aufstehen und weitergehen sollte. Doch sie konnte nicht. Ihre Beine hatten entschieden, dass es jetzt genug war.

Ich bin gelähmt.

Die Angst wich von ihr. Sie konnte nichts tun. Sie konnte nur die Augen zumachen. Das würde so schön sein.

Also machte sie die Augen zu.

Sie wurde mit einem Ruck wach. Verwirrt setzte sie sich auf und sah sich um. Ihre Kleidung war feucht und mit Abendtau benetzt. Sie konnte sich nicht erinnern, warum sie hier war.

Als sie mühsam aufstand, gaben ihre Knie nach und ihre Beine waren völlig steif. Sie dehnte und streckte sich, während sie zur Straße zurückging und ihren Blick umherschweifen ließ. Sie war in einer gottverlassenen Gegend, auf einer Straße, an die sie sich nicht erinnern konnte. Nur bruchstückhaft kam ihre Erinnerung zurück: Sie war gestürzt und im Straßengraben gelandet, wo sie die Sterne angestarrt hatte.

Die Sonne stand im Westen. Sie sah auf ihre Uhr und stellte fest, dass es kurz nach sechzehn Uhr war. Das bedeutete, dass sie über sechzehn Stunden geschlafen hatte. Sie konnte sich an nichts mehr erinnern. Keine Träume, nur Tiefschlaf, den sie offenbar dringend gebraucht hatte.

Das war es also, Heath. Ich musste nur so lange laufen, bis ich fast gestorben wäre, um schlafen zu können. Vielleicht hat das ja auch etwas Gutes. Ich bin nicht gestorben. Sie haben mich nicht gefunden. Vielleicht hört jetzt auch mein Gehirn auf, jedes Mal, wenn ich zu schlafen versuche, durchzudrehen.

Sie trank einen großen Schluck Wasser und begann zu laufen.

Gegen achtzehn Uhr kam sie an den Highway. Sie orientierte sich an der Sonne und wandte sich nach rechts. Die Straße war vollkommen leer, sie fand nicht einmal ein Auto, das sie sich ausleihen konnte. Um neunzehn Uhr begann der Sonnenuntergang und überzog den Himmel mit einem rotstichigen Rosa.

Sie wusste nicht genau, wo sie war. Vielleicht Montana. Die Landschaft änderte sich. Noch keine Berge, aber bald. Sie konnte sie schon sehen, kleine, zerklüftete Erhebungen am Horizont. Bald würde sie mitten in den Rockies sein. Hoffentlich hatte sie dann wieder ein Auto.

Die Dämmerung hatte sich über den Wald gelegt, als sie um eine Kurve bog und die ersten Ausläufer einer kleinen Stadt vor sich sah. Zwischen den Bäumen konnte sie eine Tankstelle mit einem großen Parkplatz sehen, auf dem mehrere leere Autos standen. Davor stand ein Schild, das aber zu weit weg war, um es lesen zu können.

»Na endlich«, murmelte sie.

Sie musste vorsichtig sein. Clementine verließ die Straße und ging in den Wald, fest entschlossen, zuerst in einem weiten Bogen zur Rückseite der Tankstelle zu schleichen, um sich zu vergewissern, dass niemand dort war. Doch das war einfacher gesagt als getan. Sie war in der Prärie aufgewachsen und an Weizenfelder und freien Himmel gewöhnt; sich durch das Unterholz zu schlagen, erwies sich als ungewohnte Herausforderung. Zweige verfingen sich in ihren Haaren. Nach kurzer Zeit waren ihre Arme mit Kratzern übersät und zweimal verfing sie sich mit den Füßen in irgendwelchen Wurzeln, die keinen anderen Zweck zu haben schienen, als sie stolpern zu lassen.

Im Dämmerlicht konnte sie eine Lichtung vor sich erkennen. Aufgeregt zwang sie sich weiter. Sie kletterte über einige Felsen und umging einen riesigen Baumstumpf. Das Gelände breitete sich vor ihr aus, ein sonderbares Puzzle, das ihre volle Konzentration erforderte. Sie achtete so intensiv auf jeden ihrer Schritte, dass sie um ein Haar mit dem Gesicht gegen die Beine geprallt wäre. Ein leiser Schrei entwich ihrer Kehle, als sie den Kopf hob und den Körper sah, zu dem die Beine gehörten.

Sie wich zur Seite aus und prallte gegen den nächsten Körper, der sich langsam zu drehen begann.

Sie waren überall. In den Bäumen hingen Dutzende von Leichen. Bei einigen waren die Hände auf dem Rücken gefesselt. Sie bewegten sich in der leichten Brise hin und her. Die Seile an ihren Hälsen reichten bis in die oberen Äste der Bäume. Clementine ging weiter auf die Lichtung hinaus, bis sie von Leichen umgeben war. Verwesungsgeruch traf sie wie eine Keule. Ihr drehte sich der Magen um und das Wasser, das sie vorhin getrunken hatte, stieg ihr in die Kehle. Sie zog ihre Bluse über Nase und Mund und hielt den Atem an.

Sie ließ ihren Blick über die Lichtung streifen, bis sie einen Weg fand, der sie aus diesem Friedhof herausführte, ohne dass sie noch mehr der Leichen berühren musste. Keuchend rannte sie über die Wiese und blieb erst wieder stehen, als sie die Tankstelle erreicht hatte.

Sie würde hineingehen und sich nehmen, was sie brauchte. Die Schlüssel für eines der Autos auf dem Parkplatz suchen und zusehen, dass sie hier wegkam. Sie würde keine Sekunde länger als nötig hierbleiben. Nicht, wenn so viele Leichen in der Nähe waren.

Die Eingangstür der Tankstelle war zertrümmert worden. Glassplitter lagen auf dem Boden und sie versuchte, so wenig Lärm wie möglich zu machen, als sie auf das Glas trat. Der Verkaufsraum war verwüstet worden. Schokoriegel, Kartoffelchips und alle möglichen Knabberartikel lagen in den Gängen. Kanister mit Motoröl waren geöffnet und gegen die Wand geworfen worden, wo sie ein schwarz glänzendes Muster auf dem Fußboden hinterlassen hatten. Fußabdrücke führten hinter den Tresen, wo eine offene Kasse stand, die ausgeräumt worden war. Daneben lagen Zigarettenpackungen verstreut.

Die Glastüren des Kühlschranks waren zertrümmert. Er war fast leer, doch es gelang ihr, ein paar Flaschen Wasser und eine Dose Pepsi mit einer großen Delle zu finden.

Direkt hinter dem Verkaufstresen führte eine Tür in ein Restaurant. Clementine wollte ihr Glück dort drüben versuchen. Mehr als alles andere in der Welt sehnte sie sich nach etwas zu essen, das nicht aus einer Konservendose kam. Als sie an einem umgekippten Kaugummiautomaten vorbeiging, achtete sie darauf, nicht auf die bunten, murmelgroßen Kugeln zu treten. Ein gebrochener Knöchel war das Letzte, was sie jetzt brauchen konnte.

Im Restaurant war es fast dunkel. Die Sonne war inzwischen beinahe vollständig untergegangen und nur noch als schwaches rötliches Glühen am Himmel zu erahnen. Die Jalousien waren heruntergelassen, die Kaffeekannen zertrümmert; an den Wänden klebten die Reste von vier Wochen altem Käsekuchen.

Den Typ in der Ecke hätte sie gar nicht gesehen, wenn er sich nicht gerührt hätte. Sie erstarrte mitten in der Bewegung und überlegte, wie viele Schritte es bis zur Tür waren und ob sie es bis dorthin schaffen würde, bevor er sie packte.

»Keine Angst«, sagte er. »Ich bin normal.«

Er saß in einer Nische auf einer Bank, in der Hand eine Tasse, die er gedankenverloren auf dem Tisch herumschob, als warte er auf eine Kellnerin, die ihm Kaffee einschenkte. Er war jung, etwa in ihrem Alter, mit langen braunen Haaren, die er sich aus dem Gesicht gekämmt und hinter die Ohren gestrichen hatte.

In dem schwindenden Licht konnte sie seine Augen nicht erkennen, doch der Ausdruck auf seinem Gesicht war nicht böse. Er sah traurig aus. Aber inzwischen sahen ja alle traurig aus.

»Ach ja?«, fragte sie. »Und warum sitzt du dann hier im Dunkeln?«

»Wo soll ich denn sonst hin?«

Sie nickte. Das verstand sie sehr gut.

»Du kannst dir ruhig holen, was du willst. Ich werde mich nicht von der Stelle rühren.« Der Junge hob die Hände und legte sie vor sich auf den Tisch. »Ich würde ja gehen, aber ich glaube, dazu habe ich keine Kraft mehr.«

Sie kam näher. Die Stimmen in ihrem Kopf sagten nichts von Wegrennen. In den Worten des Jungen lag so viel Traurigkeit. Wenn er sie angelogen hatte, war er der beste Schauspieler, den sie je gesehen hatte.

»Du willst nicht abhauen?« Er klang überrascht.

Sie zuckte mit den Achseln. »Sollte ich?«

Der Junge schmunzelte. »Ich habe doch gesagt, dass ich in Ordnung bin, oder nicht? Vielleicht sollte ich mich vor dir in Acht nehmen. Du siehst zwar ziemlich normal aus, aber was ist heutzutage schon normal? Ich habe keine Ahnung.«

Seine Finger waren lang und schlank. Sie hatte schon immer ein Faible für Hände gehabt, für die Art, wie sie sich bewegten. Seine sahen wie die eines Musikers aus; sie klopften einen stummen Rhythmus auf die Tischplatte.

»Wohnst du hier?«, fragte sie. »Ich meine, hier in der Stadt. Nicht in diesem Restaurant.«

Er schüttelte den Kopf. »Ich bin nur auf der Durchreise. Du bist von hinten gekommen. Ich habe dich beobachtet, wie du vorbeigegangen bist. Du hast die Leichen gesehen, stimmt's?«

»Ja.«

»Ich glaube, sie haben die ganze Stadt zusammengetrieben. In der Stadt sind noch mehr. Einige haben sie an den Laternenpfählen aufgehängt. Ich glaube, sie haben sie zusammengetrieben und dann wie früher Selbstjustiz geübt. Allerdings denke ich nicht, dass die Hetzer das der Gerechtigkeit wegen tun.«

»Hetzer?« Sie setzte sich ihm gegenüber an den Tisch. »Warum nennst du sie Hetzer?«

»Ich weiß nicht. Das habe ich von Billy. Er sagte, er hätte es von einem Typ im Süden gehört. Sie jagen dich so lange, bis du vor Erschöpfung zusammenbrichst und eine leichte Beute für sie bist. So schonungslos, als wäre es eine Hetzjagd, bei der Jäger das Wild zu Tode hetzen. Nur dass sie nicht auf Tiere Jagd machen.«

»Klingt logisch.« Sie wollte ihn fragen, wer Billy war, doch der Ausdruck in seinen Augen, als er den Namen erwähnte, hielt sie davon ab. Stattdessen hielt sie ihm ihre Hand hin. »Ich bin Clementine.«

»Michael.« Er nahm ihre Hand und drückte sie kurz, bevor sich seine Finger wieder um die Tasse schlossen. Über den Boden war etwas Flüssigkeit verteilt und sie konnte den Alkohol in seinem Atem riechen. Was aber egal war – hier würde ihn niemand nach seinem Ausweis fragen.

Sie zog die zerbeulte Dose mit Pepsi aus ihrem Rucksack und öffnete sie. Trank einen großen Schluck. Das kohlensäurehaltige Zuckerwasser schmeckte großartig. Sie stellte die Dose auf den Tisch und wartete, dass er etwas sagte. Die Situation war irgendwie unangenehm; sie wusste nicht, was sie sagen sollte. Es war schon zu lange her, seit sie das letzte Mal mit jemandem gesprochen hatte.

Die Sonne war jetzt völlig untergegangen und sie saßen im Halbdunkel da. Bald würde es stockfinster sein und sie würden eine Kerze anzünden müssen. Sie hatte ein paar in ihrem Rucksack, holte sie aber nicht heraus. Sie würden nach hinten gehen müssen. Von dort, wo sie saßen, fiel der Schein einer Kerze zu sehr auf.

»Wo willst du hin?«, fragte er schließlich.

Sie war froh, dass er endlich den Mund aufbekommen hatte. Diese Frage konnte sie beantworten. »Seattle. Mein Bruder Heath ist dort. Zumindest hoffe ich, dass er dort ist, ich weiß es nämlich nicht genau. Nach dem Erdbeben konnten wir ihn nicht erreichen und meine Mom und ich wollten eigentlich zusammen an die Westküste fahren. Aber dazu ist es dann nicht mehr gekommen. Meine … meine Eltern wurden erschossen, zusammen mit allen anderen aus meiner Stadt. Ich glaube … nein, ich bin mir ziemlich sicher, dass ich die Einzige bin, die lebend herausgekommen ist.«

»Dann hast du also Glück gehabt?«

Sie zuckte mit den Achseln. »Könnte man wohl so sagen. Und du?«

In seinen Augen blitzte Wut auf. Seine Finger an der Tasse packten so fest zu, dass sie ganz weiß wurden. »Meine Familie ist tot«, sagte er schließlich mit zusammengebissenen Zähnen. »Jedenfalls glaube ich das. Ich habe sie nicht mehr gesehen, seit diese Sache hier angefangen hat. Von der Gruppe, mit der ich unterwegs war, sind auch alle tot. Die Hetzer haben uns gefunden, und wenn es dir recht ist, würde ich lieber nicht darüber reden.«

»Tut mir leid.«

»Es ist nicht deine Schuld.« Er holte eine Flasche Whiskey

vom Sitz neben sich und schenkte sich ein. »Willst du auch einen?«

Sie schüttelte den Kopf. Sie machte sich nichts aus Alkohol. Wenn sie zu viel getrunken hatte, wurde ihr erst schwindlig und dann schlecht. Und inzwischen war es sowieso nicht mehr ratsam zu trinken, aber das wollte sie ihm nicht sagen. Es ging ihn nichts an.

»Nach dem hier ist Schluss«, sagte er. »Ich sehe dir an, dass du nicht gerade beeindruckt bist. Aber ich trinke nicht, um mich zu betrinken. Ich habe nur einen gebraucht. Heute war nicht so mein Tag.«

»Schon okay«, erwiderte sie. »Ich versteh das.«

»Außerdem ist es sowieso nicht gut, sich die Birne vollzuknallen. Man weiß nie, ob sie einen beobachten.«

Sie nickte wieder. »Glaubst du, sie sind noch da?«

»Die, die die Leute aufgehängt haben? Nein, die sind schon lange weg. Ich habe den ganzen Nachmittag die Stadt durchsucht. Wenn sie hier wären, hätten sie mich inzwischen gefunden. Ich sitze schon seit ein paar Stunden hier. Ich habe es ihnen wirklich einfach gemacht, mich zu erwischen.«

Clementine wusste nicht, was sie sagen sollte. Er hörte sich fast so an, als wollte er sterben, als würde er in der Dunkelheit darauf warten, dass die Ungeheuer kamen.

»Was hältst du davon, wenn wir uns was zum Abendessen machen?«, schlug er vor, als hätte er ihre Gedanken gelesen und wollte das Thema wechseln. »Hast du Hunger? In einem Eisenwarengeschäft habe ich einen kleinen Gaskocher und Campinggas gefunden. Das ist zwar nicht viel, aber ich wette, ich kann uns was Schönes brutzeln. Ich kann recht gut kochen. Früher habe ich immer für meinen Dad gekocht.«

»Ja, gern.«

Sie gingen in die Küche, wo Clementine ihre Kerzen aus dem Rucksack holte und für etwas Licht sorgte. Die einzigen Fenster in dem Raum waren die Glasfüllungen in der Tür. Sie legte Zeitungspapier darüber und befestigte es mit Klebeband. Wenn jemand draußen vorbeiging, würde ihm nichts auffallen.

Sie fand ein paar Kartoffeln, die noch ganz gut aussahen, und setzte Wasser auf dem kleinen Gaskocher auf, während Michael die Konserven durchging, um etwas Brauchbares zu finden. Zu ihrer Überraschung war es in der Kühlkammer noch einigermaßen kalt, und als sie halb aufgetautes Hamburgerhack fanden, beschlossen sie, das Risiko einzugehen. Schließlich gab es Chili-Hamburger mit Kartoffelbrei als Hauptgang und halbgeschmolzene Eiscreme als Dessert.

»Genieß das Essen«, sagte er. »Das ist vermutlich das letzte Mal, dass du Eis und Hamburger bekommst. Es wird lange dauern, bis jemand etwas kocht, das nicht aus einer Konserve kommt. Schließlich werden wir nicht so schnell damit anfangen können, Gemüse zu pflanzen. Ich weiß zwar nicht, wie es dir damit geht, aber ich bin nicht der Typ, der rausgeht und eine Kuh umbringt.«

»Solange ich kein Dosenfleisch oder eingemachte Rüben essen muss, werde ich es schon überleben«, erwiderte sie. »Was ist in diesem Dosenfleisch eigentlich drin? Schinken? Fleischreste? Es schmeckt fürchterlich.«

»Vielleicht ein bisschen von beidem?« Er biss in seinen zweiten Hamburger und hatte danach einen Rest Chilisoße im Mundwinkel. »Aber du hast recht, es schmeckt wirklich eklig.«

»Schätze mal, ich kann mich nicht beklagen«, sagte sie. »Seit das Ganze hier losgegangen ist, habe ich mich von Schokoladenkeksen und Crackern ernährt. Ich glaube, ich habe genug Red Bull für den Rest meines Lebens getrunken. Dabei mag ich Red Bull nicht mal. Es schmeckt wie Kuhpisse.«

Michael lachte. »Du bist also eine Feinschmeckerin. Wie willst du dann diese Apokalypse überleben?«

»Ich weiß es nicht. Vielleicht finde ich irgendwo noch ein Sushirestaurant mit Lieferservice.«

Es war schön. Das Essen schmeckte hervorragend und die Unterhaltung mit ihm war lustig. Es erinnerte sie an glücklichere Zeiten. Zum ersten Mal seit Wochen vergaß sie jede Vorsicht und dachte nicht mehr an die Gefahren, die draußen lauerten. Ihr war gar nicht bewusst gewesen, wie sehr sie das gebraucht hatte. Der gequälte Ausdruck auf seinem Gesicht wurde weicher, und als er lachte, sah sie kleine Funken in seinen Augen aufblitzen.

»Ich habe dich noch gar nicht gefragt, wo du hingehst«, sagte sie, als sie zu Ende gegessen hatten. Sie hatte eine Flasche Orangensaft in der Hand und Michael hatte sich eine ihrer Wasserflaschen genommen.

»Ich habe eigentlich kein Ziel«, erwiderte er. »Ich war mit einer Gruppe von Leuten unterwegs und wir haben im Grunde genommen nur nach etwas zu essen gesucht. Von einem bestimmten Ziel war nie die Rede, es ging nur darum, dass wir irgendwo einen sicheren Ort finden. Das hat dann aber nicht so geklappt wie geplant.«

»Du kannst gern mit mir kommen.«

Er wandte den Blick ab und sah sich auffallend lange in der Küche um. Sie wurde verlegen. Hatte sie etwas Falsches gesagt? Hatte sie zu früh gefragt? Gab es in dieser neuen Welt so etwas wie Fristen, die man einhalten musste? Womöglich dachte er, sie würde mit ihm flirten wollen. Wahrscheinlich sah sie ganz furchtbar aus und vielleicht roch sie sogar übel. Sie hatte seit Tagen nicht mehr die Möglichkeit gehabt, sich zu waschen.

»Ja, vielleicht«, antwortete er schließlich.

Sie spürte, wie ihr das Blut in die Wangen schoss.

»Das sollte jetzt nicht so rüberkommen«, sagte Michael. Er schien schon wieder ihre Gedanken zu lesen. »Es liegt nicht an dir. Es liegt an mir. Ich bin ganz schlecht in so was. Von der Gruppe, mit der ich zuletzt unterwegs war, sind jetzt alle tot. Vielleicht ziehe ich ja das Pech an. Willst du mich wirklich dabeihaben?«

»Ich lasse es darauf ankommen.«

»Also gut.«

Sie sah das Geschirr vor sich an. In der Schale klebten noch Reste vom Eis. »Wir brauchen wohl nicht aufzuräumen. Schließlich gibt es niemanden, der sich beschweren könnte.«

»Einer der Vorteile«, stimmt er ihr zu. »Ein Stück die Straße hinunter ist ein Motel, dort könnten wir, glaube ich, übernachten. Oder wenn du willst, können wir auch gleich aufbrechen. Eigentlich bin ich gar nicht mehr so müde. Aber es ist vielleicht besser, wenn wir bei Tageslicht losziehen. Es wird hier ziemlich dunkel und Taschenlampen können wir nicht benutzen. Man würde uns schon von Weitem sehen.«

»Stimmt«, sagte sie. Zum ersten Mal seit Wochen war sie kein bisschen müde, aber es war vermutlich keine gute Idee, jetzt sofort aufzubrechen. Er hatte recht. Sie sollten besser bis zum Morgen warten. »Wir können uns das Motel ansehen. Es wäre schön, wenn ich mich mal wieder waschen könnte.«

»In der Stadt gibt es auch ein Geschäft mit Klamotten«, meinte er.

Clementine sah an sich hinunter auf ihre karierte Bluse. Das eingetrocknete Blut hatte sie ganz vergessen. Es schien eine Ewigkeit her zu sein, dass sie auf diesen Kerl eingestochen hatte, diesen Hetzer, der versucht hatte, sie umzubringen.

»Ja, das ist auch eine gute Idee.«

»Und dann suchen wir deinen Bruder«, sagte er.

Sie lächelte. Michael in der Nähe zu haben, würde schön sein. Und sicher. Er gab ihr ein Gefühl der Sicherheit.

MASON

»Ich halte das für keine gute Idee.« Paul strich sich über das Kinn, das inzwischen die Bartstoppeln mehrerer Tage zierten.

»Das hast du über Canmore auch gesagt. Wir brauchen ein paar Vorräte. Wir haben nichts mehr zu essen. Ich weiß ja nicht, wie es dir geht, aber ich bin am Verhungern. Du hast es hier mit einem ziemlich hungrigen Vögelchen zu tun und so langsam sträuben sich mir die Federn. Ich brauche Zucker.«

Mason schnaubte. »Und was bedeutet das genau?«

Chickadee lachte. »Es bedeutet, dass ich gleich zickig werde.«

Sie kauerten im Wald, an der Abzweigung nach Banff, das früher ein großer Touristenort gewesen war. Jetzt waren die Straßen mit liegen gebliebenen Autos und Wohnmobilen übersät. Und Leichen. Es war kein schöner Anblick und Mason starrte die meiste Zeit auf den Boden vor seinen Füßen. Vor ein paar Wochen hatte er festgestellt, dass er nichts mehr spürte. Die betäubende Wirkung hatte noch nicht völlig nachgelassen; die Wut in ihm schlummerte, sie hatte sich in die dunkelsten Winkel seines Gehirns zurückgezogen. Doch im Laufe der Zeit kamen immer wieder Bruchstücke hoch. Manche Erinnerungen weigerten sich, vergessen zu werden. Er dachte oft an seine Mutter, fragte sich, ob sie immer noch im Krankenhaus war und wie ihr Körper jetzt wohl aussah. Er dachte an Tom und fragte sich, ob seine Freunde Angst empfunden hatten, als ihre

Körper zerfetzt und auseinandergerissen worden waren. Oder war ihr Tod schnell und schmerzlos gewesen? Hatten sie überhaupt eine Chance gehabt wegzurennen, als die Schule um sie herum eingestürzt war?

Zu viele Gedanken marterten sein Gehirn.

Trotzdem fiel es ihm schwer, nicht fröhlich zu sein, wenn Chickadee in seiner Nähe war.

»In einem früheren Leben warst du bestimmt ein buddhistischer Mönch oder so was«, hatte sie, ein paar Tage nachdem sie sich getroffen hatten, verkündet. »Leute, die ein Schweigegelübde abgelegt haben, sagen mehr als du.«

Mason hatte mit den Schultern gezuckt und sich abgewandt, doch er wusste ganz genau, dass sie das Lächeln auf seinem Gesicht gesehen hatte. Zuerst hatte er sich darüber geärgert, dass er die Gesellschaft seiner neuen Freunde so genoss. Ein beträchtlicher Teil von ihm glaubte immer noch, dass er das nicht verdient hatte. Doch nach einigen Tagen war ihm klar geworden, dass ein wenig Gesellschaft eine Menge ausrichten konnte. Er war einsam, was ihm gar nicht bewusst gewesen war. Neue Freunde zu haben, machte die Nächte etwas einfacher.

»Ich glaube, der Ort ist zu groß«, sagte Paul wieder. Er war derjenige von ihnen, der am vorsichtigsten war. Für Mason war das der Grund, warum Chickadee noch am Leben war. Sie war spontan, immer bereit, etwas zu tun, ohne vorher zu überlegen. Fast kam es ihm so vor, als würde ihr die Gefahr gar nicht bewusst sein. Oder als wäre es ihr egal. Paul war das genaue Gegenteil von ihr: Er nahm sich Zeit, eine Situation einzuschätzen, er dachte lange über alles nach und war sich ständig der Konsequenzen bewusst.

»Die Stadt ist gar nicht so groß«, erwiderte Chickadee. »Ich bin schon mal hier gewesen. Nur Hotels und Bars. Ich glaube, wir sind dort sicher.«

»Wir sollten weitergehen.«

»Die nächste Stadt kommt erst in ein paar Tagen«, sagte sie. »Ich kann nicht so lange warten. Da drüben gibt es einen Safeway. Ich muss in eine Apotheke.« Sie starrte Paul lange an und Mason fiel auf, dass er ihrem Blick auswich.

»Warum musst du in eine Apotheke?«, hakte Mason nach, während in seinem Kopf die Alarmglocken losgingen. »Bist du krank?«

»Ich glaube, ich habe mich erkältet«, sagte sie etwas zu schnell. »Nichts Ernstes.«

Sie sah nicht krank aus, aber eindeutig müde. Sie hatte dunkle Ringe unter den Augen, allerdings sahen sie alle so aus, als müssten sie sich mal ordentlich ausschlafen.

»Bist du sicher?« Mason legte ihr eine Hand auf die Stirn, doch Chickadee schob sie schnell wieder weg.

»Es ist nur eine Erkältung, nichts weiter.« Sie biss sich auf die Lippen und runzelte die Stirn. Den Ausdruck kannte er schon. Er bedeutete, dass sie nicht vorhatte, noch etwas zu dem Thema zu sagen.

»Okay, dann gehen wir nach Banff.«

»Zwei gegen einen«, sagte Chickadee.

»Also gut.« Paul stand auf und ging los. Als er in der Mitte der Straße war, blieb er stehen, ohne sich umzusehen. »Kommt ihr?«

Mason und Chickadee sahen sich kurz an und folgten ihm dann.

Sie gingen in der Mitte der Straße weiter. Dort standen nicht so viele Autos, dafür war die Fahrbahn mit Müll übersät. Aufgerissene Koffer – alle durchwühlt –, Verpackungen von Süßigkeiten, sogar ein zertrümmerter Laptop.

»Die Party muss ganz schön wild gewesen sein«, murmelte Chickadee, als sie einer zerbrochenen Ginflasche auswich. »Können wir kurz Pause machen? Ich muss mal.«

»Sicher«, antwortete Mason.

Paul sagte nichts, sondern drehte sich um und kniete sich auf die Straße, um sich etwas anzusehen. Chickadee holte ein paar Papiertaschentücher aus der Tasche und rannte in den Wald. Mason sah ihr nach und merkte sich, wo sie zwischen den Bäumen verschwunden war, bevor er seine Aufmerksamkeit auf einen herrenlosen iPod richtete. Er hob ihn auf und versuchte, ihn einzuschalten, doch die Batterie war tot.

»Sie ist nicht meine Freundin«, sagte Paul.

»Wie bitte?«

»Wir gehen nicht miteinander. Ich habe irgendwie den Eindruck, dass du uns für ein Paar hältst. Aber das sind wir nicht. Chee und ich kennen uns schon seit dem Sandkasten. Sie ist wie eine Schwester für mich. Sie ist unglaublich zäh. Ihre Kindheit war schlimm. Beide Eltern waren Alkoholiker. Sie haben sie auch geschlagen. Manchmal ist sie mitten in der Nacht zu mir gekommen und war grün und blau geschlagen. Früher habe ich mir immer gewünscht, ich könnte ihr helfen, könnte dafür sorgen, dass es aufhört. Aber damals war ich noch zu klein dazu und jetzt ist es zu spät. Ich wollte, dass du das weißt.«

»Warum?«

»Ich werde nicht danebenstehen und zusehen, wie sie leidet.«

Mason zuckte mit den Schultern. »Ich auch nicht. Deshalb finde ich es ja gut, dass wir zu zweit sind. Wir können sie beschützen.«

»Wir können sie nicht vor allem beschützen.«

»Wie meinst du das?«

Paul gab ihm keine Antwort. Chickadee kam mit wild tanzenden Zöpfen aus dem Wald gerannt.

»Schon viel besser«, rief sie. »Na dann los – jetzt mischen wir die Stadt auf.«

Am Stadtrand stand ein Schild mit einer kurzen Geschichte von Banff. Jemand hatte mit leuchtend roter Farbe die Worte *Jagdrevier der Hetzer* über den Text gesprüht. Chickadee lief daran vorbei, als hätte sie es gar nicht gesehen.

Vor dem Eingang des Safeways lagen fünf Leichen. Sie waren aufeinandergestapelt wie ein bizarres Kartenhaus. Aus den Schnittwunden zweier Leichen tropfte noch Blut. Um ein Haar hätte Mason sich umgedreht und wäre zurück zum Highway gerannt. Doch Chickadee lief auch hier wieder seelenruhig weiter und ging schnurstracks in den Supermarkt. Mason und Paul blieb gar nichts anderes übrig, als ihr zu folgen.

Ihr Mut gefiel ihm. Je mehr Zeit Mason mit ihr verbrachte, desto mehr mochte er Chickadee. Und jetzt, wo er wusste, dass sie und Paul kein Paar waren, fing er an, sie in einem ganz anderen Licht zu sehen. Sie war nicht gerade das, was man eine Schönheit nennen würde; ihre Nase war schief, außerdem war sie zu klein. Und sie hatte etwa zehn Kilo Übergewicht, was ihn aber alles nicht störte. Ihre Persönlichkeit übertrumpfte alles. Je mehr sie redete, desto schöner wurde sie. Früher hatten die Jungs vermutlich Schlange bei ihr gestanden.

Aber es war weder die passende Zeit noch der passende Ort, um sich in ein Mädchen zu verlieben, machte sich Mason bewusst, als sie den Supermarkt betraten. Es brachte nichts, wenn er jetzt anfing, alles noch komplizierter zu machen. Es konnte gefährlich sein, sich zu verlieben. Es war besser, sich auf andere Dinge zu konzentrieren.

Sie liefen durch die Gänge und vergewisserten sich zuerst, dass der Supermarkt auch tatsächlich leer war. Bis auf ein paar Leichen waren sie allein.

»Ich kann keine Konserven mehr sehen«, verkündete Chickadee. »Wenn wir jetzt zu Hause wären, könnte ich euch was ganz Tolles kochen. Ich kann sehr gut kochen. So gut, dass du dich sofort in mich verlieben würdest.«

»Wirklich?«

»Ja.« Sie nahm einen Karton mit einer Fertigmahlzeit in die Hand und starrte ihn missbilligend an. »Meine Großmutter hat es mir beigebracht. Sie hat mir auch immer Geschichten erzählt, von liebeskranken Indianermädchen, die bestimmte Gerichte kochten, um gut aussehende, tapfere Krieger zu umgarnen. Ich glaube, sie wollte mir damit etwas sagen, aber in dem Alter fand ich Jungs eigentlich nur eklig.«

»Und jetzt?«

Chee lachte. »Es hat jedenfalls eine hervorragende Köchin aus mir gemacht. Aber Jungs haben immer noch Angst vor mir. Ich glaube, das liegt an meiner dynamischen Persönlichkeit. Meine Mom hat immer gesagt, ich rede zu viel.«

Mason lachte.

»Und falls du mir das jemals vorwirfst, werde ich dich bis in alle Ewigkeit foltern. Wenn es sein muss, auch noch aus dem Jenseits …« Sie verstummte, als Paul ihre Hand nahm. Die beiden sahen sich einige Sekunden lang an, bevor Chickadee ihre Hand wegzog.

»Nicht so laut«, warnte Paul. »Wir wissen nicht, ob uns jemand hört.«

Chickadee senkte die Stimme, bis sie nur noch flüsterte. »Ich hole mir jetzt eine Flasche Hustensaft. Kümmert ihr euch um die Lebensmittel?«

»Hältst du das für eine gute Idee?«, fragte Paul. »Vielleicht begleite ich dich besser. Du solltest nicht allein gehen.«

»Das ist schon in Ordnung«, erwiderte sie. »Ich bin keine zwanzig Meter von dir weg. Wenn ich anfange zu schreien, wirst du das mit Sicherheit hören.« Sie drehte sich um und rannte davon, bevor Mason oder Paul reagieren konnten.

»Das gefällt mir nicht«, sagte Paul. »Wir schnappen uns, was wir brauchen, und dann nichts wie raus hier.«

»Klingt gut«, meinte Mason. Sofort machte er seinen Rucksack auf und fing an, Konserven hineinzuwerfen, wobei er sich kaum die Zeit nahm, einen Blick auf die Etiketten zu werfen. Sie trennten sich. Mason wollte in den Gang mit den Müsliriegeln und dem Studentenfutter, während Paul in die Gemüseabteilung ging, um zu sehen, ob dort noch etwas Brauchbares zu finden war.

Der Supermarkt war gründlich geplündert worden und fast leer, doch Mason gelang es trotzdem, noch einige Müsliriegel in den Regalen aufzutreiben. Er riss die Kartons auf und kippte die einzeln verpackten Riegel in seinen Rucksack. Die Kunst bestand darin, so viel Verpackungsmaterial wie möglich loszuwerden, um mehr Platz für andere Sachen zu haben. Als er sich bückte, fand er auf dem Boden noch ein paar Tüten Gummibärchen, die er ebenfalls einsteckte.

Es dauerte nicht lange, bis sein Rucksack bis oben hin voll war. Er ging in die Gemüseabteilung hinüber, wo ihm der Gestank von verfaultem Obst und Gemüse entgegenschlug. Alles war mit grünem Schimmel überzogen. Nachdem er sich sein Hemd über Mund und Nase gezogen hatte, suchte er nach Paul, konnte ihn aber nicht finden. Mason beschloss, zur Apotheke hinüberzugehen, um Chickadee zu helfen. Zuerst konnte er sie gar nicht sehen, doch dann hörte er, wie hinter dem Tresen der Apotheke Flaschen in den Regalen bewegt wurden.

Er bog um die Ecke und sah, wie Paul und Chickadee Flaschen und Verpackungen aus den Regalen rissen und auf den Boden warfen.

»Hier ist nichts«, sagte sie. »Sie haben alles mitgenommen.«

»Das war's dann also«, erwiderte Paul.

»Das war es nicht«, widersprach ihm Chickadee. »Wir finden schon was. Hier muss etwas sein. Sieh noch mal im Kühlschrank nach.«

»Er ist leer. Alles, was drin war, liegt auf dem Boden.«

»Was ist damit?«

»Abgelaufen. Vergiss es!«

Sie schob noch ein paar Flaschen zur Seite, wobei eine davon zerbrach. Das Geräusch von splitterndem Glas hallte durch den Supermarkt.

»Was macht ihr denn da?«, fragte Mason.

Chickadee zuckte zusammen. »Tu das nie wieder! Du hast mir gerade eine Scheißangst eingejagt.«

»Wenn ihr was zum Einwerfen sucht, finde ich das völlig daneben. Ohne mich.« Mason starrte Paul an, der einfach aufstand und wegging.

»Wir suchen nicht nach Drogen«, sagte Chickadee. »Und ich hätte nicht erwartet, dass du uns das unterstellst, Mason. Hast du mir vorhin eigentlich zugehört? Mit Drogen kann ich nichts anfangen. Ich trinke nicht mal Alkohol. Ich habe nur nach Penizillin gesucht. Ich habe Angst, dass aus der Erkältung eine Halsentzündung wird. Für so etwas bin ich ziemlich anfällig. Das ist alles. Ehrlich.«

»Aber hier ist nichts«, wiederholte Paul. Er ging seelenruhig zu dem Regal, vor dem Mason stand, und nahm eine rot-weiße Flasche Hustensaft herunter. »Du wirst dich damit begnügen müssen, Chee. Wenn es schlimmer wird, überlegen wir uns was anderes.«

Mason wusste nicht, was er tun sollte. Er wollte ihnen glauben, er wollte ihnen wirklich glauben. Aber er war misstrauisch. Sein Gefühl sagte ihm, dass etwas faul war. Keiner der beiden sah zwar so aus, als würde er sich etwas aus Drogen machen, und ihm war auch nicht aufgefallen, dass sie sich merkwürdig benahmen oder irgendwie weggetreten waren, seit sie sich ihm angeschlossen hatten. Aber irgendetwas stimmte hier nicht. Er wusste nur nicht, was.

»Nicht böse sein, ja?«, meinte Chickadee. Als sie hinter dem Tresen hervorkam, sah er, dass sie nichts in der Hand hatte. Sie hielt ihren Rucksack auf und zeigte ihm den Inhalt. Nur Proteinriegel. »Ich nehme keine Drogen. Und genau genommen bin ich ziemlich sauer, dass du so etwas von mir denkst. Ich habe nicht gelogen.«

Mason nickte. »Schon okay. Ich glaube dir.«

Draußen ertönte ein Schuss. Schritte hämmerten über den Asphalt und eines der Schaufenster ging zu Bruch.

»Wir müssen weg!«, rief Paul.

Sie liefen in den hinteren Teil des Supermarkts und schlichen sich über die Laderampe hinaus. Draußen glühte der Himmel in Rot und Pink.

»Wir sollten uns einen Platz zum Schlafen suchen«, sagte Paul. »Es gibt hier so viele Hotels, dass wir wohl eines finden werden, in dem wir sicher sind.«

»Na dann los«, antwortete Chickadee. Sie grinste Mason an.

Sie entschieden sich schließlich für eine kleine Blockhütte in einem Hotel am Stadtrand. Mason ging zum Empfang und holte den Schlüssel, während Paul das Gelände durchsuchte, um sich zu vergewissern, dass niemand in den Büschen lauerte.

Das Zimmer war klein, mit einem Stockbett und einem Schlafsofa.

»Ich bekomme das Bett oben«, rief Chickadee. Sie kletterte hinauf und fing an, so heftig auf der Matratze herumzuhüpfen, dass sie fast mit dem Kopf an die Decke gestoßen wäre.

Mason setzte sich auf einen der Stühle und sah zu, wie Paul die Fenster überprüfte. Nachdem der Junge die Vorhänge zugezogen hatte, vergewisserte er sich, dass die Tür auch wirklich abgeschlossen war, und ging dann ins Bad, um sicherzugehen, dass es auch von dort eine Fluchtmöglichkeit gab.

»Ich bin müde«, sagte Chickadee. Sie gähnte dreimal kurz nacheinander. »Es ist schon Ewigkeiten her, seit ich in einem Bett geschlafen habe. Wann sind wir aus Calgary aufgebrochen?«

»Vor vier Tagen«, antwortete Mason.

»Das ist schon verrückt. Früher bin ich öfter hergefahren und habe immer nur etwa eineinhalb Stunden gebraucht. Nach Vancouver könnten wir es mit dem Auto in zwei Tagen schaffen, wenn wir schnell fahren würden. Ich hätte nie gedacht, dass es so lange dauert, wenn man die Strecke läuft. Kein Wunder, dass mir die Füße wehtun. Ich brauche ganz dringend eine Pediküre. Wenn das so weitergeht, bekomme ich noch Hornhaut.«

»Wenn nicht überall Straßensperren wären, könnten wir ja fahren«, sagte Mason. »Außerhalb von Banff dürfte es besser sein, aber wenn wir ins Fraser Valley kommen, wird es vermutlich wieder schlimmer.«

»Du kennst dich dort gut aus, stimmt's?«

Mason zuckte mit den Schultern. »Ein bisschen. Wir sind fast jeden Sommer zum Campen hingefahren. Es war der Lieblingsort meiner Mom.«

»Tut mir leid.«

»Warum? Du hast sie doch nicht getötet.«

»Es tut mir einfach leid. Es tut mir leid, dass es nie wieder Campingausflüge für Kinder geben wird, nie wieder Rockbands, nicht einmal neue Bücher zum Lesen. Keine neuen Kinofilme oder Tüten mit frischem Popcorn. Das ist doch echt Scheiße, wenn man darüber nachdenkt. Es besteht natürlich die Möglichkeit, dass wir diesen Krieg gewinnen, aber das wird vermutlich eine Weile dauern. Es wird wahrscheinlich erst so weit sein, wenn es dich und mich schon gar nicht mehr gibt.«

»Ich versuche, nicht darüber nachzudenken.«

»Manchmal ist es das Einzige, worüber ich nachdenke.«

»Warum? Dabei kommen doch nur schlechte Erinnerungen hoch.«

Chickadee sprang vom Bett und ging zu ihm hinüber. Sie blieb dicht vor ihm stehen. »Es gibt zwei Arten von Menschen auf dieser Welt. Menschen, die alles, womit sie konfrontiert werden, einfach so hinnehmen. Sie leben im Dunkeln. Sie sind die Verlierer. Sie ignorieren, was die Zukunft bringen könnte oder was sie tun könnten, damit sich etwas ändert. Und es gibt

Menschen wie mich. Optimisten. In Zeiten wie diesen leben auch sie im Dunkeln, aber sie träumen vom Licht. Ich vertraue darauf, dass alles besser werden kann. Ich glaube, dass das Leben mehr ist als das hier. Ich muss. Ich habe keine andere Wahl.«

Sie lehnte sich an ihn und Mason konnte ihr Haar riechen. Kokosnuss. Einer ihrer Zöpfe streifte seinen Arm und sie sah ihm in die Augen. Plötzlich wünschte er sich, sie würde ihn ewig so ansehen. Ihr schönes Gesicht, das so strahlend und so voller Leben war – es gab niemanden auf dieser Welt, der so außergewöhnlich war wie sie. Seiner Mutter hätte sie gefallen.

»Das Bad ist in Ordnung«, sagte Paul, als er wieder ins Zimmer kam. »Es hat ein Fenster, das groß genug ist, um sich durchzuquetschen, wenn wir schnell verschwinden müssen.«

»Gut.« Chickadee bückte sich und hob ihren Rucksack auf. »Was gibt es zu essen?«

Sie kippten ihre Beute auf den Boden und aßen Bohnen aus der Dose und Müsliriegel, dazu teilten sie sich zwei Äpfel, die aus irgendeinem Grund nicht verschimmelt waren. Das Ganze spülten sie mit warmer Limonade hinunter. Danach saßen sie einfach nur da und lauschten auf die Stille, während es im Zimmer immer dunkler wurde. Sie waren zu nah an der Hauptstraße, um es riskieren zu können, eine Kerze anzuzünden.

»Erzähl uns eine Geschichte, Paul«, sagte Chickadee nach einer Weile. Sie wandte sich an Mason. »Pauls Urgroßvater war früher ein richtiger Geschichtenerzähler. Paul kennt alle alten Legenden. Sie sind wirklich gut.«

»Stark.«

»Du kennst sie doch schon alle.«

»Ja, aber Mason nicht. Du musst ihm eine Geschichte erzählen. Erzähl ihm die, in der der Kojote das Feuer stiehlt.«

Es war zwar fast dunkel im Zimmer, doch der Blick, den Paul dem Mädchen zuwarf, war nicht zu übersehen. Mason wusste nicht, was er davon halten sollte. Vielleicht hatten sich die beiden vorhin gestritten und er hatte es nicht mitbekommen. Doch Paul sah eigentlich gar nicht wütend aus. Eher verletzt. Seine Augenbrauen waren zusammengezogen und in seinen Augen stand eine tiefe Sehnsucht. Vielleicht war er in Chickadee verliebt – das würde einiges erklären –, aber er hatte selbst gesagt, sie sei wie eine Schwester für ihn.

Was immer es auch war, es schnürte Mason die Kehle zu, als er den Blick sah, den Paul ihr zuwarf. Seine Augen sahen dabei so unglaublich traurig aus.

»Ich werde eine andere Geschichte erzählen«, begann Paul.

»Vor Tausenden von Jahren lebte einmal ein Stamm am Ufer des Pazifiks, an der Stelle, an der heute Vancouver ist. Sie waren Jäger und Sammler. Die Männer waren in den Wäldern unterwegs und die Frauen sammelten Austern und Muscheln an der Küste. Das war lange vor der Ankunft des weißen Mannes und die Menschen lebten weitgehend friedlich mit den benachbarten Stämmen zusammen. Die meisten Menschen im Dorf waren glücklich und zufrieden, aber es gab einen Krieger, der immer mehr wollte. Er wollte reisen und die Welt sehen und in Kriegen kämpfen, von denen er wusste, dass er sie gewinnen würde; doch als er wieder nach Hause kam, war er enttäuscht und frustriert. Es gab keinen Ort auf dieser Welt, der sein Herz anrühren konnte. Er wollte Liebe, doch keine Frau war schön genug für ihn. Er wollte feines Essen, doch die Austern schmeckten wie Sand und das Wild war

nie zart genug für seine Zunge. Deshalb wurde sein Herz kalt und hart und er verbrachte seine Tage abseits von seiner Familie und seinem Stamm, weil er sich weigerte, zu helfen oder irgendetwas zur Gemeinschaft beizutragen.

Eines Tages beschloss er, einen Spaziergang zu machen. Als er das Ufer des Ozeans erreicht hatte, traf er dort auf ein Kanu, in dem ein Fremder saß. Der Krieger wusste nicht, dass dieser Fremde Khaals war, der große Schöpfer, der von allen geachtet und gleichzeitig gefürchtet wurde. Khaals konnte Menschen in Tiere und sogar in Bäume und Felsen verwandeln. Häufig bestrafte er Menschen für ihre Missetaten und zeigte dabei kein Mitgefühl. Wenn ein Krieger sich seiner Taten brüstete, konnte es vorkommen, dass Khaals erschien und ihn in einen Hirsch verwandelte, damit er spürte, wie es ist, wenn man gejagt wird. Wenn ein Mann außer seiner eigenen Frau noch anderen Frauen hinterherrannte, verwandelte ihn Khaals in einen Baum, damit er nie wieder laufen konnte.

›Warum gehst du hier am Meer entlang?‹, fragte Khaals. ›Ich kann doch hören, dass dein Stamm ein Fest feiert. Warum bist du nicht bei deinen Leuten?‹

›Es gibt nichts, was mich interessiert‹, antwortete der Krieger. ›Warum lebe ich, obwohl ich doch weiß, dass ich sterben werde? Warum soll ich lieben, wo doch alle Frauen so hässlich und oberflächlich sind? Ich habe alles gesehen, was es zu sehen gibt, und es gibt für mich keine Wunder mehr. Ich habe alles getan, was es wert ist, getan zu werden. Das Leben ist keine Herausforderung mehr für mich. Ich langweile mich.‹

Khaals gehörte zu der Sorte von Geistern, die man besser nicht ärgern sollte, und die Worte des Kriegers missfielen ihm. Er starrte den Krieger an und las seine Gedanken.

›Du hältst das Leben also für langweilig? Ich werde dir zeigen, um was es dabei wirklich geht‹, sagte Khaals und dann verwandelte er den Krieger in einen flachen, glatten Felsen.

›Ich werde wiederkommen, wenn du etwas gefunden hast, für das es sich zu leben lohnt‹, verkündete Khaals.

Der Krieger war Tausende von Jahren in seinem steinernen Gefängnis gefangen. Die Welt um ihn herum veränderte sich. Er sah, wie sein Volk dem weißen Mann unterlag, er sah, wie die Stadt immer größer wurde und ihn schließlich von allen Seiten umgab, und er sah die Gräueltaten, zu denen die Menschheit fähig war. Doch seine Seele ließ sich nicht erweichen.

Eines Tages tauchte eine Frau auf. Sie war eine ganz normale Frau, an ihr war nichts Besonderes. Doch sie kam mit dem Wind und auf ihrem Haar lag der Duft von Wildblumen. Sie setzte sich auf den Felsen und zog ein Buch heraus, um darin zu lesen. Ihre sanfte Berührung bewegte den Krieger tief, und als sie einige Stunden später wieder ging, stellte er fest, dass er sie vermisste.

Zu seiner großen Freude kam sie am nächsten Tag mit dem Buch in der Hand wieder und am Tag darauf auch. Bald wartete er auf ihr Kommen und jedes Mal, wenn sie wieder ging, war er am Boden zerstört. Er sehnte sich danach, mit dieser gewöhnlichen Frau zu sprechen, ihr Haar zu berühren, ihr zu sagen, wie viel sie ihm bedeutete.

Eines Morgens, nach vielen Monaten, erblickte der Krieger plötzlich Khaals’ Boot auf dem Wasser. Der Schöpfer war zurückgekehrt, so, wie er es versprochen hatte.

›Weißt du, warum ich zurückgekommen bin?‹

›Ich habe etwas gefunden, für das es sich zu leben lohnt‹, erwiderte der Krieger.

›Aber sie ist keine große Schönheit‹, sagte Khaals. ›Sie wird dir

nicht die Welt bringen. Sie wird nicht dafür sorgen, dass dir dein Essen besser schmeckt. Sie ist ganz und gar gewöhnlich.‹

›Sie trägt den Wind in ihren Haaren und ihre Augen sehen meine Seele‹, antwortete der Krieger. ›Die Austern werden nach Meer schmecken statt nach Sand, weil sie mir helfen wird, ihren wahren Geschmack zu entdecken. Für mich ist sie schön genug.‹

Und damit verwandelte Khaals den Felsen wieder in sein wahres Selbst zurück. Als die Frau zurückkam, fand sie anstelle des Felsens den Krieger. Die beiden verliebten sich sofort ineinander.

Viele Monde lang verbrachten sie all ihre Zeit zusammen. Das Essen schmeckte tatsächlich besser, der Regen, der vom Himmel fiel, war weich und warm auf ihrer Haut. Und der Krieger pflückte die Sterne vom Himmel und legte sie in ihre Hände.

Doch die Frau war krank. Sie würde sterben.

Als der Krieger das herausfand, wurde er zornig auf Khaals. Warum brachte ihm der Schöpfer diese tolle Frau, obwohl er sie doch wieder verlieren würde? Khaals hatte ihm gezeigt, was das Leben ausmachte, und jetzt würde er ihm alles wieder nehmen.

Die Frau wurde immer schwächer. Der Zorn des Kriegers wuchs, und als ihm klar wurde, dass er es nicht ertragen konnte, sie sterben zu sehen, tat er das einzige Mögliche. Er sagte ihr, dass er sie nicht mehr liebte. Er sah den unbändigen Schmerz in ihren Augen, doch er konnte seine Worte nicht mehr zurücknehmen.

Er verließ sie.

Er ging zurück zum Meer und rief nach Khaals.

›Warum hast du das getan?‹, fragte er, als der Schöpfer erschien. ›Du hast mir das Leben gegeben und es wieder genommen. Als Fels ging es mir besser. Wenigstens musste ich da nicht fühlen. Du hast mich getäuscht und dafür habe ich sie verlassen.‹

›Du hast sie verlassen, weil du den Schmerz nicht ertragen konntest‹, sagte Khaals. ›Du hattest die wahre Liebe gefunden, doch du warst selbstsüchtig und hast dich abgewandt. Du bist nicht stark. Und deshalb lasse ich dich so zurück, wie du bist. Eine leere Hülle, die bis in alle Ewigkeit leben wird.‹

Und der Krieger wurde wieder zum Felsen, doch dieses Mal konnte er sich bewegen und sprechen. Aber nie wieder schmeckte er das Meer oder roch die Wildblumen im Wind. Nie wieder spürte er den Regen auf seinem Gesicht oder freute sich am Leben.

Nie wieder war er stark.«

Chickadee weinte. Sie versuchte, es vor den anderen zu verbergen, konnte ihr leises Schluchzen aber nicht unterdrücken. Als Mason sie ansah, waren die Tränen auf ihrem Gesicht so groß wie Kristalle.

»Ich bin so eine Heulsuse«, flüsterte Chickadee.

»Schon okay«, erwiderte Mason.

»Das war eine sehr traurige Geschichte«, sagte sie. »Ich kann mir nicht vorstellen, wie es sein würde, ohne Gefühle zu leben. Oder so viel zu fühlen, dass man nicht mit ansehen kann, wie jemand, den man liebt, stirbt.«

»Vielleicht konnte er es nicht ertragen, sie begraben zu müssen«, antwortete Mason, der an seine Mutter dachte, »und ist deshalb gegangen.«

»So oder so, es ist nur eine Geschichte.« Paul gähnte, ging zur Couch und nahm sich eine Decke. »Ich bin müde«, murmelte er. »Wir sollten schlafen gehen.«

Mason wollte ihn fragen, warum er ausgerechnet diese Geschichte erzählt hatte, doch Paul drehte sich auf die Seite, zur

Wand hin, und machte deutlich, dass er nichts mehr sagen wollte. Chickadee streckte die Hand aus und berührte Mason am Arm.

»Ich bin auch müde«, sagte sie. »Kann ich immer noch das obere Bett haben?«

Mason lächelte sie an. »Ja, klar. Ich übernehme die erste Wache.«

»Ich übernehme die zweite«, sagte Paul. »Weck mich in ein paar Stunden.«

Mason ging ins Bad und versuchte, den Schmutz und Schweiß in seinem Gesicht mit einer Flasche Wasser und einem der Handtücher auf der Stange abzuwaschen. Als er mit der Zunge über seine Zähne fuhr, fiel ihm ein, dass sie vergessen hatten, Zahnbürsten aus dem Supermarkt mitzunehmen. Das Gesicht im Spiegel war ihm fremd, es kam ihm so vor, als hätte er sein Spiegelbild schon seit Jahren nicht mehr gesehen.

Mit einem Gähnen ging er wieder in das Zimmer und setzte sich in den Stuhl am Fenster. Es war alles ruhig, doch er wusste, dass die beiden anderen noch nicht schliefen. Als er Paul einige Stunden später weckte, hatte er das Gefühl, dass der andere überhaupt nicht geschlafen hatte. Ohne ein Wort tauschten sie die Plätze und Mason legte sich in das untere Bett, wo er die Decken bis zum Kinn zog.

Er lag im Dunkeln und starrte den Holzrost über ihm an, bis seine Augenlider schwer wurden und zufielen.

In dem Moment, in dem er einschlief, drang Pauls Stimme durch die Dunkelheit zu ihm.

»Ich bin nicht stark genug.«

Aber er war zu müde, um etwas zu sagen.

Als er am nächsten Morgen aufwachte, saß Chickadee in dem Stuhl am Fenster. Sie hatte den Kopf in die Hände gelegt, als könnte sie ihn sonst nicht aufrecht halten, und zitterte am ganzen Körper. Wie lange saß sie schon so da? Warum hatte sie ihn nicht geweckt?

»Ist was?«, fragte er.

»Er ist weg.«

»Wer? Paul? Wo ist er?«

»Weg. Er hat mich verlassen. Uns.«

Mason zerrte an den Decken, die sich um seine Beine gewickelt hatten. Sie klebten an seinem Körper und wollten ihn einfach nicht loslassen. Schließlich konnte er sich befreien und ging zum Fenster, wo Chickadee die Tränen über das Gesicht liefen.

»Er kann nicht weg sein«, sagte Mason. »Vielleicht holt er nur was zu essen.«

»Wir haben was zu essen.«

»Hast du schon draußen nachgesehen?«

»Er ist nicht da.«

»Warum sollte er so etwas tun? Ich kenne Paul nicht so gut wie du, aber ich kann mir nicht vorstellen, dass er einfach so abhaut. Er hat dich doch gern.«

»Das ist ja das Problem.« Chickadee riss ihren Blick vom Fenster los. Sie streckte den Arm aus und nahm Masons Hand. »Er hat mich zu gern, um mich sterben zu sehen. Wie in der Geschichte.«

Ihre Finger waren weich und leicht feucht von den Tränen. Mason wusste nicht, was sie jetzt von ihm erwartete. Sie suchte Trost, doch es gab keine Worte, mit denen er es ihr hätte leichter machen können. Der Ausdruck in ihren Augen schien die

Antwort auf eine Frage zu sein, die er nicht stellen wollte. Doch jetzt gab es kein Zurück mehr.

»Stirbst du?« Die Worte hingen in der Luft wie ein schlechter Geruch.

»Irgendwann sterben wir alle.«

»Aber bist du krank? Verschweigst du mir etwas?«

»Ich bin nicht krank.«

»Okay.«

Auf dem Tisch stand eine Dose lauwarme Pepsi. Chickadee griff danach und trank einen großen Schluck.

»Ich habe solchen Durst«, sagte sie. »Ich glaube, in den letzten Tagen habe ich sämtliche Flüssigkeit aus meinem Körper herausgeweint. Wenn das so weitergeht, sehe ich bald aus wie eine verschrumpelte Mandarine.« Sie drückte seine Hand und zog ihn zu sich, bis ihre Nasen sich fast berührten. »Mason, bitte verlass mich nicht. Ich glaube, ich könnte es nicht ertragen, wenn du gehst.«

»Ich gehe nirgendwohin.«

»Versprich es mir.«

»Ich verspreche es.«

Ihre Lippen streiften die seinen, es war wie ein kleiner Kuss. Es geschah so schnell, dass er sich nicht sicher war, ob es tatsächlich passiert war oder ob er es sich nur einbildete. Er zog sie an sich, nahm sie in die Arme und versuchte, ihr ein Gefühl der Sicherheit zu geben.

Minuten verstrichen und seine Arme verkrampften sich langsam, aber er ließ nicht los. Die Vorderseite seines Hemdes wurde unangenehm nass, doch er bemerkte es kaum. Er hielt sie einfach in seinen Armen und hoffte, dass es sie tröstete. Schließlich löste sie sich aus seiner Umarmung.

»Soll ich nach ihm suchen?«, fragte er.

Sie zog die Nase hoch und schüttelte den Kopf.

»Und was machen wir jetzt?«

»Wir gehen weiter.«

Mason nickte. Es schien die richtige Entscheidung zu sein.

ARIES

»Daniel?«

Der Junge auf dem Boden krümmte sich zusammen, doch seine Augen blieben geschlossen. Aries ging um ihn herum und versuchte, mehr von seinem Gesicht zu sehen. Daniels Augenlider zuckten, doch er wachte nicht auf.

Hinter sich hörte sie jemanden. Nathan rief leise ihren Namen. Von der anderen Seite des Supermarkts drang das Licht von Taschenlampen zu ihr.

»Ich bin hier drüben«, sagte sie halb flüsternd, halb laut.

Aries wandte sich wieder Daniel zu, der vor ihr auf dem Boden lag. Sie konnte nicht glauben, dass er es war. Sie hatte unzählige Stunden damit verbracht, über ihre kurzen Gespräche nachzugrübeln, hatte in Gedanken immer wieder seine Worte wiederholt, wie eine kaputte Schallplatte. Sie hatte gedacht, sie würde ihn nie wiedersehen.

Doch jetzt war er wieder da.

Nur ein glücklicher Zufall?

Auf seiner Stirn war eine tiefe Schnittwunde. Sie blutete nicht mehr, doch an den Stellen, an denen das Blut bereits eingetrocknet war, waren seine Haare ganz verkrustet. Die gelben Fliesen waren mit Blut verschmiert. Sein Gesicht war bleich, mit Ausnahme eines Blutergusses auf seinem Wangenknochen.

Sie hob die Taschenlampe auf, die er in der Hand gehalten

hatte. Sie war klein und blau. Es war die Taschenlampe, die sie ihm gegeben hatte. Er hatte sie behalten. Bedeutete das, dass er auch an sie dachte? Sie waren in einem Geschäft, in dem es jede Menge besserer Taschenlampen gab – warum hatte er die hier noch?

Sie lächelte, obwohl sie wusste, dass es vielleicht gar nichts zu bedeuten hatte. Und doch könnte es ein Zeichen sein. Ein gutes.

Die schwarze Jacke, die er trug, sah nicht besonders warm aus. Am Ärmel war ein Riss. Aus der Tasche lugte etwas Glänzendes hervor. Ohne nachzudenken, streckte sie die Hand aus, um den Gegenstand zu berühren. Er war aus Metall und fühlte sich kalt an. Sie zog ihn heraus. Es war ein kleines Springmesser, an dessen Klinge Blut klebte. Schaudernd ließ sie das Messer auf den Boden fallen.

Er stöhnte und seine Augenlider zuckten wieder. Sie hatte Angst, dass er krank sein könnte, daher legte sie ihm die Hand auf die Stirn. Seine Haut glühte.

»Aries?«

Vor Überraschung wich sie zurück. Daniels Augen starrten sie an, dunkelbraun und durchdringend, aber noch etwas benommen. Er sah an ihr vorbei, als wäre sie gar nicht da.

»Du erinnerst dich an mich«, sagte sie. Plötzlich hatte sie ein flaues Gefühl im Magen, wie bei der ersten Abfahrt einer Achterbahn.

»Ich bin froh, dass du noch am Leben bist. Ich hatte dich für tot gehalten.« Er versuchte, sich auf die Ellbogen zu stützen, zuckte aber zusammen und legte sich gleich wieder auf die kalten Fliesen. All seine Kraft schien aus ihm heraus auf den Boden zu fließen.

Ja, sie war noch am Leben. Wut wallte in ihr auf, doch nur für einen kurzen Moment. Er war gegangen, nachdem er ihr ein Versprechen gegeben hatte. In den letzten Wochen hatte sie immer wieder darüber nachgedacht, was sie zu ihm sagen würde, falls sich ihre Wege wieder kreuzten. Warum hatte er ihr geholfen und war dann verschwunden? Warum wusste er so viel? Er hatte gesagt, dass so etwas passieren würde – er hatte gewusst, dass die Menschen aufeinander losgehen würden und dass die Welt am Ende war. Woher wusste er das? Sie musste an das Gespräch mit Ms Darcy denken.

Es wird etwas Furchtbares geschehen. Es hat schon angefangen. Ich weiß, dass du es auch spürst. Es fühlt sich an, als würde ich unter Strom stehen. Ich kann es nicht erklären. Ich spüre es schon seit Wochen.

Aries hatte es tatsächlich gespürt. Damals hatte sie noch nicht gewusst, was es war. Es fing ganz harmlos an, als seltsames Gefühl ganz hinten in ihrem Gehirn, das nach einer Weile auf ihr Nervensystem überging, als würde sie lauter kleine Stromschläge bekommen. Zuerst hatte sie gedacht, sie hätte sich erkältet. Als das Erdbeben geschah, war sie so von Sara abgelenkt gewesen, dass sie es gar nicht richtig wahrgenommen hatte. Doch hinterher, in dem verlassenen Apartmenthaus, hatte sie viel Zeit gehabt, um darüber nachzudenken. Ihre Gedanken kehrten immer wieder zu Daniel zurück. Er war der Schlüssel. Er wusste etwas, was sie nicht wusste.

Doch jetzt, als er vor ihr auf dem Boden lag und so schwach aussah, brachte sie es nicht über sich, ihn anzuschreien. Stattdessen machte sie sich Sorgen darüber, ob er vielleicht ernsthaft krank war.

»Sieht ganz so aus, als hätte ich mich besser geschlagen als du«, sagte sie, während sie die Hand ausstreckte und noch einmal seine Stirn berührte. »Du hast Fieber. Wie lange bist du schon krank?«

Er zuckte mit den Schultern. »Das ist nicht weiter schlimm. Es kommt und geht.«

»Kann ich dich für ein paar Minuten allein lassen? Ich hole dir ein paar Schmerztabletten aus der Apotheke drüben. Wir legen dich besser auf eines der Betten da vorn. Das dürfte wärmer sein.«

Er grinste und fing an, heftig zu husten. Sie wartete, bis er wieder aufhörte.

»Ich bin schon ziemlich lang allein. Ein paar Minuten halte ich es schon noch aus.«

»Stimmt. Du machst dir ja nicht viel aus Gesellschaft.«

»Aries?« Joy tauchte auf, mit Nathan neben sich. Überrascht starrten sie den Jungen auf dem Boden an.

»Das ist Daniel«, sagte Aries. »Erinnert ihr euch? Ich habe euch von ihm erzählt.«

»Der Typ, der dir nach dem Busunfall geholfen hat«, rief Joy. Ihre Augen leuchteten auf. »Ich bin Joy. Das da ist Nathan.«

Daniel blinzelte ein paarmal und versuchte, seine Schmerzen zu ignorieren. »Ich würde euch ja die Hand geben, aber ich fürchte, das schaffe ich jetzt nicht.«

»Alles in Ordnung mit dir?«, fragte Nathan.

»Er hat Fieber. Könnt ihr mir helfen, ihn auf eines der Betten da drüben zu legen?«

Die drei ignorierten Daniels Proteste und schleppten ihn zum nächsten Bett, wo Aries ihm dabei half, sich auf eine pinkfarbene Tagesdecke zu legen. Sie holte eine Decke vom Regal und deckte ihn zu.

»Wir sollten in der Apotheke nachsehen«, sagte Aries. »Vielleicht finden wir dort etwas, das ihm helfen kann.«

Joy nickte. Nathan sah etwas unschlüssig aus. Aries packte ihn am Ärmel und zog ihn mit sich, sodass er keine andere Wahl hatte, als ihr zu folgen. »Wir sind gleich wieder da.«

Daniel erwiderte nichts. Er schloss die Augen und ließ den Kopf auf das Kissen sinken.

»Tut mir leid, dass wir so spät kommen«, sagte Nathan, als sie außer Hörweite waren. »Wir hatten ein paar Probleme. Es war nicht so leicht, sie abzuschütteln. Diese Psychos können vielleicht rennen.«

»Ich habe mein Fahrrad verloren«, erklärte Joy. Sie blutete aus einer Schnittwunde am Arm, aber abgesehen davon schien es ihr gut zu gehen. »Nathan musste mich auf die Lenkstange nehmen. Was kein Vergnügen war.«

»Zum Glück bist du so leicht wie eine Feder«, sagte Nathan. »Sonst hätten wir es nicht geschafft.«

»Ich bin gestürzt«, fügte Joy hinzu. »Sie haben mich einfach vom Rad gezogen. Einer von denen hat versucht, mich zu beißen. Kannst du dir das vorstellen? Wie in einem von diesen Zombiefilmen. Wenn Nathan nicht gewesen wäre, wäre ich jetzt Brei. Er war einfach unglaublich.«

»Wir hatten Glück«, wehrte Nathan Joys Bewunderung ab. »Aber ich habe es geschafft, einen von ihnen k. o. zu schlagen. Es war toll. Als ich mich das letzte Mal geprügelt habe, war ich noch ein Kind. Was ist mit dir passiert?« Er hatte Aries' zerrissene Jeans bemerkt.

»Ich habe Bekanntschaft mit der Straße gemacht«, erzählte sie ihnen. »Bin zu schnell um eine Kurve. Meine Schuld. Zum Glück hatte ich sie da schon abgehängt.«

»Dann sollten wir besser auch was für dein Bein holen«, meinte Joy. »Das könnte sich entzünden. Tut es weh?«

»Ja, es brennt wie die Hölle, aber ich werde es überleben.«

»Wir sind alle noch mal mit dem Schrecken davongekommen. Trotzdem sollten wir vorsichtig sein«, sagte Nathan. »Glaubst du, du kannst dem Typ vertrauen? Wie gut kennst du ihn denn?«

»Ich fasse es einfach nicht, dass du ihn gefunden hast«, sagte Joy. »Das ist doch ein unglaublicher Zufall.«

»Ich finde das schon mehr als seltsam«, sagte Nathan. »Warum ist der Typ ausgerechnet hier? Und warum hat er hier geschlafen, obwohl die Hintertür nicht abgeschlossen war? Ist er lebensmüde?«

»Er ist krank. Vielleicht war er einfach nur verzweifelt. Und er mag keine Gruppen«, verteidigte ihn Aries. »Allein ist man angeblich sicherer. Das ist so eine fixe Idee von ihm.«

»Auf mich trifft das jedenfalls nicht zu«, meinte Joy. »Allein wäre ich mit Sicherheit nicht so weit gekommen. Aber bist du denn nicht wütend auf ihn? Er hat dich doch einfach so stehen lassen.«

»Das spielt keine Rolle«, sagte sie. »Jetzt ist er hier und braucht Hilfe.«

In der Apotheke fanden sie Medikamente zum Fiebersenken, doch die Auswahl war so groß, dass Aries nicht wusste, was sie nehmen sollte.

»Das hier ist gut.« Nathan drückte ihr eine Flasche mit einer burgunderfarbenen Flüssigkeit in die Hand.

»Woher weißt du das?«

»Meine Mutter war Krankenschwester. Sie hatte dieses Zeug immer zu Hause. Es schmeckt abartig. Aber es hilft.«

»Okay.« Sie warf einen kurzen Blick auf das Etikett und steckte dann die kleine Flasche in ihre Tasche. »Sonst noch was? Ich meine, was könnte noch helfen?«

»Gib ihm ein paar Schmerztabletten.«

Joy griff nach einer Packung im Regal. »Ich hab welche.«

»Und das hier wirst *du* brauchen«, sagte Nathan, während er ihr eine Flasche mit Kochsalzlösung und ein paar Mullbinden in die Hand drückte. »Für dein Bein. Du blutest.«

Ihre eigenen Probleme hatte sie ganz vergessen. Im Vergleich zu allem anderen schienen sie unwichtig zu sein. Doch Nathan hatte recht. Sie musste die Wunde an ihrem Bein desinfizieren, sonst riskierte sie eine schwere Infektion. In dieser neuen Welt konnte so etwas tödlich sein. Auch eine saubere Jeans wäre nicht schlecht.

»Wir müssen unseren Plan ändern.« Aries warf einen Blick in Richtung der Bettwäscheabteilung, aber sie war zu weit weg, um etwas sehen zu können. »Ich kann ihn nicht hierlassen und ich bezweifle, dass er stark genug ist, um eine längere Strecke zu gehen. Ich glaube, es ist am besten, wenn ihr die Sachen holt, die wir brauchen, und dann erst einmal ohne mich zurückgeht.«

Nathan sah sie ungläubig an. »Ich halte das für keine gute Idee.«

»Ich lasse ihn nicht allein. Er hat mir das Leben gerettet.«

»Hier ist es nicht sicher.«

»Hier ist es genauso sicher wie überall sonst«, sagte Aries.

»Aber wir brauchen dich«, protestierte Joy. »Wer soll deine Sachen tragen? Wir haben es den anderen versprochen.«

»Hört mal zu.« Aries nahm Joy und Nathan am Arm und führte sie von der Apotheke weg. »Ihr könnt mein Rad nehmen.

In der Sportartikelabteilung sind noch jede Menge, ich kann mir jederzeit ein anderes holen. Und dort finden wir bestimmt auch einen von diesen Anhängern für Kinder, die man hinten am Rad festmacht. Damit könnt ihr viel mehr transportieren, ohne behindert zu werden. Außerdem habe ich einige Funkgeräte aus der Elektroabteilung geholt. Ab jetzt können wir in Verbindung bleiben. Ihr könnt mich immer erreichen, wenn ihr wollt. Ich komme zurück, sobald er mich begleiten kann. In ein, zwei Tagen, höchstens.«

»Das gefällt mir nicht«, sagte Nathan. »Und den anderen dürfte es, glaube ich, genauso wenig gefallen.«

»Ich verdanke ihm mein Leben«, entgegnete sie. »Ich schulde ihm einen Gefallen.«

Eine Stunde später waren sie zum Aufbruch bereit. Joy und Nathan waren schwer beladen, hatten aber nicht so viel mitgenommen, dass sie dadurch behindert wurden. Darauf hatte Aries geachtet. Draußen war es noch dunkel, doch im Osten wurde der Himmel allmählich heller. Die beiden mussten sich beeilen.

»Wir melden uns, wenn wir angekommen sind«, sagte Joy. Das Funkgerät hatte sie auf ihren Rucksack geschnallt, was sie aussehen ließ wie einen Fahrradkurier, der sich zu viel zugemutet hatte.

»Seid vorsichtig«, sagte Aries.

»Du auch.«

Joy drehte sich um und öffnete die Tür. Sie schob ihr Fahrrad durch die Öffnung, was gar nicht so einfach war, da es jetzt mit einem Kinderanhänger verbunden war. Aries half ihr die Treppe hinunter. Die Luft draußen war kühl und frisch. Der salzige

Duft des Meers stieg ihr in die Nase, zusammen mit einem leichten Rauchgeruch. Wegen des Erdbebens, aber auch weil die Bestien ihre Opfer gerne mit Feuer aus den Verstecken trieben, standen viele Gebäude noch in Flammen. Aries konnte sich nicht daran erinnern, wann sie das letzte Mal einen Himmel gesehen hatte, der nicht wie eine riesige Wand aus Rauch ausgesehen hatte. Ihrer Kleidung entströmte ständig ein beißender Geruch.

»Verriegel die Tür hinter uns!«, rief Nathan. »Und wenn sie das Fenster einschlagen, gehst du in das Büro. Dort bist du sicher.«

Als sie den Supermarkt durchsucht hatten, hatten sie ein kleines, fensterloses Büro mit einem stabilen Schloss an der Tür gefunden. Wenn etwas passieren sollte, konnte sie Daniel ohne viel Mühe dorthin bringen. In dem Büro würden sie zwar in der Falle sitzen, aber wenigstens die Bestien aussperren können.

»Mach ich«, versprach Aries.

Joy umarmte sie kurz, bevor sie auf ihr Rad stieg. Aries sah zu, wie sie wegfuhren, und fragte sich, ob sie das Richtige tat.

Mit einem leisen Seufzer drehte sie sich um und lief wieder hinein, um darauf zu warten, dass Daniels Fieber herunterging.

Er hatte sich nicht bewegt, seit sie ihn zum letzten Mal gesehen hatte. Sie setzte sich eine Weile zu ihm aufs Bett und sah zu, wie er atmete. Menschen sahen immer so schön aus, wenn sie schliefen, so verwundbar und unschuldig. Am liebsten hätte sie ihn jetzt in die Arme genommen und festgehalten, bis er wieder aufwachte. Sie streckte die Hand aus und strich ihm vorsichtig eine Haarsträhne aus den Augen. Er bewegte sich nicht. Sie fuhr mit dem Finger über sein Gesicht, erstaunt darüber, wie weich seine Haut war. Ihr Herz schlug schneller. Sie spürte, wie es in ihrer Brust pochte. Seine Lippen waren leicht geöffnet, dahinter waren gerade weiße Zähne zu erahnen. Sie berührte seine Lippen und zog dann schnell ihre Hand zurück.

Er murmelte etwas im Schlaf, das sie nicht verstehen konnte. Sie musste lächeln. Wenigstens war er nicht aufgewacht. Sie wusste nicht, wie sie ihm ihren plötzlichen Wunsch, ihn zu berühren, hätte erklären sollen.

Verlegen stand sie auf, zog vorsichtig die Decke über seine Brust und steckte sie fest, damit er es warm hatte.

Nachdem sie sich neben dem Bett auf den Boden gesetzt hatte, zog sie ihre Jeans aus und machte ihre Wunden mit Kochsalzlösung sauber. Es brannte ein bisschen, war aber auszuhalten. Auf ihrer Haut klebte Kies und die Steinchen, die sie nicht wegwaschen konnte, musste sie einzeln herausholen. Es tat weh und es half auch nicht gerade, dass ihre Muskeln jedes Mal, wenn sie vor Schmerz zurückzuckte, zu zittern begannen. Schließlich schaffte sie es, ihre Wunden halbwegs zu reinigen. Zum Schluss wickelte sie die Mullbinde um ihr Bein.

Sie warf ihre zerrissenen Jeans zur Seite, griff nach der Jogginghose, die sie in der Modeabteilung gefunden hatte, und zog sie an. Der weiche Stoff war bequemer und klebte nicht so an ihren Beinen wie die Jeans.

Gähnend holte sie sich ein paar Kissen und eine Decke aus den Regalen und baute sich auf dem Boden neben Daniel ein Bett.

Was würde passieren, wenn die Medikamente nicht halfen und sein Zustand sich verschlimmerte? Sie konnte ihn ja nicht ins Krankenhaus bringen. Was für ein sonderbarer Gedanke. In dieser neuen Welt gab es keine Hilfe. Selbst so einfache Dinge wie Fieber konnten einen umbringen.

»Du wirst nicht sterben«, flüsterte sie in die Dunkelheit. »Das werde ich nicht zulassen.«

Nachdem sie sich zugedeckt hatte, lag sie mit offenen Augen da und wartete darauf, dass der Morgen kam. Es dauerte lange, bis ihr Gehirn aufhörte, alle Wenn und Aber durchzuspielen, und ihre Augenlider schwer wurden.

Sie wollte gar nicht einschlafen.

Als sie aufwachte, wusste sie nicht, wo sie war. Sie verstand auch nicht, warum sie stechende Schmerzen im Rücken hatte und auf dem Boden lag. Mit einem Ruck setzte sie sich auf und sah sich verstört um.

»Guten Morgen.«

»Daniel?«

»Hattest du jemand anders erwartet?«

Als sie sich die Haare aus dem Gesicht strich, zuckte sie vor Schmerz zusammen. Auf dem kalten Boden zu schlafen, war nie eine gute Entscheidung.

»Schlecht geträumt?«

Sie schüttelte den Kopf. »Nein. Ich hatte nur kurz vergessen, wo ich bin.«

»Das passiert mir auch manchmal.«

»Du klingst, als würde es dir schon viel besser gehen.« Sie schob die Decke weg und stand auf. Als sie sich streckte, spürte sie, wie ihre Gelenke knackten.

»Dank dir geht es mir tatsächlich schon viel besser. Das Fieber ist weg.«

»Wirklich? Großartig.«

Daniel schien es tatsächlich besser zu gehen. Er sah zwar noch etwas blass aus, war aber nicht mehr so kreidebleich und verschwitzt. Gestern Abend hatte sie ihm mit ein paar Feuchttüchern über die Stirn gewischt und das meiste von dem Blut entfernt. Die Schnittwunde hatte sie mit weißem Verbandsmull abgedeckt, den sie mit Heftpflaster festgeklebt hatte. Er sah aus wie ein verwundeter Soldat, der direkt vom Schlachtfeld kam. Aber wenigstens waren seine Augen nicht mehr so glasig und er konnte sich ohne Probleme auf sie konzentrieren. Sein Blick war ungeheuer intensiv, als würde er direkt bis in ihr Innerstes vordringen.

»Meine Taschenlampe hast du immer noch«, sagte sie.

Er griff in die Tasche und zog sie heraus. »Natürlich. Ich wusste, wenn ich sie behalte, würdest du einen Weg finden, um zu mir zurückzukommen.«

»Ähm … ich … aha.« Noch origineller ging es wohl nicht.

»Aber jetzt, wo du weißt, dass ich wieder gesund bin, musst du gehen.«

»Was?« Sie starrte ihn ungläubig an. »Nein. So funktioniert das nicht.«

»Doch, tut es. Ich habe mich nicht verändert, Aries. Ich halte immer noch nichts von Gruppen. Du bist ein nettes Mädchen und ich habe dich sehr gern, aber in meiner Gegenwart bist du nicht sicher.«

»Das hast du schon mal gesagt. Ich glaube es dir nicht.«

»Du bist doch noch am Leben, oder nicht? Wegen mir. Weil ich dich in die Schule gebracht habe, auch wenn ich dann wieder gegangen bin.«

Dagegen konnte sie nichts sagen. Es stimmte. Sie beschloss, es anders zu versuchen. »Was hast du eigentlich gegen Gesellschaft? Es war das Beste, was mir passieren konnte. Wir müssen zusammenhalten, wenn wir gegen sie ankommen wollen. Du benimmst dich, als wärst du eines von diesen Ungeheuern.«

»Vielleicht bin ich das ja.«

»Bist du nicht. Wenn es so wäre, wüsste ich das.«

»Wirklich?«

»Sie sind verrückt.«

»Nicht alle.«

»Sie töten ohne jeden Grund. Deshalb sind sie verrückt.«

Daniel nahm die Wasserflasche, die Aries gestern Abend neben das Bett gestellt hatte, und trank einen großen Schluck. »Einige von ihnen sind tatsächlich verrückt. Vor ein paar Tagen habe ich gesehen, wie sich einer selbst das Genick gebrochen hat. Er hat den Kopf zwischen die Streben eines Eisenzauns gesteckt und sich so lange hin und her geworfen, bis die Knochen brachen. Es dauerte ziemlich lange, bis er tot war. Und einige von ihnen sind strohdumm. Aber nicht alle. Am selben Tag haben sich ein paar von ihnen zu einer Gruppe zusammengetan und eine Bücherei in Brand gesteckt, weil sie wussten, dass sich dort einige Leute verstecken. Sie warteten an den Ausgängen und haben sich ihre Opfer eins nach dem anderen geschnappt, als sie zu fliehen versuchten. Es war ein durchdachter Plan.«

»Das heißt doch aber nicht, dass sie nicht verrückt sind.«

»Einige von ihnen sind in der Lage, dich zu täuschen«, fuhr er fort. »Einige von ihnen können normal reden. Sie können dich dazu bringen, dass du sie für unschuldig hältst. Deshalb darfst du niemandem vertrauen. Was ist mit deinen Freunden? Kennst du sie wirklich so gut? Würdest du ihnen dein Leben anvertrauen?«

»Ja.« Sie brauchte gar nicht über die Antwort nachzudenken. Allerdings blitzte kurz Colins Gesicht in ihren Gedanken auf, aber nur für einen Moment. Er war viel zu feige, um ein Killer zu sein.

»Dann bist du dumm.«

»Und du bist ein Arsch.«

»Weil ich versuche, dich am Leben zu halten?«

»Ich brauche deine Hilfe nicht.«

Daniel schmunzelte. »Ich glaube, damit hast zur Abwechslung mal du recht. Bis jetzt hast du dich sehr gut geschlagen. Es gibt nicht viele, die es so weit geschafft haben. Ich würde dich ja fragen, wo du dich mit den anderen versteckst, aber ich will es nicht wissen.«

»Ich möchte, dass du mitkommst, wenn ich zurückgehe.« So, jetzt hatte sie es gesagt. Sie hatte unzählige Fragen an ihn und vor allem interessierte es sie brennend, warum er so viel wusste. Doch das musste alles warten, bis sie ihn in Sicherheit gebracht hatte.

»Nein.«

Sie wollte ihn packen und kräftig durchschütteln, damit er endlich zur Vernunft kam. Er machte sie wahnsinnig. Warum war er nur so stur? »Na schön. Wie du willst. Aber glaub bloß nicht, dass ich angerannt komme, wenn du das nächste Mal am Boden liegst.«

»Dann gehst du also?«

»Erst, wenn es dunkel ist. Tagsüber ist es draußen nicht sicher.«

Zu ihrer Überraschung nickte er. »Du hast recht. Dann werden wir es bis dahin wohl miteinander aushalten müssen.« Er stand auf. Dann zog er sein schmutziges Hemd aus und ließ es auf den Boden fallen.

Sie wurde rot und wandte den Blick ab, allerdings erst, nachdem sie durchtrainierte Muskeln und gelb verfärbte Blutergüsse auf seinem Bauch zu sehen bekommen hatte.

»Ich hole mir ein neues Hemd«, sagte er. Aries konnte den belustigten Unterton in seiner Stimme ganz deutlich hören. »Und dann suche ich mir was zu essen.« Seine nackten Füße machten ein leises, platschendes Geräusch auf dem Fliesenboden, als er davonging. »Du kannst gern mitessen. Ich verspreche, dass ich dabei mehr anhaben werde.«

Ein Dutzend Antworten schoss ihr durch den Kopf, doch jede einzelne davon war so bescheuert, dass sie sich lieber auf die Zunge biss. Als er um die Ecke gebogen war, packte sie ihr Kissen und warf es ihm nach. Nicht gerade die originellste Retourkutsche der Welt, aber hinterher ging es ihr wenigstens ein bisschen besser.

Sie zog eines der Funkgeräte aus ihrer Tasche und schaltete es ein. Dann hob sie es an ihren Mund, zögerte aber. Was sollte sie eigentlich sagen? Sie hatte gestern Abend kurz mit Joy gesprochen, nachdem sie und Nathan wieder in der Wohnung angekommen waren, und versprochen, sich am Morgen noch einmal zu melden und alle auf den neusten Stand zu bringen. Sicher, Daniel ging es besser, und das war etwas, das sie erzählen konnte, aber im Grunde genommen wusste sie jetzt nicht mehr weiter. Sie war dafür verantwortlich, ihn zu den anderen zu bringen, doch er schien unbedingt zurückbleiben zu wollen. Es war merkwürdig.

»Ist da jemand?«, sagte sie in den winzigen Empfänger. Sie kam sich irgendwie dumm vor. Musste man nicht so was wie »over« oder »verstanden« sagen, wenn man diese Dinger benutzte?

Nach einer Pause hörte sie ein Klicken. »Aries?«

»Hi, Jack.«

»Wow, der Empfang ist super. Keine Hintergrundgeräusche oder so. Bist du noch im Supermarkt?«

»Ja. Ich werde bis zur Dämmerung hierbleiben. Wie geht's euch? Ist etwas passiert?«

»Nein, hier läuft alles super. Wir haben die neuen Sachen angezogen und etwas gegessen. Die Stimmung ist gut. Sogar Colin hat gute Laune. Wie geht's diesem Typen? Besser?«

»Ja. Das Fieber ist weg.«

»Klasse. Ich freue mich schon, ihn kennenzulernen. Wir sehen uns dann heute Abend, ja?«

»Ja.« Sie wusste nicht so genau, warum sie ihn angelogen hatte, aber vor allem lag es wohl daran, dass die Wahrheit viel zu kompliziert war, um sie über eine kleine Plastikkiste zu erklären. Wenn sie zurück war, würde sie den anderen die ganze Geschichte erzählen.

Und vielleicht würde es sich Daniel ja noch anders überlegen. Bis zum Sonnenuntergang war es noch lang.

Sie machte sich auf die Suche nach ihm und fand ihn schließlich in der Spielzeugabteilung. Er hatte sich ein frisches Hemd angezogen, ein schwarzes, das eng an seinem Oberkörper anlag. Auch die Jeans hatte er gewechselt. Seine Füße waren immer noch nackt. Der behelfsmäßige Verband an seiner Stirn war weg und seine Haare sahen feucht aus. Er hatte sich in der Zwischenzeit gewaschen.

»Du siehst gut aus«, sagte Aries. Sie bereute ihre Worte sofort, als er ihr mit hochgezogener Augenbraue einen Blick von der Seite her zuwarf und dabei grinste. »Ich meine, nicht mehr so krank. Besser als gestern Abend.«

Er lachte.

Das war's. Sie hatte genug. Ab jetzt würde sie kein einziges Wort mehr sagen. Wenn sie den Mund hielt, würde sie endlich aufhören, sich lächerlich zu machen.

»Dafür siehst du heute ein bisschen verkrampft aus«, entgegnete er. »Was hast du mit deinem Bein gemacht? Du bewegst dich, als hättest du vergessen, wie man seine Knie benutzt.«

»Nur ein Kratzer«, antwortete sie. »Keine große Sache.«

Genau genommen waren die Schmerzen in ihrem Bein seit gestern Abend schlimmer geworden. Als sie mit dem Rad gestürzt war, hatte sie es irgendwie fertiggebracht, sich sämtliche Muskeln an der Innenseite ihres Oberschenkels zu zerren, und die große Wunde an ihrem Bein erschwerte das Gehen. Jedes Mal, wenn sich ihre Haut spannte, hätte sie am liebsten laut geschrien, doch das würde sie auf keinen Fall zugeben.

»Ich habe nicht den Eindruck, dass du eine von diesen Prinzessinnen bist.«

»Was soll das denn bedeuten?«

Er lächelte. »Es bedeutet, dass ich trotzdem alles dafür tun würde, um dich zu retten, du mir aber vermutlich zum Dank eine scheuern würdest – weil du lieber versuchst, den Drachen selbst zu töten.«

»Muss ich dich erst noch daran erinnern, wer wen gestern Abend gerettet hat?«

»Wenn du das so nennen willst – bitte. Und als Belohnung habe ich ein Geschenk für dich«, erwiderte Daniel. Erst jetzt fiel ihr auf, dass er etwas hinter seinem Rücken versteckt hatte.

»Was ist das?«

»Etwas, mit dem die Zeit bis heute Abend schneller vergehen wird«, sagte er, während er den Gegenstand hervorzog, damit sie ihn sehen konnte. Monopoly. Weltedition.

Sie lachte. »Du hast schon verloren.«

»Das werden wir ja sehen. Aber ich bekomme das Auto.«

Nachdem sie den Karton aus der Kunststofffolie geschält hatten, stellten sie das Spielbrett auf einem der Mustertische in der Haushaltswarenabteilung auf. Sie spielten drei Durchgänge, von denen Aries zwei gewann. Dann statteten sie dem Gang mit den Knabberartikeln einen Besuch ab und holten sich Kartoffelchips, Popcorn mit Käsegeschmack und Dosen mit Eistee.

Mehrmals versuchte sie, ihn darüber auszufragen, ob er noch mehr wusste über das, was geschehen würde. Er schien so viel zu wissen, doch er wollte ihr nicht antworten oder wechselte schnell das Thema. Schließlich hörte sie auf zu fragen.

»Ich glaube, ich habe jetzt so oft Monopoly gespielt, dass es für den Rest meines Lebens reicht«, bemerkte sie nach dem letzten Spiel. Sie sah auf die Uhr. 18.30 Uhr. Sie stand auf und ging bis zum Hauptgang. Auf der anderen Seite des Supermarkts konnte sie die großen Eingangstüren sehen. Der Himmel draußen wurde langsam dunkler.

»Die Tage werden kürzer«, stellte Daniel fest.

»Es wird ein kalter Winter werden«, stimmte sie ihm zu. »Vor allem ohne Heizung und Strom. Wir hätten in den Süden gehen sollen.«

Sie hatte es scherzhaft gemeint, doch Daniel nahm sie wie immer wörtlich.

»Ihr hättet es nie bis in den Süden geschafft.«

»Bist du eigentlich nie optimistisch?« Sie schlang die Arme um ihren Oberkörper. Es war komisch, dass einem auch dann kalt wurde, wenn man nur über das Wetter sprach.

»Nein.«

Vorhin hatte sie eine Strickjacke, die ihr gefallen hatte, vom

Regal genommen. Sie war dunkelgrün und hatte braune Holz-knöpfe und eine Kapuze. Daniel nahm sie vom Stuhl und gab sie ihr. Aries legte sie sich um, verfing sich aber mit dem Ell-bogen in einem Ärmel. Er streckte die Hand aus und half ihr, doch dann blieb seine Hand auf ihrem Arm liegen. Er sah ihr in die Augen.

»Du musst bald gehen.«

»Komm mit.«

»Nein.«

Sie zog ihren Arm mit einem Ruck weg. »Was ist bloß los mit dir?«

Aber er achtete gar nicht auf sie, sondern starrte über ihren Kopf hinweg auf den Haupteingang. Sein Gesicht wirkte an-gespannt.

»Hast du das gehört?«

Aries erstarrte. »Was?«

Er ignorierte sie und ging an ihr vorbei in den Hauptgang. Sie folgte ihm bis in den vorderen Teil des Supermarkts. Daniel kniete sich hinter eine Palette mit Waschmitteln und sie kauerte sich neben ihn.

Der Parkplatz draußen schien leer zu sein. Doch es war dun-kel und überall lauerten tiefe Schatten. Im Grunde genommen konnte Aries gar nichts erkennen.

»Sie sind da draußen«, flüsterte er.

»Was? Wo? Ich sehe nichts.«

»Ich kann sie spüren.«

Glas splitterte. Irgendetwas prallte auf den Boden und rollte auf sie zu, bis es etwa sechs Meter vor ihnen liegen blieb. Ein großer Stein.

Daniel drehte sich um und packte sie am Arm. Er eilte mit ihr in den hinteren Teil des Supermarkts, in Richtung der Laderampe. Ihren Rucksack hatte Aries schon früher am Tag gepackt und ihn zusammen mit ihrem neuen Rad zum Hinterausgang gebracht.

»Aries«, sagte er, während er sie mit sich zerrte, »hör mir zu. Du musst mir jetzt zuhören. Geh jetzt. Geh, solange du noch kannst.«

»Ich kann dich nicht hierlassen. Komm mit!«

Er schüttelte den Kopf. »Du verstehst das nicht. Sie sind meinetwegen hier. Nicht deinetwegen. Meinetwegen.«

»Du hast recht. Das verstehe ich nicht.« Sie versuchte, ihm ihren Arm zu entreißen, doch er war zu stark. »Lass los! Du tust mir weh!«

Er ignorierte ihre Proteste, bis sie die Laderampe erreicht hatten. Nachdem er ihr eine Taschenlampe in die Hand gedrückt hatte, warf er durch einen Spion in der Tür einen Blick nach draußen und öffnete dann. Es blieb ihr nichts anderes übrig, als einfach zuzusehen, wie er ihr Rad auf die Laderampe schob. Sie lauschte auf Geräusche aus dem Supermarkt, auf irgendeinen Hinweis darauf, dass die Verrückten hereingekommen waren, konnte aber nichts hören.

Nachdem sich Daniel draußen umgesehen hatte, kam er zurück. Er packte sie wieder am Arm und schleifte sie geradezu durch die Tür und die Treppe an der Laderampe hinunter.

»Ich lasse dich nicht hier«, rief sie. Tränen schossen ihr in die Augen. Sie brachte es einfach nicht fertig. Er konnte sagen oder tun, was er wollte, sie würde nicht gehen. Sie würde ihn nicht einfach sterben lassen. Es waren schon zu viele Menschen gestorben. Sie würde nicht zulassen, dass er der Nächste war.

»Ist schon okay«, sagte er. Er zog sie an sich und nahm sie in die Arme. »Mir wird nichts passieren. Das musst du mir jetzt einfach glauben«, flüsterte er ihr ins Ohr.

»Nein.« Sie versuchte, sich loszureißen, doch er war einfach zu stark.

»Aries.« Als sie nicht antwortete, hob er ihr Kinn hoch und zwang sie, ihn anzusehen. »Ich werde dir jetzt etwas Wichtiges sagen und du darfst es auf keinen Fall wieder vergessen, okay?«

Sie nickte und versuchte, ein Schluchzen zu unterdrücken.

»Sie sind nicht alle schlecht. Vergiss das nicht. Einige von ihnen haben noch lichte Momente. Mir wird nichts passieren. Ich verspreche es. Und dieses Versprechen werde ich nicht brechen. Wenn das hier vorbei ist, werde ich dich finden.«

»Wir sind in der Alexander Street. Es ist das einzige Gebäude, bei dem das Dach eingestürzt ist. Du kannst es nicht verfehlen.«

Er seufzte. »Ich habe dir doch gesagt, dass ich es nicht wissen will.«

»Tut mir leid.«

»Ich muss jetzt gehen. Lass mich los.«

Aries ließ ihn los.

Er sagte kein Wort mehr, sondern rannte die Treppe hoch auf die Laderampe und wieder zurück in den Supermarkt. Die Tür schloss sich und sie war allein.

Als sie aus ihrer Starre erwachte, raste sie die Treppe, immer zwei Stufen auf einmal nehmend, hoch und packte den Griff, doch die Tür war verriegelt.

Aries wusste nicht, was sie tun sollte. Es war alles so schnell gegangen. Sie setzte sich auf eine Stufe und überlegte, welche Möglichkeiten es gab. Von der Laderampe aus kam sie nicht wieder in den Supermarkt. Und vorn durch den Haupteingang zu gehen, wäre Selbstmord.

Er hatte gewonnen. Er hatte seinen Willen bekommen. Und jetzt hatte sie keine andere Wahl, als zu gehen. Sie würde ihm einfach glauben müssen.

Unbändige Wut stieg in ihr hoch. Sie sprang auf, packte ihren Rucksack und zog ihn sich über die Schultern. Also gut. Wenn er es so haben wollte, würde sie ihn eben hierlassen. Sie hatte genug von diesem Spiel. Wenn er sich lieber abmetzeln lassen wollte, als mit ihr zusammen zu sein, bitte, das konnte er haben.

Als sie das Apartmenthaus in der Alexander Street erreichte, wüteten die Schmetterlinge in ihrem Bauch immer noch. Die Angst vor dem Unbekannten. Daniel. Die Bestien, die sich als Menschen tarnten.

Wie sollte sie sich auf einen Krieg vorbereiten, von dem sie wusste, dass sie ihn nicht gewinnen konnte?

NICHTS

Wir vergessen, wie furchtbar schwach wir sind.

Haut. Wir stellen so viel mit ihr an. Wir verbrennen sie. Tätowieren sie. Reiben Chemikalien darauf. Manchmal schürfen wir sie uns auf oder stechen Löcher hindurch.

Haut hält uns zusammen. Sie sorgt dafür, dass das Blut in uns bleibt. Ohne sie sterben wir.

Als das Messer ihre Haut aufschlitzte, sah sie mich mit großen Augen an, als könnte sie einfach nicht glauben, dass ich es getan hatte. Überraschung. Schock. Sie würde sterben. Das Blut, das nicht länger in ihrem Körper eingesperrt war, floss aus ihr heraus und bildete auf dem Boden neben ihren Zehen eine große Lache.

Sie dachte, sie würde ewig leben.

»Du musst dir eine dickere Haut anschaffen«, sagte ich zu ihr. Berühmte letzte Worte. Das hatte jemand aus meinem früheren Leben zu mir gesagt, jemand, den ich geliebt habe.

Dickere Haut.

In Wirklichkeit brauchte ich ein stärkeres Gehirn. Eines, das mir helfen würde, den richtigen Weg zu finden.

Ich habe drei Narben auf meiner Haut. Sie sind so eine Art Tagebuch und dokumentieren das, was ich getan habe. Das, was man mir angetan hat.

1. Eine kreisförmige Narbe von der Größe eines 25-Cent-Stücks in der Mitte meiner rechten Handfläche. Als ich fünf Jahre alt war, schüttete mir mein Vater zur Strafe kochendes Wasser auf die Haut. Er zwang mich, die Hand auszustrecken, und goss das Wasser direkt aus dem Kessel darauf, als es kochte. Es war zu meinem Besten. Ich war unartig gewesen und hatte es nicht besser verdient.

2. Eine große Narbe an meinem Knie, die von einem Sturz mit dem Fahrrad stammt. Ich war sieben. Ich hatte eine Kleinigkeit gestohlen und der Lebensmittelhändler rannte mir hinterher. Natürlich hat er mich erwischt. Zur Strafe wurde mir der Finger gebrochen und er weigerte sich, mich ins Krankenhaus zu bringen. Meine Haut war immer noch nicht dick genug.

3. Eine dünne Linie an der Innenseite meines Handgelenks, wo ich versucht habe, das Blut aus mir herauszulassen.

Ich bin nicht stolz auf das, was ich getan habe. Oder auf das, von dem ich weiß, dass ich es noch tun werde. Wir werden böse, weil wir es verdient haben, und nicht, weil wir unser Leben als Heilige geführt haben. Die Dunkelheit schafft es nicht bis dahin, wo Licht und Wärme sind. Manchmal ist es einfacher, den Schmerz zuzulassen, als gegen das Feuer zu kämpfen. Der freie Wille sagt in Wirklichkeit nichts aus – auch wenn er uns glauben lässt, dass wir uns einfach nur für das Richtige zu entscheiden brauchen. Als hätten wir wirklich eine Wahl. Doch eine tatsächliche Wahl findet selten statt. Häufig ist es vielmehr Schwäche, die den Ausschlag gibt.

Wenn du alles über meine Kindheit wüsstest, würdest du mir nicht die Schuld daran geben. Du würdest sagen, ich sei ein Opfer. Nicht schuldig. Doch die Stimmen wissen es besser. Sie hielten es trotzdem für angebracht, über mich zu urteilen. Anspruch auf meine Seele zu erheben.

Ich will damit aufhören. Ich will, dass mir jemand hilft.

Hilf mir, bevor ich meine Seele töte.

MICHAEL

»Es ist kalt«, sagte Clementine.

Sie hatten eine Pause gemacht, um Spaghetti aus der Dose und Trockenfrüchte zu essen; Vorräte, die sie vor ein paar Tagen in einem Fabrikladen gefunden hatten. An einem Rastplatz neben einem See, einem von vielen Dutzend Touristenattraktionen in den Rocky Mountains.

»Es wird schneien«, sagte Michael.

»Woher weißt du das?«

»Es riecht nach Schnee.«

Clementine schnupperte und sah ihn verwirrt an.

Er hatte vergessen, dass sie noch nie in den Bergen gewesen war. Sie war in der Prärie aufgewachsen, in einer weiten, offenen Landschaft. Dort sah es ganz anders aus im Vergleich zu dem Tal, wo er aufgewachsen war, wo Seen und Bäume einen Teil der langweiligen Landschaft darstellten und die Winter kalt und ungemütlich waren.

»Ich glaube, das lernt man mit der Zeit eben«, meinte er. »Ich kann es zwar nicht erklären, aber hier kann ich den Schnee immer riechen. Ich weiß auch nicht, warum.«

»Für Schnee sind wir nicht richtig angezogen«, sagte sie. Ihm war sofort klar, dass sie recht hatte.

Sie trugen beide Jeansjacken und Kapuzenpullover. Keine Winterjacken, keine Handschuhe, keine Schals, nicht einmal

Stiefel. Warum hatte er nicht an warme Kleidung gedacht, als sie in dem Fabrikladen gewesen waren?

Weil er den Kopf mit anderem voll hatte. Am meisten quälte ihn der Gedanke an die Mutter und ihren kleinen Sohn. Hatten sie gelitten? Er hoffte, dass die Hetzer barmherzig gewesen waren und das Kind schnell getötet hatten. Warum hatte er nicht versucht, die beiden zu retten?

Hinzu kam, dass der September ungewöhnlich heiß gewesen war. Inzwischen hatten sie zwar Oktober, aber es war immer noch warm. Na ja, inzwischen wohl eher *gewesen*. Aber er hätte daran denken müssen, wie unberechenbar das Wetter in den Bergen sein konnte.

»Komm, wir gehen«, sagte er. Er sprang vom Tisch, nahm seinen Rucksack und warf ihn sich über die Schulter. »Wenn wir das Tempo beibehalten, finden wir bestimmt eine Blockhütte oder etwas anderes, wo wir übernachten können. In dieser Gegend gibt es eine Menge Hotels und Ferienhäuser. Wir müssen sie nur finden.«

»Okay.«

»Ein bisschen Schnee hat vielleicht auch etwas Gutes. Wenn wir Glück haben, ziehen die Hetzer alle nach Süden. Ohne Strom wird der Winter ganz schön kalt werden.«

»In Seattle ist es bestimmt wärmer«, sagte Clementine. »Heath hat gesagt, dass es dort nur regnet.«

Als sie wieder auf der Straße waren, fielen die ersten Schneeflocken. Es waren nur ein paar Flocken, die sich zögerlich aus den dunklen Wolken über ihnen lösten.

»Siehst du«, rief er. »Ich hab's doch gewusst.«

»Es ist wunderschön«, befand sie, während sie den Kopf nach oben reckte. »Ich liebe es, wenn es zum ersten Mal im Winter schneit. Ich bin dann immer auf die Felder gelaufen und habe in die Wolken gestarrt. Das sieht fast so aus, als würde der ganze Himmel nur für mich tanzen.«

Michael hasste Schnee, aber das sagte er ihr nicht. Schnee war gleichbedeutend mit Schneeschippen, eiskaltem Gesicht und Videospiele-Spielen, bis er sich zu Tode langweilte. Im Winter hätte er sich am liebsten ins Bett verzogen, um durchzuschlafen. Seine Mutter hatte immer gewitzelt, unter seinen Vorfahren müsse ein Bär gewesen sein. Er hatte fest vorgehabt, in Kalifornien oder Arizona auf die Universität zu gehen, irgendwo, wo es das ganze Jahr über warm war.

Am Anfang schmolz der Schnee noch, wenn die Flocken auf den Boden trafen, doch nach etwa dreißig Minuten bildete sich langsam eine dünne weiße Schicht auf der Straße. Aus dem Himmel über ihnen fielen große Flocken, die mit jedem ihrer Schritte schneller herabsanken. Michael machte sich langsam Sorgen, versuchte aber, sich nichts anmerken zu lassen. Er wollte ihr keine Angst machen, doch es sah ganz danach aus, als würde sich ein heftiger Schneesturm entwickeln. Von hinten wehte ein kräftiger Wind, der sich gegen ihre Kleidung warf und versuchte, ihnen die Haare vom Kopf zu reißen. Die Sonne war verschwunden. Es war noch nicht einmal fünfzehn Uhr, doch die Wälder waren dunkel. Der Schnee schluckte sämtliches Licht.

Sie brauchten ein Dach über dem Kopf.

»Wie ist denn so was überhaupt möglich?«, schrie sie gegen den heulenden Wind. Er hörte, wie ihre Zähne klapperten, wenn sie beim Sprechen eine Pause machte. »Heute Morgen war es noch sonnig und warm.«

»Ich habe schon Schlimmeres gesehen«, brüllte er zurück.

»Wirklich? Du hast es tatsächlich sehen können? Ich sehe nicht einmal die Straße vor uns.«

Sie hatte recht. Die Sicht war gleich null.

»Pass auf, ob du eine Abzweigung erkennen kannst«, rief er. »Es muss irgendwas in der Nähe sein. Ich bin hier aufgewachsen. Hier in der Gegend sind Hunderte von Blockhütten.«

Okay, das war ein wenig gelogen. Er hatte weiter südlich gewohnt, wo viele Skihügel das Gelände beherrschten. Im Augenblick hatte er nicht die geringste Ahnung, wo sie waren. Es war durchaus möglich, dass sie zu weit nach Norden gegangen waren und schon die Grenze nach Kanada überquert hatten. In letzter Zeit hatte er sich häufig im Kreis bewegt und nicht darauf geachtet, wo die Straße hinführte. Als er mit der Gruppe unterwegs gewesen war, war es vor allem darum gegangen, etwas zu essen zu finden. Allein gelang es ihm irgendwie nie, egal wie viel Weg er auch zurücklegte, weit genug wegzukommen.

Davon sagte er ihr allerdings nichts. Er wollte ihr nicht noch mehr Angst machen.

Den anderen hatte er auch keine Angst machen wollen. Und was hatte es ihnen gebracht?

Der Schneesturm tobte weiter und nach kurzer Zeit steckten sie bis zu den Knöcheln in dem weißen Pulver. Die Sonne war jetzt vollständig untergegangen und die Nacht brach herein. Der Wind heulte in ihrem Rücken. Michael tat das Gesicht weh und seine Zehen wurden allmählich taub. Clementine beklagte sich nicht, doch es war ihr anzumerken, dass es ihr genauso erging wie ihm. Mit beiden Händen hielt sie ihre Jacke am Kragen zu, damit kein Schnee auf ihre Bluse fiel. Wangen und Stirn waren knallrot und ihre blonden Haare wurden vom Wind hin und her gepeitscht.

Sie schleppten sich weiter.

Wenn sie nicht bald einen Unterschlupf fanden, würden sie erfrieren. Michael fand es ironisch. Angesichts der Situation schien das irgendwie nicht die richtige Todesart zu sein.

Aber er war noch nicht zum Sterben bereit. Nicht, wenn er noch leben wollte.

»Was ist denn das da?«, schrie Clementine gegen den Wind.

Zuerst konnte Michael gar nichts erkennen. Doch dann sah er durch das Schneegestöber hindurch einen Schatten. Schmal und lang zog er sich an der Straße entlang. Er brauchte eine Weile, bis er begriff, was es war.

»Briefkästen«, rief er. »Das sind Briefkästen.«

Mehrere Metallkästen waren neben- und aufeinandergestapelt worden, wie das in ländlichen Gebieten oft gemacht wurde. Drei Reihen mit jeweils vier Briefkästen übereinander. Häufig wohnten die Leute zu weit weg von einem Postamt, sodass sie ihre Briefkästen alle zusammen an einer leicht zugänglichen Stelle der Straße aufstellten.

»In der Nähe müssen Häuser sein«, rief er. »Wir sind gerettet.«

Clementines Reaktion war nicht so begeistert, wie er gedacht hatte. Sie drehte sich plötzlich in die Richtung, aus der sie gekommen waren, und starrte angestrengt in das weiße Nichts.

»Was siehst du?«

»Dahinten bewegt sich etwas.«

Michael richtete seine Aufmerksamkeit auf die Straße hinter ihnen. Zuerst konnte er gar nichts erkennen, doch dann sah er es, für einen kurzen Moment: Jemand rannte über die Straße und versteckte sich zwischen den Büschen. Eine Sekunde später folgte eine zweite Gestalt.

»Oh Gott«, stöhnte er. »Sie haben uns gefunden.«

Michael packte ihre Hand und begann zu laufen. Er musste sie gar nicht mit sich ziehen, sie kam freiwillig mit. »Halt dich fest!«, schrie er. »Wenn ich dich jetzt verliere, finde ich dich vielleicht nie wieder.«

Sie klammerte sich fester an seine Hand.

Den ersten Hetzer sah Michael erst, als er nur noch wenige Zentimeter von seinem Gesicht entfernt war und er fast schon die schwarzen Adern in den Augen des Ungeheuers erkennen konnte. Die Bestie tauchte ganz plötzlich vor ihm auf und Michael bewegte sich zu schnell, um noch stehen bleiben zu können. Er prallte mit der Stirn gegen den Kopf des Mannes. Beide gingen zu Boden und Clementine wurde mitgerissen. Michael landete mit dem Gesicht auf dem Mund des Hetzers und roch den Gestank faulender Zähne. Er ließ Clementines Hand los, stieß sich vom Boden ab und versuchte, von dem Verrückten wegzukommen.

Der Hetzer packte ihn am Arm. »Warum hast du es denn so eilig?«, fuhr er ihn an.

Clementine kam von rechts angeschossen und trat den Mann, so fest sie konnte. Er stürzte und sein Griff um Michaels Arm lockerte sich gerade so weit, dass dieser sich befreien konnte. Doch sie hatten zu viel Zeit verloren. Die anderen Hetzer kamen aus dem Wald angerannt. Es waren mindestens fünf und alle waren so leicht angezogen und so schlecht auf die Kälte vorbereitet wie sie.

»Komm!«, rief Michael. Als er die Hand nach Clementine ausstreckte, wurde ihm mit einem Mal bewusst, dass er sie nicht mehr sehen konnte. Sie war einfach im Schneegestöber verschwunden. Er ging einige Meter rückwärts, wobei er die Hetzer aus den Augen verlor, und kam plötzlich von der Straße ab. Im Fallen stolperte er über eine Wurzel im Boden und landete mit seinen bereits vor Kälte tauben Händen in dem fünfzehn Zentimeter hohen eisigen Schnee.

Michael wollte nach ihr rufen, doch er wusste, dass er damit die Hetzer auf sich aufmerksam machen würde.

In einiger Entfernung konnte er die Umrisse von Menschen erkennen, die sich in verschiedene Richtungen bewegten. Doch welche Silhouette war Clementine? Er musste an diese Quizshows im Fernsehen denken, bei denen man den richtigen Koffer aussuchen musste, um die Million zu gewinnen. Als er sich auf den Schatten zubewegte, der ihm am nächsten war, zögerte er plötzlich.

Selbst wenn er sie jetzt fand, konnte er nicht mit ihr zusammen fliehen. Es gab nichts, wo sie hinrennen konnten. Vor einem Schneesturm konnte man nicht davonlaufen. Sie würden sich im Wald verirren und erfrieren.

Michael überlegte es sich anders und lief in einer geraden Linie los, allerdings hatte er inzwischen vollkommen die Orientierung verloren und war sich einigermaßen sicher, dass er nur im Kreis ging, egal, wie sehr er sich bemühte. Er traf auf Fußabdrücke im Schnee, die in Windeseile mit den fallenden Flocken gefüllt wurden. Er konnte nicht sagen, ob es seine eigenen Abdrücke oder die eines anderen waren.

Die Blockhütte sah er erst, als er gegen die Treppe lief und mit dem Bein gegen das hölzerne Geländer stieß.

Auf allen vieren krabbelte er die Treppe hoch, riss die Außentür mit dem Fliegengitter auf und versuchte, die Haustür zu öffnen. Abgeschlossen. Ohne innezuhalten, sah er sich um und entdeckte den Holzstapel in der Ecke. Er griff nach dem größten

Scheit und warf ihn gegen das kleine Fenster in der Tür. Dann fuhr er mit der Hand durch das Loch, entriegelte die Tür und betrat das Wohnzimmer.

Sie ist noch da draußen.

Es war ihm egal, ob jemand in dem Haus war oder nicht – darüber würde er sich später Gedanken machen. Er rannte schnurstracks in die Küche, zog die Schubladen auf und wühlte so lange zwischen den Utensilien herum, bis seine tauben Finger ein scharfes Gemüsemesser gefunden hatten. Seine Fingerknöchel bluteten; er musste sich an dem Glas geschnitten haben.

Er ging wieder zur Haustür, zögerte aber. Wenn er sich jetzt wieder in den Schneesturm wagte, fand er das Haus vielleicht nie wieder. Es war pures Glück gewesen, dass er überhaupt darauf gestoßen war.

Er brauchte Hilfe.

Als er wieder in der Küche war, durchsuchte er noch einmal die Schränke, wobei ihm bewusst war, dass jede Sekunde zählte. Je länger er wartete, desto weiter weg konnte Clementine sein. Hatten die Hetzer sie vielleicht schon gefunden? Er wollte nicht darüber nachdenken. Schließlich fand er ein Garnknäuel. Das würde funktionieren. Er packte es und zögerte nicht noch einmal. Er rannte in die Kälte hinaus.

Wenn er das jetzt hinbekam, konnte er seine Schuld vielleicht hinter sich lassen.

In den wenigen Minuten, die er in der Hütte vergeudet hatte, schien der Sturm noch schlimmer geworden zu sein. Er tastete sich an der Treppe entlang und befestigte am unteren Ende das Garnknäuel mit einem Knoten. Dann stürzte er sich in die weiße Wand vor ihm.

Im Gehen rollte er den Faden ab und mit jedem Schritt wurden seine Finger steifer. Zweimal ließ er das Knäuel in den Schnee fallen und das zweite Mal musste er auf die Knie gehen, um es in den immer höher werdenden Schneeverwehungen wiederzufinden.

Der Wind riss an seinen Haaren, die sich in Zweigen verfingen und ihm in den Mund gerieten. Seine Augen wurden feucht. Tränen rannen ihm über die Wangen und gefroren. Einmal glaubte er, einen Schatten gesehen zu haben, doch dann stellte er fest, dass es nur ein Baum war.

Ihm lief die Zeit davon. Wenn er Clementine nicht bald fand, würde er ins Haus zurückmüssen.

Er würde wieder weglaufen.

Lauf, du Feigling.

Plötzlich spürte er, wie eine Hand seine Jacke packte.

Michael schrie auf und wirbelte herum. Seine tauben Finger umklammerten das Messer, bereit, auf den Hetzer einzustechen.

»Michael.«

Er ließ das Messer und das Garnknäuel fallen und zog sie in einer unbeholfenen Umarmung an sich. Sie tat das Gleiche und klammerte sich an ihn, weinend und lachend zugleich.

»Komm mit«, rief er. »Ich habe eine Blockhütte gefunden.«

Er nahm das Garnknäuel, sagte zu ihr, dass sie sich an seinem Arm festhalten solle, und machte sich daran, zur Blockhütte zurückzutaumeln.

»Auf einmal warst du weg«, sagte sie.

»Du hast mich ja wiedergefunden.«

»Ich hatte solche Angst. Ich wollte nicht so sterben. Eine dieser Bestien hat mich angegriffen. Sie wollte mir die Augen auskratzen. Ich habe sie mit einem Stein am Kopf getroffen. Ich glaube, ich habe sie getötet.«

»Gut gemacht.«

»Sie war nicht die Erste.«

Sie fanden die Treppe und Michael führte sie in die Blockhütte. Als sie drin waren, verriegelte er die Tür, doch das würde nicht reichen.

Im Wohnzimmer – Gott sei Dank keine zwei Meter von der Haustür entfernt – stand ein antiker Geschirrschrank mit Weingläsern und teuer aussehendem Porzellan.

»Hilf mir«, sagte er zu ihr.

Sie stemmten sich beide gegen das schwere Möbelstück, wobei Geschirr und Gläser auf den Boden fielen und zerbrachen. Es dauerte mehrere Minuten, doch dann hatten sie es geschafft. Durch die Haustür würde so schnell niemand hereinkommen. Sie gingen zusammen in die Küche und sahen sich die Hintertür an. Sie war verriegelt.

»Wäre es nicht besser, hier auch etwas davorzustellen?«, fragte Clementine.

»Nein, wir brauchen die Tür vielleicht, wenn wir schnell fliehen müssen.«

»Das ist ein Argument.«

Sie gingen zurück ins Wohnzimmer und Michael entdeckte den offenen Kamin. Daneben lagen ordentlich aufgestapelt einige Holzscheite und Anfeuerholz. Er kniete sich hin und begann, das Holz aufeinanderzuschichten. Dann entzündete er an einer Stelle vorsichtig ein Streichholz. Er hatte eine Menge Erfahrung von ausgedehnten Campingurlauben mit seinem Vater und es dauerte nicht lange, bis das Feuer brannte und der Raum zumindest ein bisschen wärmer wurde.

Clementine schälte sich aus ihrer nassen Jacke und setzte sich heftig zitternd mitten auf den Boden, um die Schnürsenkel ihrer Schuhe aufzumachen.

»Ich spüre meine Zehen nicht mehr«, jammerte sie.

Michael ging zu ihr. Er zog ihr die Socken aus und sah sich ihre Füße an. Sie waren kalkweiß, doch er konnte keine Anzeichen von Erfrierungen feststellen. Er nahm ihren linken Fuß zwischen seine Hände und fing an, ihn kräftig zu reiben.

»Mein Vater hat das auch immer gemacht, wenn ich nach dem Hockeytraining kalte Füße hatte«, erklärte er. »Es funktioniert echt gut. Sie sind gleich wieder warm.« Als er mit dem einen Fuß fertig war, nahm er sich den zweiten vor. Langsam kehrte Farbe in die kalte Haut zurück.

»Und wenn sie das Feuer sehen?«, fragte sie. »Sollten wir nicht die Vorhänge zuziehen?«

»Ja, das ist vermutlich eine gute Idee.«

Sie gingen zu den Fenstern. Als Michael einen Blick nach draußen warf, sah er nur Schneegestöber. Selbst die Bäume vor der Blockhütte waren kaum zu erkennen. Er schloss die Vorhänge, nur für den Fall.

»Wird ihnen denn nicht auffallen, dass Rauch aus dem Schornstein kommt?«

Er schüttelte den Kopf. »Das bezweifle ich. Nicht bei diesem Sturm. Wenn er nachlässt, werden wir vorsichtiger sein müssen.«

Als Clementine wieder zum Kamin ging, fiel ihm auf, dass sie hinkte. Was ihn nicht weiter wunderte. Ihre Turnschuhe aus weichem Leder waren für den Sommer gedacht und ihre nassen Socken so dünn wie Nylonstrümpfe. Er ignorierte seine Füße, die ebenfalls schmerzten, und ging zu dem Wandschrank neben dem Eingang, in dem er einen dicken Wollschal und eine dazu passende Mütze fand.

»Hier«, sagte er. Er nahm die Mütze und setzte sie Clementine auf. Sie war ihr zu groß, würde sie aber wärmen. Dann wickelte er ihr den Schal um den Hals.

»Ich gehe nach oben und sehe mich mal um«, sagte er. »Vielleicht finde ich irgendwo ein paar Pullover.«

»Okay.«

Michael versuchte, das Déjà-vu zu ignorieren, und betrat die Treppe. Er sah noch einmal genau vor sich, was das letzte Mal passiert war, als er nach oben gegangen war, um sich umzusehen. Leichen waren das Letzte, was er jetzt finden wollte.

Im zweiten Schlafzimmer stieß er auf ein paar dicke Pullover und Socken. Er nahm die Sachen und lief zurück nach unten, wo Clementine sich in eine Decke gewickelt hatte.

»Die Decke war hinter der Couch«, sagte sie.

Sie zogen die warme Kleidung an und setzten sich vor das Feuer. Jetzt konnten sie nur noch warten.

»Hast du Hunger?«, fragte er.

Sie schüttelte den Kopf. »Das Ganze hat mir auf den Magen geschlagen. Ich kann jetzt nichts essen. Du etwa?«

»Nein.«

Sie saßen eine Weile da und starrten in das knisternde, Funken sprühende Feuer.

»Weihnachten habe ich das letzte Mal vor so einem Feuer gesessen«, sagte sie. »Es war unser erstes Weihnachten ohne Heath.«

Michael stand auf und warf noch ein Scheit Holz in das Feuer. »Du scheinst dich gut mit deinem Bruder zu verstehen. Du hast Glück. Ich habe irgendwo eine Schwester, aber wir sehen uns nie. Sie wohnt bei meiner Mom. Oder besser, sie hat bei ihr gewohnt.«

»Sag so was nicht. Du weißt es doch gar nicht.«

»Du hast recht.«

»Ja, Heath und ich verstehen uns gut«, ergänzte Clementine. »Wir haben auch viel zusammen unternommen. Es war ätzend, als er nach Seattle gegangen ist. Ich wollte ihn immer besuchen, aber ich war viel zu beschäftigt. Schule. Cheerleadertraining. Craig Strathmore. Jetzt kommt mir das alles so unwichtig vor. Ich weiß gar nicht mehr, warum es mir so viel bedeutet hat.«

»Ich habe Football gespielt und in einer Band war ich auch«, sagte Michael. »Wir waren grauenhaft. Unser Sänger konnte keinen einzigen Ton treffen. Mir ging es genauso wie dir. Es schien alles so furchtbar wichtig zu sein. Jetzt ist es mir eigentlich egal, ob ich je wieder eine Gitarre in der Hand halte.«

Clementine schüttelte den Kopf. »Sag das nicht. Wir sollten eine Gitarre für dich suchen. Musik ist etwas, was wir brauchen werden. Ich glaube, das wäre jetzt sehr schön.«

Als beide ins Feuer starrten, entstand eine Pause in ihrem Gespräch. Schließlich begann Clementine zu lachen. »Das ist doch so was von schräg.«

»Was? Unsere Unterhaltung?«

»Ja. Wir sitzen hier in der Falle und jeden Augenblick können diese Ungeheuer die Tür einschlagen und hereinkommen, aber wir reden über Cheerleading und Gitarren.«

Michael nickte. »Vielleicht hat das ja auch etwas Gutes. Es lenkt uns ab.«

»Ich wünschte, ich könnte mein Gehirn für eine Weile abschalten. Für ein paar Tage. Ich würde alles dafür geben, wenn ich einfach aufhören könnte zu denken.«

»Ja, ich auch.«

Sie schwiegen eine Weile, dann fragte Clementine: »Warum?«

»Ich weiß nicht.«

»Glaubst du, wir haben es verdient? Die Menschen sind nicht unbedingt das Beste, was der Erde passieren konnte. Vielleicht sind wir zu weit gegangen. Vielleicht haben wir zu viel zerstört.«

»Das glaube ich nicht.«

»Glaubst du an Gott?«

»Nein. Du?«

Sie zögerte. »Ich bin mir nicht sicher. Vielleicht. Aber wenn es einen Gott gibt, glaube ich nicht, dass er das alles gewollt hat.«

»Es könnte eine Krankheit sein.«

»Vielleicht.«

»Was bedeutet, dass jeder diese Krankheit bekommen kann.«

»Dann wären wir immun dagegen«, sagte sie. »Wenn wir uns angesteckt hätten, wären wir schon längst zu Hetzern geworden.«

»Ich bekomme Kopfschmerzen, wenn ich darüber nachdenke«, sagte er. »Es gibt Dinge, die muss man einfach akzeptieren. Ich verstehe es nicht, aber ich weiß, dass ich diese Sache hier überleben will. Das ist, glaube ich, alles, was ich wissen muss.«

Sie nickte und sagte nichts mehr.

Es war die längste Nacht seines Lebens. Jedes Mal, wenn es irgendwo im Haus knarrte, klopfte ihm das Herz bis zum Hals. Als der Wind sich gegen die Fenster warf, musste er sich zusammenreißen, um nicht aufzuspringen und davonzulaufen. Er bildete sich ein, hören zu können, wie die Hetzer die Treppe zur Haustür heraufkamen. Er stellte sich vor, wie sie die Fenster einschlugen und hereinkletterten, die Augen vor Wut verzerrt, bereit, sie zu holen.

Doch nichts geschah.

Gegen zwei Uhr morgens schlief Clementine auf der Couch neben dem Feuer ein. Michael wurde müde, doch er zwang sich, wach zu bleiben. Er beschäftigte sich, indem er von Zeit zu Zeit das Feuer schürte. Er versuchte, eines der Bücher aus dem Regal zu lesen, doch er konnte sich nicht konzentrieren. Nachdem er ein und denselben Absatz fünfmal gelesen hatte, gab er es auf und stellte das Buch zurück. Er sah die DVD-Sammlung neben dem Flatscreen-Fernseher durch und kam zu dem Schluss, dass der Besitzer der Blockhütte einen grauenhaften Geschmack hatte.

Schließlich setzte er sich in einen Sessel und schloss die Augen.

Es dauerte nicht lange, bis er einschlief.

Einige Stunden später wachte er mit einem Ruck auf. Das Feuer war heruntergebrannt. Clementine lag noch auf der Couch, zu einem kleinen Ball zusammengerollt, und unter der viel zu großen Wollmütze war nur die Hälfte ihres müden Gesichts zu erkennen.

Michael stand auf und warf ein paar Scheite in die Glut, um das Feuer wieder zu entfachen. Im Wohnzimmer war es angenehm warm. Sobald die Flammen wieder emporschlugen, ging er zum Fenster und warf einen Blick hinaus. Der Schneesturm war in der Nacht zu Ende gegangen und die Morgensonne schickte ihre ersten Strahlen über die Baumwipfel. Es wirkte geradezu friedlich. Auf dem Boden lag eine geschlossene Schneedecke.

Er konnte keine Fußabdrücke sehen. Das war ein gutes Zeichen.

Er würde das Feuer noch zehn Minuten brennen lassen und es dann löschen. Der Rauch war ein zu großes Risiko.

Michael ließ Clementine schlafen und ging in die Küche, wo er die Schränke durchsuchte und die teure Espressomaschine musterte. Kaffee fehlte ihm. Früher war es ganz leicht gewesen, welchen zu bekommen. Dazu war er einfach in ein Geschäft gegangen, hatte einen Kaffee bestellt, in groß, Venti oder Jumbo oder was auch immer gerade für die Bechergröße verwendet wurde, und ein dampfend heißes Getränk seiner Wahl bekommen. Latte. Mochaccino. Caramel macchiato.

Jetzt war Kaffee mehr oder weniger ein Ding der Unmöglichkeit, es sei denn, man hatte ein offenes Feuer in der Nähe. Was an diesem Morgen tatsächlich der Fall war. In einem Unterschrank entdeckte er einen großen Topf und füllte ihn mit Wasser aus einer Flasche, die er in der Speisekammer gefunden hatte. Mit dem Schürhaken hielt er das Wasser über das Feuer, bis es kochte. Nachdem er eine große Portion Kaffee in den Topf geschüttet hatte, rührte er alles mit einem Löffel um, bis es so aussah, als könnte man es trinken.

Der Kaffee war bitter, und als seine Tasse fast leer war, spürte er Kaffeesatz auf der Zunge, doch es schmeckte trotzdem erstaunlich gut. Er goss sich noch eine zweite und dann eine dritte Tasse ein. Clementine wachte langsam auf.

»Ist der Schneesturm vorbei?«, fragte sie, während sie sich auf der Couch streckte und die Hälfte der Decken auf den Boden rutschte. »Hat es aufgehört zu schneien?«

»Ja.« Er drückte ihr eine Tasse mit Kaffee in die Hand. »Er schmeckt ein bisschen erdig, aber es ist besser als nichts.«

Sie trank einen Schluck. »Das schmeckt großartig!«

»Wir sollten nicht mehr lange bleiben. Vielleicht noch so lange, bis wir uns ein wenig umgesehen und nach warmen Sachen gesucht haben. Sie sind vielleicht noch in der Gegend und jetzt, wo der Sturm aufgehört hat, werden sie es einfacher haben, uns zu finden.«

»Ich habe gerade das Gleiche gedacht«, sagte sie. »Wenigstens kann ich jetzt meine Zehen wieder spüren.«

Eine Stunde später konnte es losgehen. In der Garage fanden sie das Nonplusultra: einen riesigen SUV mit Allradantrieb und vollem Tank.

»Wenn wir in einen Stau geraten, werden wir nicht weit kommen«, sagte er. »Aber wenigstens geht es so ein Stück voran, und das erheblich schneller als bisher. Außerdem können wir jetzt ein paar Decken mitnehmen. Wir brauchen sie vielleicht nicht, aber wenigstens sind wir so besser auf das Wetter vorbereitet.«

»Okay, aber ich fahre«, sagte sie.

»Dann sollte ich mich wohl besser anschnallen.«

Clementine lachte und schlug nach ihm. Er duckte sich, ging zur Frontseite des Wagens und schob das Garagentor hoch.

Die Leiche sahen sie beide zur gleichen Zeit.

Sie lag mit dem Gesicht nach unten auf dem Boden, halb unter Schnee begraben, nur wenige Zentimeter von der Garage entfernt. Der untere Teil ihres rechten Beines war angewinkelt und ragte in die Höhe, als wäre sie beim Laufen mitten in der Bewegung eingefroren und nach vorn gekippt.

»Ist das ein Hetzer?«, fragte sie.

Michael ging auf die Leiche zu. »Ich glaube, ja«, sagte er.

»Nicht anfassen!«

Er ignorierte Clementine und stieß die Leiche mit seinem Stiefel an, um sich zu vergewissern, dass die Person auch tatsächlich tot war. Er würde sie aus dem Weg schaffen müssen, um den SUV aus der Garage zu bekommen. Michael packte die Leiche an den Schultern und fing an, sie zur Seite zu ziehen. Clementine kam ihm zu Hilfe.

Die gefrorene Leiche war eine Frau. Ihr Mund stand offen und war mit Eis gefüllt. »Das ist die Frau, die versucht hat, mir die Augen auszukratzen«, sagte Clementine. »Sie hätte uns fast gefunden.«

Michael lief ein kalter Schauer über den Rücken. Was wäre geschehen, wenn es ihr gelungen wäre, noch ein paar Schritte weiterzugehen, bevor sie zusammengebrochen war? Sie waren beide eingeschlafen. Sie hatten praktisch auf dem Präsentierteller gesessen. Das Spiel wäre aus gewesen.

»Da ist noch einer von ihnen.« Clementine wies auf eine zweite Leiche, die etwa fünfzehn Meter von ihnen entfernt an einem Baum kauerte und eine leuchtend rote Jacke trug.

»Wir müssen hier weg«, rief Michael.

Sie nickte.

Der SUV sprang beim ersten Versuch an. Wenn sie Glück hatten, kamen sie mit dem Auto bis nach Seattle.

Wenn sie Glück hatten.

MASON

In Revelstoke fanden sie ein Moped, das noch funktionierte. Es gab nur einen Helm und Mason bestand darauf, dass Chickadee ihn die ganze Zeit über trug, was sie auch widerspruchslos tat.

Es schien ihr nicht gut zu gehen. Pauls Weggang hatte sie schwer getroffen und das Strahlen, das sie umgeben hatte, war verschwunden. Sie redete immer noch viel, doch es war kein fröhliches Geplapper mehr. Jetzt klang ihre Stimme irgendwie traurig. Manchmal wirkte sie gereizt und fuhr ihn genervt an, nur um sich dann unter Tränen zu entschuldigen. Mason konnte nicht damit umgehen. Er wusste nicht, wie er die Situation verbessern sollte.

»Bist du sicher, dass mit dir alles in Ordnung ist?«, fragte er zum hundertsten Mal.

»Ich bin nur müde«, erwiderte sie.

»Völlig erschöpft« traf es wohl eher. Sie hatte dunkle Ringe unter den Augen und manchmal schien es ihr schwerzufallen, sich zu konzentrieren. Jedes Mal, wenn sie anhielten, nickte sie sofort ein, manchmal sogar im Sitzen. Ihr Kopf fiel nach vorn und nach einer Weile verrieten ihre regelmäßigen Atemzüge und das auf die Brust gesunkene Kinn, dass sie schlief.

Mason bekam Angst. Er wusste, dass etwas passieren würde, und hatte keine Ahnung, was er tun sollte. Jedes Mal, wenn er sie darauf ansprach, behauptete sie beharrlich, es ginge ihr gut, und wechselte dann das Thema.

In Kamloops fragte er sie, ob sie anhalten sollten. Sie sagte Nein. In Merritt fragte er sie noch einmal. Sie sagte Nein.

»Ich will es bis Vancouver schaffen«, sagte sie. »Ich will das Meer sehen. Es ist schon eine Ewigkeit her, seit ich es zuletzt gesehen habe. Ich wette, es ist wunderschön. Ich will in die Wellen laufen und den Sand zwischen meinen Zehen spüren. Das ist das beste Gefühl der Welt, findest du nicht auch?«

»Ich weiß es nicht mehr«, erwiderte Mason. »Ich war noch ganz klein damals.«

»Wirklich? Dann haben wir noch einen Grund, uns zu beeilen. Es wird so sein, als würdest du das Meer zum ersten Mal sehen. Und ich will bei dir sein, wenn das passiert. Du wirst vor Glück sterben.«

Sie schafften es bis Hope.

Sie saßen beide auf dem Moped. Mason lenkte und Chickadee hatte ihre Arme um seine Taille geschlungen. Plötzlich wurden ihre Arme schlaff. Sie rutschte und fiel auf die Straße.

»Chee!«

Er bremste scharf. Kurz vorher hatte es geregnet und die Hinterräder rutschten unter ihm weg, sodass er eine halbe Drehung machte und ins Schleudern geriet. Das Moped schlitterte unter ihm weg und brachte ihn zu Fall.

Gott sei Dank war er nicht sehr schnell gefahren. Sein Bein geriet unter das Moped, doch außer einer zerrissenen Jeans passierte nicht viel. Sobald er zum Stehen gekommen war, sprang er auf und rannte zu der Stelle, an der Chickadee auf die Straße gefallen war. Sie lag auf dem Rücken und ihre braunen Augen starrten in den Himmel über ihr.

»Das war ganz schön dumm von mir«, flüsterte sie.

»Alles in Ordnung mit dir?«, fragte er. »Kannst du dich bewegen?«

»Ja. Hilfst du mir beim Aufstehen?« Sie streckte die Hand aus und ließ sich von ihm hochziehen. Vorsichtig brachte er sie in eine sitzende Position und half ihr, den Helm abzunehmen. Chickadee war kreidebleich – offenbar war sie genauso schockiert wie er. »Ich weiß nicht, was passiert ist. Mir ist von einer Sekunde zur nächsten schwindlig geworden.«

»Wir müssen dich …« Er brach ab und die Worte »zu einem Arzt bringen« blieben ihm im Hals stecken. Die Vorstellung war einfach absurd und er ärgerte sich, dass er überhaupt daran gedacht hatte.

»Das geht jetzt nicht mehr«, sagte sie, als hätte sie seine Gedanken gelesen. »Ich wünschte, es gäbe noch Ärzte. Oder Künstler. Sogar Lehrer. Sie sind alle weg. Aber du bist noch da. Ich bin froh, dass es dich gibt, Mason.«

Er hob sie hoch. Seit sie sich kennengelernt hatten, hatte sie stark abgenommen, und jetzt war sie so leicht wie eine Feder. Ohne etwas zu sagen, ging er in Richtung der Stadt, durch die sie gerade gekommen waren. Wenn er sie schon nicht zum Arzt bringen konnte, wollte er wenigstens ein Motel finden, in dem sie sich eine Weile ausruhen konnten. Er wusste nicht, ob ihr das helfen würde, aber schaden würde es mit Sicherheit nicht.

Chickadee schlang die Arme um seinen Hals, als sie den Hügel hinunter und unter der Straßenüberführung hindurchgingen. Ihr Körper presste sich an ihn, sie fühlte sich heiß und kalt zugleich an. Sie ließ den Kopf an seine Brust sinken. Er sah auf sie hinab, atmete den Duft ihres Haars ein und küsste sie auf den Scheitel.

»Ich muss furchtbar riechen«, sagte sie. »Ich kann mich gar nicht daran erinnern, wann ich das letzte Mal geduscht habe.«

»Nein«, sagte er. »Tust du nicht.«

Sie lachte. »Lügner.«

»Auch nicht schlimmer als ich«, gestand er.

»Oh, dann muss ich wirklich stinken«, meinte sie.

Als die ganze Sache angefangen hatte, nachdem seine Mutter und seine Freunde gestorben waren, hatte er sich geschworen, dass er nie wieder jemanden gernhaben würde. Wochenlang hatte er ein Gefühl der Taubheit in sich gespürt, eine Art Leere, die sich immer mehr in seinem Gehirn ausgebreitet hatte. Doch er hatte das dumpfe Gefühl verdrängt und sich stattdessen darauf konzentriert, zornig zu sein, seine Wut noch zu nähren. Nur so hatte er stark sein können. Aber Chickadee hatte es irgendwie geschafft, an den Mauern vorbeizukommen, die er errichtet hatte, und die Leere zu vertreiben. Sie hatte ihm dabei geholfen weiterzumachen. Es war ihm nur nicht bewusst gewesen, wie sehr.

Jetzt kam die Taubheit allmählich zurück.

Am Stadtrand sah er eine Gruppe von Leuten, die um etwas kämpften, das er nicht erkennen konnte. Mason duckte sich hinter ein Auto und drückte Chickadee neben sich auf den Boden. Er hatte keine Ahnung, wer diese Leute waren, aber die Erfahrung hatte ihn gelehrt, dass er niemandem trauen durfte, vor allem nicht Leuten, die mitten am Nachmittag derart viel Lärm machten. Wenn sie ihn jetzt entdeckten, konnte er Chickadee nicht mehr beschützen. Sie warteten, bis die Gruppe weiterzog und sich in Richtung Fluss bewegte, bevor sie sich in ein Motel schlichen, das seinen Gästen kostenlosen Internetzugang bot. Mason trug sie in das Büro hinter der Rezeption, wo er sich einen Satz Schlüssel für ein Zimmer schnappte, das nach hinten lag.

»Werden sie zurückkommen?«, fragte Chickadee.

»Ich weiß es nicht.«

»Und wenn sie hier im Hotel wohnen? Was sollen wir dann tun?«

»Ich weiß es nicht.«

»Warum bist du so wütend auf mich?«

»Ich bin nicht wütend auf dich.«

»Du hörst dich aber so an.«

Er ignorierte sie. Was hätte er denn sagen sollen? Er hatte keine Antworten.

Als sie im Zimmer waren, half er ihr dabei, sich auf das Bett zu legen. Dann verriegelte er die Tür und schloss die Jalousien. Chickadee begann zu husten. Er machte ihren Rucksack auf und holte eine Flasche Wasser heraus.

»Sei bitte nicht böse auf mich«, sagte sie.

»Das bin ich doch gar nicht.« Er hob den Arm und strich ihr ein paar Haarsträhnen aus dem Gesicht. Ihre Haut fühlte sich warm unter seinen Fingern an, doch sie schien kein Fieber zu haben. Ihre Augen waren hell und klar und sie starrte ihn an, als wäre er der letzte Mensch auf Erden.

»Ich glaube, ich muss mich ein bisschen ausruhen«, murmelte sie.

Mason zog das Bettzeug von dem zweiten Bett, deckte sie damit zu und schüttelte die Kissen übertrieben heftig auf, um sie zum Lachen zu bringen. Dann setzte er sich in einen Stuhl am Fenster und wartete. Chickadee gegenüber konnte er es nicht zugeben, doch er hatte panische Angst. Er wusste, dass sie krank war – er wusste es schon seit Tagen. Sie sagte immer wieder, dass es ihr gut gehe, und er versuchte zu glauben, dass sie nur müde war. Doch sie wussten beide, dass es nicht nur das war. Das Problem war, dass er keine Ahnung hatte, was er tun sollte. Wenn sie wusste, was mit ihr los war, sagte sie es ihm jedenfalls nicht. Er lauschte auf ihre Atemzüge. Sie waren langsam und regelmäßig – Chickadee war eingeschlafen. Gut. Hoffentlich ging es ihr danach besser.

Die Dunkelheit brach herein und er saß immer noch am Fenster und wartete. Hin und wieder sah er nach draußen, um sich zu vergewissern, dass sie noch allein waren. Es war alles ruhig. Abgesehen von den Leuten, die sie vorhin gesehen hatten, schien die Stadt verwaist zu sein. Ein gutes Zeichen.

Vancouver war schon ganz nah. Wenn Chickadee nicht vom Moped gefallen wäre, hätten sie nur noch ein paar Stunden fahren müssen. Vancouver war eine große Stadt – dort musste es eine Menge Leute geben, die überlebt hatten. Und wenn er es schaffte, sie dort hinzubringen, würde er vielleicht auch einen Arzt finden.

Er musste an die letzte Nacht in seinem Haus denken, vor einigen Wochen, als er alles zerstört hatte, was ihm unter die Finger gekommen war. Jetzt wollte er es wieder tun. Die Bilder von der Wand holen, Löcher in Gegenstände schlagen, den Fernseher zertrümmern und alles kaputt machen, was er finden konnte. Die Wut in ihm kochte langsam hoch und er hatte keine Möglichkeit, die Spannung abzubauen. Wann war er nur so wütend geworden? Früher war er nie so gewesen. Vor langer Zeit einmal hätte er sich noch als netten Kerl bezeichnet. Er hatte Fußball gespielt und viel mit seinen Freunden unternommen. Er war nie der Typ gewesen, der Schlägereien anzettelte oder durch die Stadt zog und mutwillig etwas beschädigte.

Trotzdem hatte er vor ein paar Wochen einen Mann in einem Park getötet.

Wo kam diese Wut her? Schlimmer noch, warum genoss er sie tief in seinem Innern?

»Mason?«

Er sprang auf und stand innerhalb von Sekunden an Chickadees Bett. »Ich bin hier«, sagte er, während er sich neben sie setzte. Er nahm ihre Hand, die sie ihm entgegenhielt. In ihren weit aufgerissenen Augen stand Angst.

»Ich habe Diabetes.«

»Was?«

»Es tut mir leid. Ich hätte es dir schon früher sagen sollen, aber ich wollte dich nicht vergraulen.« Sie begann zu weinen. Dicke Tränen rannen ihr über die Wangen. »Es tut mir so leid.«

»Es ist nicht deine Schuld.« Er zog sie an sich und strich ihr über das Haar. Das Gefühl der Enge, das sich in seiner Brust bildete, ignorierte er.

»Ich hätte es dir sagen sollen. Ich hätte irgendwas sagen sollen. Aber ich wollte einfach nicht, dass du gehst. Ich hatte solche Angst, dass du mich verlässt.«

»Ich bin doch hier. Ich gehe nicht weg.«

»Wirklich?«

»Ich verspreche es.«

Er hielt sie fest. War das genug? Sollte er nicht mehr tun? Chickadee weinte sich die Augen aus, während er sie in seinen Armen hielt. Er hatte so viele Fragen, die er ihr stellen wollte, doch er wusste nicht, wo er anfangen sollte. Er wusste nichts über Diabetes, bis auf die Tatsache, dass sie Insulin brauchte, um überleben zu können. In der Grundschule war ein Junge in seine Klasse gegangen, der sich jeden Tag eine Spritze geben musste. Bedeutete das, dass sie sterben würde? Menschen mit Diabetes hatten doch ein ganz normales, langes Leben. Oder irrte er sich da?

»In der Stadt gibt es einen Drugstore«, sagte er schließlich.

»Kann ich dort etwas holen, was dir vielleicht hilft?«

Sie schüttelte den Kopf. »Es ist zu spät. Ich habe sämtliche Apotheken durchsucht, die wir gefunden haben, und die meisten sind geplündert worden. Weißt du noch? Du hast mich einmal dabei erwischt und gedacht, ich wäre ein Junkie.« Sie versuchte zu lachen, doch es klang eher wie ein ersticktes Schluchzen. »In den ersten Wochen war es gar nicht so schwer, aber dann fiel überall der Strom aus. Insulin hat ein Verfallsdatum und muss kühl gelagert werden. Selbst wenn ich jetzt noch welches finden könnte, wäre es inzwischen abgelaufen. Ich bin wirklich vorsichtig gewesen, ich habe versucht, so wenig Zucker wie möglich zu essen, aber es nützt nichts mehr.«

»Du hast doch gesagt, dass du nicht krank bist.«

»Ich bin auch nicht krank. Ich habe eine chronische Krankheit. Das ist was ganz anderes als ein Schnupfen.«

»Aber warum hast du es mir verschwiegen? Ich dachte, wir wären Freunde. Ich dachte, wir wären …« Er brachte es nicht über sich, es auszusprechen. Was, wenn er sich irrte und sie ihn auslachte? »Du hättest es mir sagen sollen. Ich hätte versucht, dir zu helfen.«

»Ich hab's vermasselt«, sagte sie. »Du hast recht. Ich hätte etwas sagen sollen. Aber ich hatte Angst. Du hast doch gesehen, was Paul getan hat. Er kennt mich schon sein ganzes Leben lang. Trotzdem hat er mich verlassen. Ich hatte solche Angst, dass du auch gehst.«

»Ich bin nicht Paul.«

»Nein, bist du nicht.«

Eine Weile saßen sie schweigend auf dem Bett. Keiner von beiden wusste, was er sagen sollte. Schließlich konnte Mason die eine Frage, die er stellen musste, nicht mehr zurückhalten.

»Und was heißt das jetzt?«

Er wollte die Antwort nicht wissen. Er wollte die Antwort nicht wissen. Er wollte die Antwort nicht wissen.

»Mason?«

»Ja?«

»Egal, was passiert, ich möchte, dass du mir etwas versprichst. Versprich mir, dass du nach Vancouver gehst und das Meer spürst. Aber steh nicht einfach nur da und sieh es dir an. Du musst es spüren.«

»Das Meer ist mir egal.«

»Mir aber nicht. Betrachte es als meinen letzten Wunsch.«

»Hör auf, so zu reden. Du wirst nicht sterben. Wenn du dich ein bisschen ausgeruht hast, wird es dir besser gehen. Vielleicht sollte ich doch in den Drugstore gehen und sehen, was ich dort finden kann, nur für den Fall.«

»Kannst du nicht lieber bei mir bleiben? Ich will nicht, dass du gehst.«

Er zog sie an sich. »Okay.«

»Aber versprich mir, dass du nach Vancouver gehen wirst.«

»Warum? Vancouver bedeutet mir jetzt nichts mehr.« Wie konnte sie nur über so etwas nachdenken, obwohl sie nicht einmal mehr die Kraft hatte, sich aufzusetzen?

»Mir schon.«

Er beschloss, ihr den Gefallen zu tun. »Okay. Ich verspreche es.«

»Versprich es richtig!«

Er hätte wissen müssen, dass sie sein leeres Versprechen durchschaute. Ihr entging nichts. Sie hatte gewusst, dass Paul in der Nacht, in der er die Geschichte erzählte hatte, gehen würde. Deshalb war sie auch so aufgewühlt gewesen. Und jetzt würde sie einfach nicht lockerlassen. Sie wollte wirklich, dass er nach Vancouver ging, und inzwischen kannte er sie gut genug, um zu wissen, dass sie das, was sie sich in den Kopf gesetzt hatte, auch bekam.

»Ich gebe dir mein Wort.« Dieses Mal meinte er es auch so.

Chickadee nickte kaum merklich. Sie saßen eine Weile in der Dunkelheit zusammen. In einiger Entfernung konnte er den klagenden Schrei eines Seetauchers hören.

»*Always look on the bright side of life*«, sagte sie nach einer Weile.

»Wie bitte?«

»Es ist nicht das Ende der Welt.«

»Immerhin wären wir sonst die Ersten und die Letzten, die es miterleben würden«, sagte er mit einem gezwungenen Grinsen.

»Mason Dowell, ich bin wirklich froh, dass ich dich getroffen habe«, sagte sie. »Wenn alles anders gewesen wäre, hättest du vielleicht mein Freund sein können. Du hast so etwas Besonderes. Ich hätte nicht lange gebraucht, um mich in dich zu verlieben. Das hätte mir gefallen.«

»Mir auch.«

Gegen zwei Uhr morgens fiel sie ins Koma. Er drückte seine Finger an ihr Handgelenk und spürte ihren schnellen Pulsschlag. Sie begann, stark zu schwitzen, und er hielt sie fest, als sie Krämpfe bekam. Er wiegte sie in seinen Armen und flüsterte ihr leise ins Ohr, wobei er hoffte, dass sie ihn noch hören konnte.

Irgendwann am Morgen, als die Sonne über den Baumwipfeln aufging, tat Chickadee ihren letzten Atemzug.

Er versuchte nicht, sie wiederzubeleben. Alles, woran er denken konnte, war das Versprechen, das er ihr gegeben hatte. Ohne sie an seiner Seite würde das Meer nur Salzwasser sein.

Das Schlimmste war der Moment, in dem er ihre Hand loslassen musste.

Vorsichtig zog er seine Arme unter ihrem Körper hervor und ging zum Fenster. Als er die Jalousien öffnete und das Sonnenlicht auf sein Gesicht fiel, musste er blinzeln.

Was für ein schöner Tag. Die Sonne schien und am Himmel stand nicht eine einzige Wolke. Die Kiefern auf den Bergen waren grün und glänzend. Auf ihren Zweigen funkelte der Morgentau. Vögel zwitscherten in den Sträuchern und ein Eichhörnchen auf Futtersuche rannte durch den Garten des Motels.

Ein guter Tag zum Sterben.

Mason ging nach draußen und wanderte zwischen den Gebäuden umher, ohne nachzudenken. Er beobachtete ein grasendes Reh, bevor es seine Anwesenheit bemerkte und zwischen die Sträucher flüchtete. Eine Spinne wob ihr Netz von der Querstange einer verrosteten Schaukel. Auf einer Wäscheleine hing ein Hemd, das jemand dort vergessen hatte. Immer wieder blieb er stehen, um sich etwas anzusehen, das sein Interesse geweckt hatte, doch hinterher konnte er sich an nichts mehr erinnern. Schließlich kam er an einen Geräteschuppen, in dem er eine Schaufel fand. An der Baumgrenze hinter dem Motel begann er zu graben.

Die Sonne brannte auf ihn herunter und bald war sein Hemd

nass vor Schweiß. Sein Rücken schmerzte, während der Erdhügel neben ihm immer größer und das Loch immer tiefer wurde. Blasen bildeten sich an seinen Handflächen und brannten, als sie aufplatzten und sich mit seinem Schweiß vermischten. Zweimal schleuderte er die Schaufel vor lauter Frustration und Wut in den Wald und hörte voller Befriedigung, wie das Metall einen Baumstamm traf.

Es war Knochenarbeit. Völlig mechanisch. Er musste nicht nachdenken, während er schaufelte. Das war gut, denn er wollte sich nicht erinnern. Er hatte vor, mit ihrem Körper zusammen auch seinen Schmerz zu begraben.

Irgendwann bemerkte er, dass er nicht allein war.

Ein kleiner, magerer Mann mit einem starken Überbiss und einer schmutzigen Baseballkappe beobachtete ihn. Als Mason zu ihm hinübersah, hielt der Mann den Daumen nach oben und nickte ihm zu.

»Was willst du?«, frage Mason, während er den Fuß auf die Schaufel setzte und tiefer in die Erde schnitt. Er hatte nicht die geringste Angst vor dem kleinen Mann. Angst war ein Gefühl und die wütende Taubheit in seinem Innern überdeckte alles andere.

»Gar nichts«, antwortete der Mann. »Wollte nur mal sehen, was du da machst.«

»Geh weg!«

»Du bist aber nicht sehr freundlich.«

Mason schaufelte Erde aus dem Loch und warf sie in Richtung des Mannes. »Stimmt.«

»Du solltest mal an deinen Manieren arbeiten.«

»Hör zu, ich bin nicht auf einen Kampf aus.« Ihm war klar geworden, dass der Mann ihn nicht angreifen würde. Mason hatte eine Waffe. Mit Schaufeln konnte man eine Menge anrichten, wenn man sie richtig benutzte.

»Warum glaubst du, dass ich mit dir kämpfen will?«

»Macht ihr das nicht immer so? Alles töten, was sich bewegt?« Wie hatte es Twiggy genannt? Wir befreien den Planeten von unserer Gegenwart?

»Einige von uns tun das. Aber ich gehöre nicht dazu. Ich töte nicht ohne Grund. Ich zeige lieber die Wahrheit.«

Mason warf die Schaufel in das Loch und richtete sich auf. »Ich höre immer wieder, dass diese Ungeheuer angreifen, ohne ein Wort zu sagen. Durchgeknallte Spinner und so. Aber irgendwie treffe ich auch immer wieder solche wie dich, die einfach nicht die Klappe halten können. Und wenn so etwas passiert, fange ich an, mir einen von den Irren zu wünschen, damit ich meine Ruhe habe.«

Der Mann schmunzelte und spuckte auf die Erde. »Du willst also deine Ruhe haben?«

»Ja. Also halt jetzt endlich den Mund und verschwinde!«

Doch der Mann ging nicht.

»Ist das nicht Zeitverschwendung mit dem Loch da?«, fragte er. »Ich nehme mal an, das ist für die Kleine, mit der du gestern Abend hergekommen bist. Es überrascht mich nicht. Ich hätte sie wahrscheinlich auch getötet, wenn ich Gelegenheit dazu gehabt hätte. Aber warum begräbst du sie? Lass sie doch einfach im Wald liegen. Die Wölfe freuen sich sicher.«

Mason erstarrte. »Du hörst jetzt besser sofort auf. Du hast keine Ahnung, was du da sagst.«

»Ach nein? Du hast sie doch abgemurkst, oder nicht? Und deshalb gräbst du jetzt ein Loch.«

»Wenn du auf einen Kampf aus bist – den kannst du haben!«

Seine Finger umklammerten die Schaufel und ignorierten die brennenden Schmerzen in den Handflächen, als die Blasen aufplatzten und bluteten.

»Warum sollte ich das wollen? Ich kämpfe nicht gegen meinesgleichen.«

Mason hielt inne. »Über was zum Teufel redest du da?«

Der Mann brach in schallendes Gelächter aus. Selbst als er sich wieder beruhigt hatte, schmunzelte er noch. Mason stand kurz davor, vor Wut zu explodieren. Er stellte sich vor, wie es wäre, wenn er seine Schaufel in das grinsende Gesicht der Bestie schmetterte. Wie es aussehen würde, wenn sie zu Boden ging, so wie der Mann im Diefenbaker Park.

»Du weißt es wirklich nicht, stimmt's?«, sagte der Mann schließlich. »Du hast es noch nicht begriffen.«

»Was?«

»Du gehörst zu uns, Junge. Du bist genau die Art von Mensch, die sie haben wollen.«

Es dauerte nur ein paar Sekunden, bis Mason bei ihm war. Er packte den Mann an seinem Hemd und stieß ihn nach hinten. Dann starrte er ihm direkt in die schwarz geäderten Augen. »Du lügst!« Er schubste den Mann wieder. »Nimm das zurück!« Und noch einmal.

Das Grinsen verschwand und in den Augen des Mannes blitzte Wut auf. »Pass bloß auf, Junge. Ich brauche nur zu schreien, dann kommen die anderen. Wenn du es mit uns allen zu tun hast, bist du bestimmt nicht mehr so vorlaut.«

»Nimm das zurück!«

»Was soll ich zurücknehmen? Hast du in letzter Zeit schon mal einen Blick in den Spiegel geworfen?« Der Mann riss sich los und ging ein paar Schritte rückwärts. Als er weit genug von

Mason weg war, drehte er sich um und lief auf die Hauptstraße zu. »Vielleicht habe ich ja auch gelogen. Was ziemlich wahrscheinlich ist. Vielleicht auch nicht. Wenn sie dich haben wollen, werden sie schon kommen.«

Mason drehte sich um und schleuderte die Schaufel von sich, so weit er konnte. Sie prallte gegen einen Baum und fiel ein Stück weiter zu Boden. Das Loch war tief genug.

Als er wieder im Zimmer war, ging er direkt ins Bad. Er wollte Chickadee nicht anfassen, solange er so schmutzig war. Nachdem er sich vollständig ausgezogen hatte, goss er Wasser aus einer Flasche in das Waschbecken und packte eine der kleinen Seifen aus. Dann nahm er einen weißen Waschlappen und fing an, sich den Schweiß und den Schmutz abzuwaschen.

Plötzlich wurde ihm bewusst, dass er gar nicht in den Spiegel gesehen hatte. Er erstarrte mitten in der Bewegung, den nassen Waschlappen auf der Brust, und stierte mit leerem Blick auf das Waschbecken.

Was ist los, Mason? Warum siehst du dich nicht an?

Er war nur ein bisschen durcheinander, sagte er sich. Der Kerl da draußen wollte ihn doch nur erschrecken, weil er zu klein war, um es mit Mason aufzunehmen. Es war das Einzige, was der Mann fertigbrachte, es war seine Art, Mason zu verletzen, weil er zu feige war, um etwas anderes zu tun. Wahrscheinlich trommelte der Kerl jetzt gerade seine Freunde zusammen, um sie alle ins Motel zu bringen und Mason kaltzumachen. Und um sicherzustellen, dass Mason auch brav an Ort und Stelle blieb, hatte das Ungeheuer versucht, ihm solche Angst einzujagen, dass er im Zimmer Zeit mit Grübeln verschwendete.

Wenn es tatsächlich so war, warum konnte er dann nicht den Kopf heben und sich im Spiegel ansehen?

Das war doch albern. Es gab keinen logischen Grund dafür, solche Angst zu haben. Er hatte nichts Falsches getan und würde auch mit Sicherheit keinen Amoklauf starten. Sicher, er war wütend, aber das war ja auch verständlich. Wer würde nicht in Rage sein, wenn ihm alle, die ihm etwas bedeuteten, weggenommen wurden?

»Eins.« Er begann zu zählen. »Zwei.« Mit beiden Händen packte er das Waschbecken, bis seine Knöchel so weiß wie das Porzellan waren.

»Drei.«

Er hob den Kopf und blickte direkt in den Spiegel. Sein Gesicht starrte ihn an. Es sah überrascht und frustriert zugleich aus. Verschwitzte braune Haare hingen ihm in die Stirn. Die blauen Augen waren müde und blutunterlaufen. Wonach sollte er eigentlich suchen? Hörner? Blutige Tränen, die über seine eingefallenen Wangen rollten? Was war mit Fangzähnen? Nein. Die Antwort: nichts von alledem.

Sein Spiegelbild grinste erleichtert. Plötzlich kam ihm das Ganze so lächerlich vor. Er verdrehte die Augen und machte sich daran, die Blasen an seinen Händen zu reinigen. Er würde eine Mullbinde herumwickeln müssen, bevor er Chickadee begrub. Eine Infektion war das Letzte, was er jetzt brauchen konnte.

Mason nahm sich das Handtuch von der Stange und trocknete sich ab. Als er seinen Körper im Spiegel sah, dachte er, dass er mehr essen sollte. Offenbar hatte er in den letzten Wochen eine Menge Gewicht verloren. Allerdings war es ziemlich schwierig, sich gesund zu ernähren, wenn das einzig Essbare aus Dosen oder Kartons kam.

Er zerrte ein frisches Hemd aus seinem Rucksack und zog

sich hastig an. Es war ziemlich wahrscheinlich, dass der Typ immer noch draußen auf ihn wartete oder gerade dabei war, wieder zurückzukommen. Mason musste von hier weg. Er sollte frische Luft schnappen. Wenn er sich wieder beruhigt hatte, würde er sicher klarer denken können.

Aber Chickadee würde er nicht hierlassen. Das würde er als Erstes erledigen.

Er trug sie hinaus und ließ sie vorsichtig in das Grab hinab. Obwohl er sie in ein Bettlaken gewickelt hatte, konnte er noch erkennen, wie klein und zerbrechlich ihr Körper war. Als er die erste Schaufel Erde auf den sauberen weißen Stoff warf, kamen ihm die Tränen. Er ignorierte sie und konzentrierte sich stattdessen auf das, was er jetzt tun musste. Die ganze Zeit über dachte er, dass er etwas sagen sollte, irgendetwas zum Gedenken an ihr Leben und an die Zeit, die sie zusammen verbracht hatten. Doch in seinem Kopf war es völlig leer. Es gab sowieso keine Worte, die ausgereicht hätten, um sie zu beschreiben.

Als es vorbei war, drehte er sich um und ging. Er kehrte nicht wieder in das Zimmer zurück, um seinen Rucksack zu holen. Er wollte ihn nicht mehr haben. Die Straße war jetzt das Einzige, was er brauchte.

Um alles andere würde er sich später Gedanken machen, auf dem Weg nach Vancouver. Die Straße vor ihm war lang und er hatte viel Zeit, um darüber nachzudenken, was er tun sollte.

Und er musste noch das Meer spüren.

CLEMENTINE

Sie gingen zu Fuß in die Stadt. Es gab keine Straßen mehr, die nach Seattle führten. Das komplizierte Spinnennetz aus Highways, Hochstraßen und Tunneln war verschwunden. An seiner Stelle ragten nur große Trümmerhaufen aus Asphalt auf, zwischen denen sich verlassene Fahrzeuge quetschten. Überall waren Glasscherben verteilt. Die Stadt war voll davon. Von den Gebäuden waren nur leere Stahlgerüste und geisterhaft wirkende Hüllen übrig. Es roch stark nach Rauch. Mehrere Gebäude standen noch in Flammen, vermutlich, weil sie von Plünderern in Brand gesteckt worden waren.

Lieber Heath, ich bin fast da. Hast du auf mich gewartet? Ich hoffe, du bist irgendwo gewesen, wo es sicher war, als es passiert ist. Haben sie euch beigebracht, wie man sich bei einem Erdbeben verhält, als du hierhergezogen bist? Weißt du noch, wie Mom uns immer gesagt hat, was wir tun sollten, wenn ein Tornado käme? Ich wäre zu Tode erschrocken und gleichzeitig furchtbar aufgeregt, wenn ich tatsächlich mal einen erleben würde. Ich plappere dummes Zeug, ich weiß. Seattle ist völlig verwüstet. Ich habe noch nie so etwas Schlimmes gesehen. In ein paar Stunden bin ich da. Ich hoffe, du bekommst diese Nachricht irgendwie. Ich schicke schon mal alle guten Schwingungen, die ich habe, in deine Richtung. Vielleicht spürst du sie ja, so wie Mom uns gespürt hat. Halte durch! Ich komme!

Es war alles ruhig. Unheimlich ruhig. Überall lagen Tote. Einige waren offenbar Opfer des Erdbebens geworden und verwesten seit Wochen auf der Straße. Andere schienen später gestorben zu sein, Beute der Hetzer, noch blutig und frisch. An einigen Stellen waren sie zu großen Haufen aufeinandergeschichtet, von denen manche angezündet worden waren. Clementine sah weg, als sie auf den ersten Scheiterhaufen trafen. Beim achten oder neunten hörte sie auf zu zählen und irgendwann wurde ihr von dem Gestank auch nicht mehr schlecht.

Schon merkwürdig, dass man sich an so etwas gewöhnen konnte.

»Ganz schön schlau«, flüsterte Michael. Der Verwesungsgeruch war heftig, fast überwältigend, und beide hatten sich ihre Hemden vor das Gesicht gezogen. »Sie räumen auf. Sie sind vielleicht verrückt, aber ich schätze mal, dass sich sogar Hetzer Gedanken um Hygiene machen.«

»Und warum tun sie das?«, fragte sie.

»Dafür gibt es jede Menge Gründe«, sagte er. »Wenn sie hierbleiben wollen, werden sie aufräumen müssen. Den Gestank loswerden. Ich habe gehört, dass einige von ihnen immer noch ziemlich helle sind. Nicht alle von ihnen sind übergeschnappte Irre, die wahllos töten.«

»Klingt logisch«, erwiderte sie.

Michael zuckte mit den Schultern. »Vielleicht haben sie vor, die Zivilisation wiederaufzubauen. Ich habe nichts gegen eine kleine Putzaktion. Ich habe so viele Leichen gesehen, dass es für den Rest meines Lebens reicht. Wenn sie sie wegräumen wollen – von mir aus gerne. Als Nächstes reparieren sie vielleicht die Straßen. Und sorgen für Strom. Es wäre schön, wieder Strom zu haben. Heizung wäre auch nicht schlecht. Bald wird es kalt sein.«

»Du redest von ihnen, als wären sie menschlich.«

»Sind sie das denn nicht? Viele von den Ungeheuern sind menschlich.«

Dagegen konnte sie nichts sagen.

Als sie vorsichtig um eine Ecke gingen, sahen sie, dass das Erdbeben einen ganzen Häuserblock zum Einstürzen gebracht hatte. Der Anblick erinnerte Clementine an die Bilder des verwüsteten Europas nach dem Zweiten Weltkrieg, die man ihnen im Geschichtsunterricht gezeigt hatte. Was für eine Zerstörung. Es war schwer zu glauben, dass Mutter Natur so etwas getan hatte.

»Ich frage mich, wie viele bei dem Erdbeben gestorben sind«, sagte sie. Es war merkwürdig, aber sie hatte die Naturkatastrophe schon fast vergessen. Doch das Erdbeben musste der Auslöser gewesen sein. Danach hatte das Töten begonnen.

»Hier waren es vermutlich eine ganze Menge«, meinte er. »Ich habe noch nie eine Stadt gesehen, die so verwüstet ist. Sieh dir das Glas an. Ich bin froh, dass ich nicht daruntergestanden habe, als es von den Gebäuden heruntergefallen ist.«

Clementine lief ein Schauer über den Rücken. Die Menschen mussten von dem Glas in Stücke geschnitten worden sein. Zum Glück hatten die Hetzer in dieser Gegend schon aufgeräumt.

»Weißt du, wie weit es bis zur Uni ist?«, fragte er.

Sie zog den Stadtplan aus der Tasche, den sie vor ein paar Stunden an einer Tankstelle mitgenommen hatte, und breitete ihn auf einer Motorhaube aus. Clementine versuchte herauszufinden, wo sie waren, während Michael die Straße im Auge behielt. Letztendlich mussten sie dann aber mehrere Häuserblocks weitergehen, bis sie ein Straßenschild fanden. Die meisten waren zerstört worden oder einfach verschwunden. Als sie einen Straßennamen hatten, konnten sie den Weg bis zur University of Washington auf dem Stadtplan schnell ausfindig machen.

»Gar nicht mal so schlecht«, sagte Michael. »Wenn wir hetzerlos bleiben, dürften wir in ein paar Stunden dort sein.«

Sie erreichten den Campus erst bei Einbruch der Dämmerung, was aber nicht an den Hetzern lag, sondern daran, dass es bei vielen Straßen einfach kein Durchkommen mehr gab. Mehrmals mussten sie zurückgehen und sich einen neuen Weg suchen, wenn ganze Hochhäuser durch das Erdbeben eingestürzt waren. Die Stadt bestand inzwischen nur noch aus riesigen Trümmerhaufen.

Es wurde etwas besser, als sie die Interstate 5 erreichten. Dort gab es nicht ganz so viele Gebäude, sodass sie schneller vorankamen.

Als sie die Universität schließlich erreicht hatten, blieben sie stehen und warfen einen Blick auf den riesigen Campusplan.

»In welchem Wohnheim ist sein Zimmer noch mal?«, fragte Michael.

»Mercer Hall«, sagte sie. In ihrer Tasche hatte sie immer noch das Blatt Papier, auf das sie seine Adresse geschrieben hatte. Sie hatte es sich in den letzten Wochen so oft angesehen, dass das Papier vom vielen Falten schon ganz dünn geworden war. Sie hatte die Seite aus dem Adressbuch ihrer Mutter gerissen und holte sie immer dann aus der Tasche ihrer Jeans, wenn sie deprimiert und einsam war. Es war das einzige Andenken an ihre Mutter. Ihr einziges Familienerbstück.

»Da ist das Wohnheim«, rief er, während er auf die nordwestliche Ecke des Plans zeigte. »Wir können entweder den direkten Weg nehmen und damit mittendurch gehen oder vorsichtig sein und am Rand des Campus entlanglaufen.«

»Lass uns einfach direkt darauf zugehen«, erwiderte sie. »Es ist dunkel genug und ich mag nicht mehr so weit laufen.«

»Deine Entscheidung«, sagte Michael.

Als sie den Campus betraten, fiel Clementine auf, dass die Schäden hier bei Weitem nicht so groß waren wie im Rest der Stadt. Hoffnung stieg in ihr auf und sie versuchte, sie so weit wie möglich zu verdrängen.

Lieber Heath, ich gebe mir wirklich große Mühe, nicht zu aufgeregt zu sein. Vielleicht bist du ja gar nicht da. Vielleicht bist du tot. Meine Reise ist fast zu Ende. Ich weiß nicht, was ich tun werde, wenn du nicht da bist. Ich habe noch gar nicht darüber nachgedacht, was sein wird, wenn ich dich nicht finden kann. Wohin werde ich dann gehen? Was wird passieren, wenn ich nicht mehr mit dir reden kann? Du hast mir auf dem Weg hierher so geholfen, auch wenn du das gar nicht weißt. Bitte sei nicht tot!

Als sie das Wohnheim erreichten, wäre sie um ein Haar wieder umgekehrt. Ihr Herz raste und ihre Handflächen waren ganz verschwitzt. Vor einem Jahr war es ihr genauso gegangen, als sie auf Craig Strathmore gewartet hatte, der sie zum ersten Mal zu einer Tanzveranstaltung in ihrer Schule abholen wollte.

»Du siehst aus, als würdest du dich gleich übergeben«, sagte Michael. »Willst du noch etwas warten? Wir müssen da nicht sofort reingehen. Es ist vermutlich klüger, wenn wir erst einmal ein paar Stunden hier draußen bleiben und das Wohnheim im Auge behalten. Da könnten jetzt alle möglichen Leute drin sein.«

»Nein«, sagte sie. »Ich muss jetzt gleich gehen, sonst verliere ich den Mut. Du kannst gern hier draußen bleiben, wenn du glaubst, es ist nicht sicher.«

»Ich habe nie gesagt, dass ich ein Feigling bin«, erwiderte er mit einem beruhigenden Grinsen.

Mercer Hall war alt und aus Ziegelsteinen gebaut. Das Gebäude zeichnete sich stumm und düster vor dem Nachthimmel ab. Die Eingangstür war zertrümmert und wurde von einem ramponierten Stuhl offen gehalten. Das war kein gutes Zeichen.

Clementine ging vorsichtig um den Stuhl herum und zuckte zusammen, als die Tür quietschte und ein Stück Glas aus dem Rahmen fiel. Doch es kam niemand aus der Ecke gestürmt, um sie anzugreifen. Keine Stimmen schallten ihnen entgegen. Sie schaltete ihre Taschenlampe ein und ein Kreis aus bleichem Licht fiel auf den Boden.

Die Verkaufsautomaten im Eingangsbereich waren aufgebrochen worden. Auf dem Boden lagen Münzen und zerbeulte Softdrink-Dosen, einige Schokoriegel, die jemand zertreten hatte, und leere Verpackungen. Michael hob eine Dose Cola auf, öffnete sie und trank einen Schluck.

Die Tür des Fahrstuhls war aufgestemmt worden und sie konnten die Kabel sehen, die in den dunklen Schacht nach unten führten. Als sie das Treppenhaus gefunden hatten, gingen sie in den zweiten Stock. Die Brandschutztür war mit blutigen Handabdrücken übersät, als hätte sich dort jemand in abstrakter Kunst versucht.

Als sie den zweiten Stock erreichten, konnten sie leise Musik hören, die aus einem der Zimmer auf der rechten Seite des Korridors kam. Das verhieß nichts Gutes. Michael legte einen Finger auf die Lippen und sie nickte, fast beleidigt, weil er dachte, sie würde den Namen ihres Bruders rufen. *So* dumm war sie nun auch wieder nicht.

Im Korridor lagen jede Menge umgekippte Stühle. Kleidung und andere persönlichen Gegenstände waren in großen Haufen auf dem Boden verteilt. Einige der Zimmertüren standen offen. Sie gingen den Korridor entlang nach links und entfernten sich von der Musik. Clementine zählte die Zimmernummern ab, bis sie Heath' Zimmer erreicht hatten.

Die Tür stand sperrangelweit offen.

Plötzlich krampfte sich ihr der Magen zusammen. Aber sie war am Ziel. Sie würde sich sein Zimmer ansehen, selbst wenn es bedeutete, seine Leiche zu finden.

Michael nahm ihre Hand. Seine Finger waren warm und weich und sofort fühlte sie sich ein bisschen stärker. Clementine hielt die Luft an, schloss die Augen und betrat den Raum.

Als sie den Mut fand, die Augen aufzumachen, sah sie, dass das Zimmer leer war. Auf dem Bett lag das Sweatshirt mit dem Schriftzug der Glenmore-Highschool, daneben der braune Pullover, den Heath letztes Weihnachten von ihrer Mutter bekommen hatte.

Sie nahm das Sweatshirt und strich mit den Fingern über den Stoff. Das Zimmer verschwamm vor ihren Augen, als sie mit den Tränen kämpfte. Es nützte gar nichts, wenn sie jetzt weinte. Sie wusste immer noch nicht, was passiert war.

Du bist noch nicht tot. Noch gebe ich die Hoffnung nicht auf. Ich werde es erst glauben, wenn ich deine Leiche sehe.

Ihr Blick wanderte durch das Zimmer. Es war schwer, alles auf einmal zu überblicken, vor allem, weil das Zimmer offensichtlich durchwühlt worden war. An den Kommoden waren sämtliche Schubladen herausgerissen worden und auf dem Boden und dem Stockbett hatte jemand Kleidungsstücke verstreut. Ein Computermonitor war gegen die Wand geschleudert worden. Unter dem Schreibtisch wuchs etwas Grünes, das verdächtig nach Schimmel aussah. Überall lagen Socken herum. Clementine suchte nach etwas, das ihr weiterhelfen würde. Nach einem Hinweis.

Nach einer Nachricht.

Auf dem Korridor draußen ging jemand vorbei, ein Junge, der sich ein Handtuch um den Kopf gewickelt hatte. In dem Moment, in dem ihm klar wurde, dass er nicht allein war, blieb er abrupt stehen. Er drehte sich langsam um und starrte sie mit angsterfüllten Augen an. Er trug Boxershorts und ein T-Shirt mit Batman-Aufdruck und sah alles andere als bedrohlich aus.

Clementine wusste sofort, dass er kein Hetzer war. So viel Angst konnte man nicht vortäuschen. Sie hob langsam die Hände, weil sie ihm zeigen wollte, dass auch sie keine Gefahr darstellten.

»Ähm … kann ich euch helfen?«

»Der Junge, der hier wohnt«, sagte sie. »Heath White, hast du ihn gesehen?«

Das Handtuch landete auf dem Boden. »Heath? Ja. Der ist weg. Er ist gegangen.«

»Weißt du, wo er hin ist?«

»Er und sein Zimmergenosse sind irgendwohin. Keine Ahnung, wohin. Sie haben mich gefragt, ob ich mitkomme, aber ich wollte nicht. Ich gehe hier nicht weg. Hier ist es viel sicherer als draußen.«

»Wenn du weiter so laut Musik laufen lässt, ist es das nicht mehr lange«, sagte Michael.

»Ach, Blödsinn«, sagte der Junge. »Sie waren da und sind wieder gegangen. Sie haben das Gebäude leer gemacht. Außerdem habe ich ein gutes Versteck.«

»Und wenn wir Hetzer wären?«, fragte Michael. »Dann wärst du jetzt tot.«

Der Junge sah verwirrt aus. »Hetzer? Nennt ihr sie so? Oder nennen sie sich selber so?«

»Spielt das eine Rolle?«, erwiderte Michael. »Egal, ob es ihr Name ist oder unserer, du wärst trotzdem tot.«

Der Junge schüttelte den Kopf und zuckte dann mit den Schultern. »Sie haben gesagt, ich sei es nicht wert. Sie sind hergekommen und wieder gegangen und haben gesagt, ich sei nicht gut genug, um zu sterben. Stebbins haben sie mitgenommen und ein paar andere haben sie getötet, aber mich haben sie in Ruhe gelassen. Ich glaube nicht, dass sie zurückkommen.«

»Warum haben sie das getan?«, fragte Clementine. »Warum haben sie nicht gleich alle getötet?«

»Keine Ahnung. Vielleicht dachten sie, die anderen wären nützlich? Sie haben sich für die Jungs interessiert, die was Technisches studieren. Computerprogrammierung und so. Vielleicht wollen sie die Computer wieder zum Laufen bringen. Woher zum Teufel soll ich das wissen? Ich glaube, ein paar, die Chemie und Medizin studieren, waren auch dabei.«

»Sie bauen alles wieder auf«, sagte Michael leise. »Gewaltsam.«

»Wen haben sie getötet?«, fragte sie.

Der Junge ignorierte die Frage. Er war viel zu sehr damit beschäftigt, Clementine anzustarren. »Bist du Heath’ kleine Schwester? Er hat manchmal von dir erzählt.«

Sie nickte. »Hat er eine Nachricht für mich hinterlassen? Hat er dir irgendetwas für mich gegeben?«

»Nein.« Der Junge hob das Handtuch vom Boden auf. »Willst du mal mit mir ausgehen? Du bist siebzehn, stimmt's?«

»Dir ist schon klar, dass du hier in der Unterhose rumstehst?«

»Ist doch egal.« Er kratzte an einem Pickel an seinem Hals. »Aber ich glaube, er hat irgendwo einen Zettel mit einer Nachricht hingelegt. Vielleicht. Ich weiß es nicht mehr so genau. Wenn ihr nichts dagegen habt, geh ich auf mein Zimmer und verschanz mich in meinem Versteck. Bei dem Glück, das ich habe, habt ihr sie vermutlich hergeführt. Hetzer. Was für ein blöder Name.«

Der Junge drehte sich um und ging den Korridor hinunter. Clementine und Michael sahen sich an und gaben sich alle Mühe, nicht zu lachen, bevor der komische kleine Kerl außer Hörweite war.

Clementine fing wieder an, das Zimmer genauer zu durchsuchen. Es dauerte nicht lange, bis sie fündig wurde.

Die Nachricht lag auf dem Schreibtisch, beschwert mit einem Ring. Heath' Schulring, um genau zu sein. Der blaue Stein sah in der Dunkelheit schwarz aus.

Sie nahm das Blatt Papier und faltete es auseinander.

15. Oktober

Liebe Mom, lieber Dad, liebe Clementine,

ich weiß nicht, ob Ihr diesen Brief je lesen werdet, aber ich bete, dass Ihr am Leben seid und es Euch allen gut geht. Wir haben uns in den letzten Wochen in der Uni versteckt und Aaron und ich haben beschlossen, an einen Ort zu gehen, der sicherer ist. Nachts

gibt es immer wieder Überfälle. Die Wohnheime werden durch-
sucht, die Überlebenden getötet. Die meisten Studenten auf mei-
ner Etage sind schon tot. Ich habe Glück gehabt.

Wir wollen nach Norden, nach Vancouver in Kanada. Wir haben
CB-Funk gehört und dort haben sie gesagt, dass es in Vancouver
sicher ist. Keine Ungeheuer. Die Uni dort nimmt Tausende von
Flüchtlingen aus dem ganzen Land auf. Ich glaube es nicht, aber
Aaron will es versuchen. Gemeinsam ist man stärker, oder?

Ich hoffe, es geht Euch gut, und wenn Ihr diesen Brief findet, hätte
ich Euch gern mehr gesagt. Ich wünschte, ich könnte nach Osten
gehen, aber ich glaube nicht, dass ich es lebend schaffen würde.
Und die anderen wollten nicht mitkommen. Ich habe schon ge-
fragt. Bitte haltet mich nicht für einen Feigling, aber allein kom-
me ich nicht bis zu Euch. Deshalb gehe ich mit den anderen nach
Norden.

Clementine, pass gut auf Dich auf! Manchmal kommt es mir tat-
sächlich so vor, als wärst Du bei mir und würdest mir etwas ins
Ohr flüstern. Es hört sich verrückt an, aber ich glaube, ich habe
ein bisschen was von Moms Intuition geerbt. Ich glaube fest da-
ran, dass Ihr am Leben seid und es Euch gut geht. Ich denke an
Euch.

Euer Heath

Sie musste so weinen, dass sie den Brief fast nicht zu Ende lesen
konnte. Als sie fertig war, gab sie ihn Michael, nahm wieder
Heath' Sweatshirt in die Hand und trocknete sich damit das

Gesicht ab. Es nützte nichts, wenn sie weinte. Dem Datum nach hatte Heath den Brief vor etwas über einer Woche geschrieben. Er hatte das Erdbeben und die ersten Überfälle lebend überstanden. Er war vielleicht noch nicht tot. Sie musste noch nicht um ihn trauern.

Sie musste ihn nur finden.

Michael gab ihr den Brief zurück. Clementine las ihn noch einmal, faltete ihn zusammen und steckte ihn in die Tasche. Dann nahm sie Heath' Ring vom Schreibtisch und streifte ihn sich über den Mittelfinger. Er war ihr ein wenig zu groß, doch sie glaubte nicht, dass er ihr vom Finger rutschen würde.

Schließlich zog sie Heath' Sweatshirt an. Los, Goblins!

»Ich gehe nach Vancouver«, sagte sie.

»Das habe ich mir schon fast gedacht.« Michael lächelte.

»Du musst nicht mitkommen.«

»Jetzt haben wir es schon so weit geschafft. Glaubst du wirklich, ich würde einfach so gehen? Auf dem Weg zurück würde ich mich vermutlich hoffnungslos verlaufen. Du wirst es schon noch mit mir aushalten müssen.«

NICHTS

Wir sterben alle allein.

Egal, wie viele Freunde wir haben. Egal, wie viele Spielzeuge wir besitzen. Egal, wie viele Lügen wir einander erzählen.

Wir gehen alle unter.

Wir sind alle zum Schweigen gebracht worden. Es gibt keine Geschichten mehr, die man erzählen kann, und niemanden mehr, der uns zuhört. Ich könnte diese Nachricht in eine Flasche stecken und ins Meer werfen, in der Hoffnung, dass sie irgendwann mal jemand findet. Ich müsste nicht einmal eine Geschichte schreiben. Alles, was ich brauche, sind sechs Ziffern.

Es gibt sechs verschiedene Arten von Mördern:

1. Die, die schnell und effizient töten.
2. Die, die es genießen, jeden Moment ihrer Tat in die Länge zu ziehen.
3. Die, die die Seele töten und ihre Opfer am Leben lassen.
4. Die, die unbeabsichtigt oder aus Notwehr töten.
5. Die, die jagen, um etwas zu essen zu haben.
6. Die, die aus Spaß jagen.

Bei den Hetzern gibt es alle Kategorien. Ich würde gern glauben, dass ich eine Eins oder eine Vier bin, aber eigentlich bin ich eher eine Sechs. Es hängt alles vom Tag ab.

Das Spiel beginnt.

Das Spiel ist aus.

So schnell.

Lust auf eine neue Runde?

Das Böse, das uns infiziert, ist schon immer da gewesen. Seit Anbeginn der Zeit, bevor es Namen gab, bevor es Schrift gab – *sie* haben schon immer existiert. Es gibt keine Aufzeichnungen über sie, weil sie keine Spuren hinterlassen. Wie soll man von etwas berichten, das man nicht sehen kann?

Es ist immer nach dem gleichen Muster abgelaufen. Eine Zivilisation wächst und gedeiht. Die Menschen sind glücklich und intelligent. Sie bauen Städte und errichten Denkmäler. Doch dann passiert etwas. Sie werden gierig und wollen immer mehr. Oder sie nehmen sich mehr, als die Erde zu geben bereit ist.

Das ist der Beginn des Untergangs. Die Dunkelheit, die im Verborgenen schlummert, regt sich.

Ihr entgeht nichts. Sie kommen immer.

Sie töten.

Überall auf der Welt gibt es Ruinen, stumme Zeugen der Gräueltaten und Grabkammern der verlorenen Seelen. Aber die Tatsachen werden immer falsch interpretiert. Die Geschichtsschreibung ist nicht korrekt.

Heute ist alles anders. Wir sind alle auf die eine oder andere Art miteinander verbunden. Wir bauen etwas in China und bezahlen in den Vereinigten Staaten dafür. Wenn unsere Computer kaputtgehen, reden wir mit Leuten auf der anderen Seite der Welt, um sie wieder zum Laufen zu bringen. Auf dem einen Kontinent hungern Millionen Menschen, während sie auf einem anderen immer fetter werden.

Und weil wir alle mit drinstecken, alle miteinander verbunden sind, werden sie uns jetzt alle vernichten.

Bei diesem Spiel sind wir alle dabei.

Ich rede schon wieder in Rätseln. Tut mir leid. Das passiert mir manchmal. Mein Gehirn ist kaputtgegangen und ich weiß nicht, wie ich es reparieren soll.

Wenn es Zeit zum Sterben ist, darfst du mich nicht davor bewahren. Versprich es! Keine Gnade. Lass mich allein sterben.

ARIES

Es war falsch. Das war ihr klar geworden, als sie noch nicht einmal die Hälfte des Weges zum Apartmenthaus hinter sich hatte. Sie hätte sich nicht von Daniel zum Gehen überreden lassen sollen. Doch obwohl sie wusste, dass es falsch gewesen war, kehrte sie nicht um.

Sie musste Verstärkung holen. Was gar nicht so einfach war, wie sie sich das vorgestellt hatte.

»Wir müssen wieder zurück!«

Sie stand mitten im Zimmer, umgeben von den Leuten, für die sie ihr Leben riskiert hatte. Sie waren ihr von Anfang an gefolgt, doch dieses Mal wollten sie bleiben, wo sie waren.

»Denk doch mal darüber nach«, protestierte Jack. »Sie sind im Supermarkt und du willst, dass wir dort hingehen? Das ist so, als würden wir darum bitten, umgebracht zu werden. Wir sind keine Soldaten, Aries. Wir können es nicht mit ihnen aufnehmen.«

Joy nickte. »Sie werden uns töten.«

»Ich will nicht sterben«, sagte Eve. Nathan legte den Arm um sie und zog sie an sich.

»Aber es ist das einzig Richtige«, beharrte Aries. »Und jetzt haben wir doch Waffen. Wir haben die Baseballschläger. Wenn es einer von euch wäre, würde ich es auch tun.«

»Das ist ja das Problem«, sagte Jack. Er machte eine kurze

Pause, als würde er nach den richtigen Worten suchen. »Daniel ist keiner von uns. Wir kennen ihn doch gar nicht.«

Aries starrte ihre Freunde an. »Trotzdem hat er mir geholfen«, argumentierte sie. »Ohne ihn wäre ich jetzt tot.«

Sie wichen ihrem Blick aus, alle bis auf Colin, der überheblich grinste.

»Also gut«, sagte sie. »Dann gehe ich eben allein.«

Sie drehte sich um und rannte aus dem Zimmer, während sie sich alle Mühe gab, nicht die Beherrschung zu verlieren. Wie konnten sie ihr das antun? Und was war mit Daniel? Jemanden auf diese Art sterben zu lassen, war einfach nicht richtig. Ja klar, es würde nicht so leicht sein, doch was hatte ihr Vater früher immer gesagt? Wer nicht kämpft, hat schon verloren.

Aber sie wusste, dass die anderen recht hatten. Der Supermarkt war eine tödliche Falle. Sie waren nur deshalb noch am Leben, weil sie bis jetzt jeder Konfrontation aus dem Weg gegangen waren. Sie versteckten sich in den Schatten und taten ihr Bestes, um unsichtbar zu bleiben. Und niemand von ihnen wusste, wie man kämpfte.

Einschließlich ihr selbst.

Sie machte sich doch etwas vor. Selbst wenn sie eine Waffe hätte, glaubte sie nicht, dass sie sie benutzen könnte. Eine Pferdebremse war das Größte, was Aries bis jetzt getötet hatte, und das auch erst, nachdem sie ihr ein Stück Fleisch aus dem Bein gebissen hatte. Trotzdem mussten sie anfangen, sich zu wehren, oder nicht? Sonst würden doch die Ungeheuer gewinnen.

In der Küche griff sie sich eine Packung Schokoladenkekse, dann schlich sie sich in den zweiten Stock, wo sie allein sein konnte. Das Eckzimmer am Ende des Gebäudes mieden alle, weil sie es für zu gefährlich hielten. Nachdem sie die Tür hinter sich zugemacht hatte, drehte sie sich um und ging vorsichtig an der Wand entlang zu dem Teil des Gebäudes, der eingestürzt war. Sie setzte sich auf den Boden, ließ die Beine über den Rand baumeln und lehnte sich an die Wand. Sie saß gern hier. Wenn sie die Augen schloss, alles andere verdrängte und nur den Wind auf ihrer Haut spürte, konnte sie so tun, als säße sie auf einem Berg mit nichts als bewaldeten Tälern und reißenden Flüssen unter ihr.

Zehn Minuten später hatte Jack sie gefunden. Er tastete sich an der Wand entlang, bis er sich neben sie setzen konnte. Für ihn war das eine erstaunliche Leistung. Aries wusste, dass er Höhenangst hatte und es ihn nervös machte, so nah an der Kante zu sein.

»Du hältst uns jetzt wahrscheinlich für Monster«, sagte er.

Aries hielt ihm den Karton mit den Keksen hin und er nahm sich einen. »Im Gegensatz zu was? Den anderen Monstern?«

Jack verzog das Gesicht. »Okay, wir haben es verdient. Aber wir haben Angst. Ich habe Angst. Rausgehen und nach etwas zu essen suchen ist eine Sache. Aber sich direkt in die Höhle des Löwen zu wagen, ist etwas ganz anderes.«

Sie saßen nebeneinander auf der Kante des Gebäudes und aßen Kekse. Der Himmel war mit Wolken überzogen. Es sah aus, als würde es wieder regnen. Was gut wäre, denn in der Innenstadt gab es immer noch einige Brände, denen Wasser von oben guttun würde.

»Ich widerspreche dir ja gar nicht«, sagte sie nach einer Weile. »Ich weiß auch, dass es Selbstmord ist. Warum, glaubst du, bin ich wohl noch hier?«

»Dann ist also doch etwas in deinen Dickschädel gedrungen?«

Sie lachte mit vollem Mund.

»Ich mache dir einen Vorschlag«, sagte Jack. »Wir gehen bei Tagesanbruch los und werfen erst einmal von Weitem einen Blick auf den Supermarkt. Und wenn es sicher ist, gehen wir rein und sehen nach, wie es deinem Daniel geht. Außerdem ist das Hemd, das du mir ausgesucht hast, zu eng. Das habe ich jetzt davon, dass ich mir von einem Mädchen meine Klamotten mitbringen lasse. Wo soll das noch hinführen?«

Sie lachte wieder und hielt ihm noch einmal die Kekspackung hin. Doch Jack beachtete sie gar nicht. Er starrte mit zusammengekniffenen Augen vor sich in die Dunkelheit.

»Was siehst du?« Sie versuchte, seinem Blick zu folgen. Die Straße unter ihnen bestand nur aus Schatten.

Einer der Schatten bewegte sich.

Und dann noch einer.

Ein dritter etwas weiter die Straße hinunter – eine schattenhafte Gestalt trat aus einem Hauseingang heraus und schlich sich hinter ein geparktes Auto.

Aries drehte den Kopf ein wenig und spähte in die andere Richtung. Sie konnte noch mehr Schatten erkennen, die sich eng an die Hauswände drückten und versuchten, unerkannt zu bleiben. Sie sah sie trotzdem.

Und es kamen immer mehr.

»Wir müssen wieder rein«, flüsterte Jack ihr ins Ohr.

Sie nickte. So leise wie möglich standen sie auf und schlichen von der bröckelnden Kante des Zimmers weg auf den Korridor.

Sie haben uns gefunden, dachte sie. *Wir haben alle gewusst, dass früher oder später so etwas passieren würde. Wir konnten uns nicht für immer verstecken. Es war nur eine Frage der Zeit.*

Sie rannten den Korridor hinunter in die Wohnung, die sie benutzten, und fanden den Rest der Gruppe in der Küche.

»Planänderung«, rief Jack. »Draußen sind eine ganze Menge von ihnen. Sie wissen, dass wir hier sind.«

Sie fingen alle auf einmal zu reden an.

»Sie können doch nicht rein, oder?«, sagte Eve. »Sie können die Tür nicht aufbrechen. Die ist ganz aus Metall.«

»Wie viele sind es?«, fragte Joy.

»Wie nah sind sie schon?« Nathan stand sofort auf und ging zum Fenster.

Colin sagte kein Wort. Mit bleichem Gesicht wich er zurück, bis er an die Wand hinter ihm stieß.

Um nicht in Panik auszubrechen und in Ruhe einen Schlachtplan zu entwerfen, waren sie zehn Minuten zu spät dran. Aller Augen richteten sich auf Aries. Warum sie? Warum nicht Jack? Er war bei so etwas viel besser. Warum gingen die anderen immer davon aus, dass sie auf alles eine Antwort hatte?

»Mindestens zwanzig«, sagte Aries. »Vielleicht noch mehr. Und nein, ich glaube nicht, dass sie die Tür aufbrechen können. Und die Fenster können sie auch nicht erreichen, es sei denn, sie haben eine Leiter dabei.«

»Das ist noch unser geringstes Problem«, sagte Jack, der sich zu Nathan ans Fenster gestellt hatte. »Einer von ihnen hat einen Benzinkanister in der Hand.«

»Und was bedeutet das?«, frage Eve. Ihre Stimme wurde mit jedem Wort höher und keuchender.

»Sie wollen uns ausräuchern«, rief Joy in dem Moment, in dem eine brennende Flasche durch das Fenster krachte und Glassplitter, Benzin und Flammen durch das Zimmer schossen. Eve begann zu schreien. Nathan reagierte sofort; er sprang direkt in die Flammen und trat sie mit seinen Stiefeln aus. Aries griff sich eine Decke und half ihm dabei.

Eine zweite Flasche segelte durch die Luft und traf die Wand hinter ihnen. Glassplitter und Flammen regneten auf die Couch herab und an mehreren Stellen begann es zu brennen.

Sie hörten, wie Flaschen in andere Räume des Gebäudes geschleudert wurden und dort zerbrachen. Die Ungeheuer griffen von allen Seiten an. Das Feuer breitete sich so schnell aus, dass sie nichts dagegen tun konnten, und das Zimmer füllte sich mit Rauch. Aries' Augen tränten und sie konnte kaum einen Meter weit sehen.

»Wir müssen hier raus!«, brüllte Jack, während er mit einem alten Kissen auf die Flammen einschlug.

»Nach unten!«, schrie Aries. »Los, kommt! Und bleibt von den Fenstern weg!«

Sie wartete an der Tür, bis alle an ihr vorbeigerannt waren. Jack war der Letzte. Er packte sie am Arm und zerrte sie mit sich.

»Versuchen wir es mit unserem Notfallplan?«, fragte er.

Sie nickte.

Es war Zeit, das Gebäude zu verlassen. Für einen solchen Fall hatten sie alles genau geplant und sie wussten, wo sie sich treffen sollten, wenn sie getrennt wurden. Aber trotz ihrer umsichtigen Vorbereitungen hatte keiner erwartet, dass es so plötzlich kommen würde. Aries war nie davon ausgegangen, dass man sie mit solchen Mitteln auf die Straße treiben würde.

»Sie werden uns töten«, sagte sie, während sie von einem heftigen Hustenanfall geschüttelt wurde. »In dem Moment, in dem wir die Tür aufmachen, werden sie uns einen nach dem anderen in Empfang nehmen.«

»Dann werden wir eben klüger sein müssen als sie«, keuchte Jack.

»Wenn wir alle auf einmal rausrennen, werden sie vielleicht nicht alle von uns erwischen können.«

»Das hört sich für mich nicht wie ein Plan an«, erwiderte er.

»Haben wir eine andere Wahl?«

Er schüttelte den Kopf. »Schließlich können wir sie ja nicht mit Eis und Keksen von uns ablenken. Es wird uns wohl nichts anderes übrig bleiben.«

Aries sah ihn mit einem traurigen Lächeln an. Das war typisch für Jack – er verlor nie den Humor.

Die anderen warteten im Korridor auf sie. Selbst im Dunkeln konnte Aries ihre verängstigten Gesichter erkennen. Der Rauch war hier nicht ganz so schlimm, doch sie konnten hören, wie das Knacken der Flammen näher kam. Wenn sie sich nicht beeilten, würde das Gebäude vielleicht einstürzen und sie unter sich begraben.

»Wir versuchen, auf die Straße zu kommen«, sagte Aries. »Wir haben keine andere Wahl. Wenn wir hierbleiben, werden wir sterben. Wenn wir es nach draußen schaffen, haben wir eine gute Chance, das hier zu überleben. Nathan, Jack und ich gehen zuerst. Wir lenken sie ab. Wir haben vier Walkie-Talkies. Wenn wir zusammenarbeiten, können wir in Kontakt bleiben. Wir treffen uns wie geplant am Second Beach.«

»Ich will mein eigenes Funkgerät haben«, rief Colin.

»In Ordnung«, erwiderte Aries. Sie wollte sich nicht mit ihm streiten. Nicht jetzt, wo so viel auf dem Spiel stand und sie so wenig Zeit hatten. »Jeder schnappt sich einen Baseballschläger und sonst nichts. Alles andere behindert uns nur.«

»Ich sollte als Erste gehen«, sagte Joy. »Ich bin zwar die Kleinste, aber ich kann am schnellsten rennen. Wenn ich sie dazu bringen kann, mich zu verfolgen, könnte es funktionieren.«

»Dann bleibe ich bei Eve und wir gehen als Nächste«, sagte Nathan. »Wir teilen uns ein Funkgerät.«

»Ich gehe mit Jack zusammen«, sagte Aries. »Dann können Colin und Joy jeder ein eigenes Funkgerät haben. Alle einverstanden?«

Die anderen nickten.

»Dann los!« Sie drehte sich um und rannte in eine der anderen Wohnungen, in der sie die Funkgeräte und den Rest ihrer Vorräte verstaut hatten. Jack und Nathan folgten ihr.

Sie versuchte, nicht daran zu denken, was als Nächstes passieren würde. Draußen waren mindestens zwanzig Bestien, vielleicht auch noch mehr. Die Chancen, dass es alle aus ihrer Gruppe überlebten, standen schlecht. Als sie Nathan und Jack ansah, wusste sie, dass die beiden genau das Gleiche dachten.

Wie sollte sie es ertragen, wenn einer von ihnen starb? Sie waren doch ihre neue Familie, selbst Colin mit all seinen Fehlern.

Plötzlich wurde ihr klar, dass sie die Antwort darauf schon kannte. Sie würde einfach weiterleben. So, wie sie schon die ganze Zeit überlebt hatte. Obwohl sie die Hoffnung nie aufgegeben hatte, wusste sie tief in ihrem Innern, dass ihre Eltern höchstwahrscheinlich tot waren, so wie fast alle anderen, die sie kannte. Sara, der Mensch, den sie auf dieser Welt am meisten geliebt hatte, war tot. Und Ms Darcy, Becka und Amanda waren es auch.

Und Aries hatte es akzeptiert. Sie hatte überlebt.

Egal, wie sehr sie an ihrer Eignung als Anführerin zweifelte, sie würde dafür sorgen, dass sie und die anderen das hier überlebten. Anführer mussten schwere Entscheidungen treffen. Und genau das würde sie jetzt auch tun. Mit den Folgen würde sie sich später beschäftigen.

Aries nahm die Funkgeräte, gab drei davon Nathan und behielt eines für sich und Jack. Von draußen drang das Gebrüll der menschlichen Ungeheuer zu ihr herein. Sie wurden langsam ungeduldig.

Seit sie das Gebäude in Brand gesteckt hatten, waren nicht mehr als fünf Minuten vergangen. Es war merkwürdig, aber Aries kam es vor, als wären es Stunden gewesen.

»Das wirst du mir jetzt nicht glauben«, sagte Jack plötzlich. Er stand drüben am Fenster und sah auf die Straße hinunter. »Gerade eben ist jemand mitten in die Gruppe da draußen gerannt. Er geht auf die Bestien los. Dieser Idiot legt es doch tatsächlich darauf an, sich umbringen zu lassen.«

Ihr Herz begann zu rasen.

Daniel?

MASON

Das Motorrad fand er am Straßenrand, kurz hinter Chilliwack. Bis nach Vancouver war es nicht mehr weit – er würde sein Versprechen halten, das er Chickadee gegeben hatte. In den nächsten Stunden raste er mit Höchstgeschwindigkeit über die Straße, fuhr im Zickzack zwischen den liegen gebliebenen Fahrzeugen hin und her, benutzte nur selten die Bremsen und sprang an einigen Stellen sogar in den Straßengraben. Ein paarmal begann das Motorrad unter ihm zu schlenkern und drohte ins Schleudern zu geraten.

Es war ein Wunder, dass er keinen Unfall hatte. Nein, das war nicht das richtige Wort dafür. Es war ein Fluch.

Vancouver war eine Geisterstadt.

Mitten auf der Kreuzung von Main Street und Hastings blieb das Motorrad stehen, weil es kein Benzin mehr hatte. Mason stieg ab, ließ es auf den Boden fallen und taumelte in die Richtung, die er für richtig hielt.

Alle, die er gerngehabt hatte, waren tot, und er fühlte sich betrogen. Bei der Explosion in der Schule hätte er mit seinen Freunden zusammen sterben sollen, dann würde er jetzt auch unter Tonnen von Beton liegen. Nur weil seine Mutter diesen dummen Autounfall hatte, war er noch am Leben.

Er hatte es nicht verdient zu leben. Das Opfer seiner Mutter war umsonst gewesen.

Der Kerl in Hope hatte recht gehabt. Mason war ein Ungeheuer. Jemand, der ein guter Mensch war, hätte es besser gemacht. Er hätte die Ärzte im Krankenhaus dazu gebracht, seiner Mutter zu helfen. Er hätte bemerkt, dass Chickadee Medikamente brauchte, vielleicht sogar schon in Banff, als sie die Apotheke durchsucht hatte. Mason hätte sie nie beschuldigen sollen, Drogen zu nehmen. Warum war ihm nichts aufgefallen und warum hatte er nicht alles getan, um ihr die Medikamente zu besorgen, die sie brauchte? Stattdessen hatte er sämtliche Hinweise ignoriert, selbst dann, als er schon gewusst hatte, dass etwas nicht stimmte.

Er hätte doch dahinterkommen können, dass Paul sich eigenartig verhielt, als er in der Hütte, in der sie übernachteten, die Geschichte erzählt hatte. Wenn er Paul zum Bleiben überredet hätte, hätte sich Chickadee vielleicht nicht so hintergangen gefühlt. Vielleicht wäre sie dann ehrlicher zu ihm gewesen und hätte es ihm früher gesagt. Stattdessen hatte sie Angst gehabt, dass er sie auch verlassen würde. Er hätte etwas tun müssen, um ihr zu zeigen, dass er sie nie verlassen hätte. Dass er bis zum Ende bei ihr geblieben wäre. Er hatte sein Versprechen gehalten, oder nicht? Er war nach Vancouver gekommen.

Er hätte sie retten können.

Einige Häuserblocks von ihm entfernt begann das Stadtzentrum von Vancouver. Riesige Gebäude bestimmten die Skyline und viele von ihnen standen noch, allerdings die meisten mit zerbrochenen Fensterscheiben. Er wusste, dass Stanley Park auf der anderen Seite der Stadt lag. Es war nicht mehr weit.

Auf der East Hastings herrschte Chaos; die Gebäude waren geplündert, die Autos zertrümmert. In den Türeingängen türmte sich der Müll und die Straßen waren mit zerbrochenen Flaschen und wertlosen Gegenständen übersät. Es roch nach Urin und Verzweiflung. Er hatte es verdient, hier zu sein.

Der Rauch stieg ihm in die Nase, bevor er die Flammen sehen konnte. Eine Straße weiter traf er auf einen Hinterhalt. Eine Gruppe von Ungeheuern, die sich als Menschen getarnt hatten, stand mit Molotowcocktails in der Hand um ein Gebäude herum. Einer nach dem anderen warf seine Flasche durch die Fenster.

Wie viele Leute saßen wohl in dem Gebäude in der Falle?

Die Verrückten gingen zu den Hintertüren. Offenbar warteten sie darauf, dass die Leute, die im Innern gefangen waren, zu flüchten versuchten. Einige von ihnen hatten Baseballschläger in der Hand, ein oder zwei auch Messer.

Diese Bestien hatten es nicht verdient zu leben. Sie trieben Menschen in eine Falle, als wären sie Wild. Das war Mobverhalten und feige noch dazu.

Er hatte es auch nicht verdient zu leben. Der einzige Mensch, der es wirklich verdient hatte, auf dieser Welt zu sein, lag jetzt in einem Grab in einer Stadt namens Hope, die diesen Namen zu Unrecht trug.

Wenigstens würde er ein paar von ihnen mit in den Tod nehmen können.

Allerdings hatte er das Meer noch nicht gesehen. Und es auch nicht gespürt. Es beunruhigte ihn ein wenig, dass er dieses Versprechen brechen würde. Hoffentlich verstand Chickadee, dass das hier die einzige Möglichkeit für ihn war, um sich selbst für seine Fehler zu bestrafen.

Er überlegte nicht. Stattdessen rannte er direkt auf die Bestien zu.

ARIES

Aries zögerte nicht. Sie schnappte sich einen der Baseballschläger und nahm immer zwei Stufen auf einmal nach unten. Ihre Turnschuhe berührten den Beton der Treppe kaum. Hinter sich hörte sie Jack und Nathan, die Mühe hatten, ihr zu folgen. Im Erdgeschoss entriegelte sie die Metalltür, stieß sie auf und trat auf die Straße.

Als sie sein Gesicht sah, war ihr sofort klar, dass der Fremde nicht Daniel war. Aber wer war er? Und warum tat er so etwas Selbstmörderisches? Sie blieb dicht an der Tür stehen und sah zu, wie der Fremde angriff. Er war mitten in der Menge und wehrte sich, als die Ungeheuer auf ihn zukamen. Obwohl er blindlings zuschlug, gelang es ihm, einige Treffer zu erzielen – sie sah, wie seine Faust auf einer Nase landete und Blut auf die Straße spritzte. Ein zweites Ungeheuer bekam einen Fußtritt in die Seite, brach zusammen und wurde von den anderen niedergetrampelt, als sie ihre Beute einkesselten.

»Kommt mit!«, hörte sie Jack hinter sich sagen. »Wir verschwinden, solange sie abgelenkt sind.«

So eine Chance bekamen sie nie wieder. So leise wie möglich schlichen sich ihre Freunde aus dem Gebäude und machten sich in verschiedene Richtungen davon. Nathan packte Eve am Arm und zog sie mit sich in die Gasse neben dem Haus. Colin und Joy liefen hinter das Gebäude und verschwanden in Richtung Crab Park. Die Ungeheuer waren so mit dem fremden Jungen beschäftigt, dass sie es nicht einmal bemerkten. Als Aries sich umdrehte, stellte sie überrascht fest, dass Jack als Einziger geblieben war. Die anderen waren in der Dunkelheit verschwunden.

»Wir müssen ihm helfen«, sagte sie.

»Du hast recht. Das sind wir ihm schuldig«, stimmte Jack ihr zu.

Doch was konnten sie tun?

Wie aus dem Nichts rannte noch jemand in die Gruppe hinein. Dieses Mal war es tatsächlich Daniel. Aries erkannte ihn an seinen schwarzen Haaren und der schlanken Figur. Offenbar hatte er eine Waffe in der Hand, denn zwei der Bestien brachen zusammen und fielen zu Boden. Dann trat einer der Verrückten hinter ihn und holte mit einem Baseballschläger aus.

Aries überlegte nicht. Sie rannte schnurstracks auf den Kerl mit dem Baseballschläger zu, holte aus und traf ihn mit ihrem Schläger in die Seite. Jemand packte sie an den Haaren und riss ihr den Schläger aus der Hand. Sie drehte sich um die eigene Achse, ballte die Finger zur Faust und schlug zu, direkt auf den Kiefer. Ihre Fingerknöchel knackten und ein heftiger Schmerz zuckte durch ihre Hand, doch es war so ziemlich das beste Gefühl, das sie je in ihrem Leben gehabt hatte. Sie hatte noch nie jemanden geschlagen und sich auch nicht vorstellen können, dass es sich so fantastisch anfühlte. Eine Frau, deren weit aufgerissene Augen von schwarzen Adern durchzogen waren, kam mit gefletschten Zähnen auf sie zu und wollte ihr die Nase abbeißen. Aries holte erneut aus und spürte, wie die Nase der Bestie unter ihrer Faust brach. Allerdings tat es dieses Mal erheblich mehr weh.

Bei Profiboxern und im Kino wirkte es immer so einfach.

Sie drehte sich um und sah, wie ein Paar Hände nach ihrem Hals griffen, doch Jack warf sich vor sie und rang den Angreifer zu Boden. Jetzt kämpften alle, verbissen und zum Äußersten entschlossen.

Die Ungeheuer drehten völlig durch. Sie standen viel zu dicht beieinander. Der Fremde wich einem Faustschlag aus und statt seiner wurde einer der Verrückten getroffen. Bald gingen einige der Ungeheuer aufeinander los und niemand schien mehr zu wissen, was eigentlich los war.

Plötzlich stand Daniel neben ihr, packte sie am Arm und riss sie zurück. »Bist du verrückt geworden?«, brüllte er. »Was zum Teufel machst du da? Sie werden dich umbringen. Verschwinde von hier! Geh zu deinen Freunden!«

»Ich lasse dich nicht allein«, sagte sie. »Und den Jungen da auch nicht. Er hat uns gerade allen das Leben gerettet.«

Daniel zerrte sie noch ein Stück von der Menge weg und stieß sie hinter ein geparktes Auto. »Bleib hier! Ich hole ihn.«

MASON

Er bekam einen heftigen Schlag in die Magengrube und schnappte nach Luft. Als er über den Kopf eines am Boden liegenden Ungeheuers stolperte, bewegten sich seine Knie in völlig unterschiedliche Richtungen und verbogen sich auf eine Art und Weise, die von der Natur nicht vorgesehen war. Nachdem er hart auf der Straße aufgekommen war, spürte er, wie ihn jemand zweimal in die Seite trat, und instinktiv zog er die Beine an den Körper und schlang die Arme um die Knie, um sich zu schützen. Ein schwerer Stiefel traf seine Finger und er hörte, wie sie brachen. Er biss die Zähne zusammen, um nicht laut aufzuschreien.

Jetzt brauchte er nur noch einen kräftigen Tritt gegen den Kopf und dann würde alles vorbei sein. Aber er würde seine Augen nicht schließen. Er wollte dem Tod ins Gesicht sehen.

Plötzlich tauchte von irgendwoher eine Hand auf, dann folgte ein Gesicht. Ein Junge, der etwa im gleichen Alter war wie er, packte ihn am Arm und zog ihn ein Stück mit sich.

»Komm mit!«, rief der Typ. »Was zum Teufel machst du da eigentlich? Willst du dich umbringen lassen? Es gibt schönere Arten, um zu sterben.«

»Hau ab!«, keuchte Mason. Er atmete tief ein und aus und endlich strömte wieder Luft in seine Lungen.

»Das werde ich mit Sicherheit nicht tun«, erwiderte der Junge. Er wich einem Faustschlag aus und schickte den Angreifer mit einem Fußtritt in die Menge zurück. »Egal, was du deiner Meinung nach getan hast, vergiss es! Den Tod hast du nicht verdient.«

»Was weißt du schon!« Es war keine Frage.

Der Junge zog Mason noch näher an sich, bis sich ihre Nasen praktisch berührten. »Ich weiß zufällig eine ganze Menge. Und jetzt sieh zu, dass du deinen Hintern hochkriegst und mitkommst. Da drüben steht ein Mädchen und sie wird ziemlich sauer werden, wenn ich ohne dich zurückkomme.«

Irgendetwas in seinen Augen sorgte dafür, dass Mason ihm glaubte. Jetzt war weder die Zeit noch der Ort, um zu sterben. Er ließ sich von dem Fremden hochhelfen und zusammen kämpften sie sich aus der Menge heraus bis zu der Stelle, an der ein Mädchen und ein Junge auf sie warteten.

»Komm mit!«, rief das Mädchen. »Wir haben nicht viel Zeit. Sie werden bald merken, dass sie sich nur gegenseitig umbringen.« Sie wandte sich an den Jungen neben ihm. »Du kommst auch mit, Daniel. Und lass dir bloß nicht einfallen, ausgerechnet jetzt wieder zu verschwinden.«

Der Fremde namens Daniel lächelte sie verlegen an. »Das würde mir nicht mal im Traum einfallen«, antwortete er.

Er lügt, dachte Mason.

Doch das Mädchen glaubte ihm. Zu viert bogen sie um eine Ecke des Gebäudes und rannten vier Häuserblocks weit, ohne stehen zu bleiben.

Mason versuchte, mit den anderen mitzuhalten, doch er hatte zu viele Schläge einstecken müssen. Kehle und Lungen brannten und heftiges Seitenstechen drohte, seinen Körper zu zerreißen. Kurz hinter dem vierten Häuserblock stolperte er und fiel auf die Knie. Er hatte den ganzen Tag noch nichts gegessen, was sich jetzt als Vorteil herausstellte, denn wenn er etwas in seinem Magen gehabt hätte, wäre es auf dem Gehsteig gelandet. Für einen Moment blieb er auf den Knien liegen, die Hände flach auf das Pflaster gepresst, den Kopf dicht über dem Boden, und hustete sich die Seele aus dem Leib.

»Geht ohne mich weiter!«, keuchte er. »Ich bin total am Ende.«

»Hoffentlich ist dir das eine Lehre, es nicht noch einmal allein mit ihnen aufzunehmen«, schnaufte das Mädchen. »Was ist eigentlich in dich gefahren? Weshalb hast du den Helden gespielt?«

»Ich bin kein Held.«

»Du hast uns das Leben gerettet«, sagte sie.

Mason hob den Kopf und sah sie an und zum ersten Mal fiel ihm auf, wie groß und grün ihre Augen waren. Auf ihrem Gesicht lag ein betroffener Ausdruck und für einen Augenblick glaubte er, dass sie sich Sorgen um ihn machte, obwohl sie überhaupt nichts über ihn wusste.

»Ich bin Aries«, stellte sie sich vor. Sie wies mit dem Kopf auf den Jungen neben ihr. »Das ist Jack. Und das da drüben ist Daniel.«

Sie hielt ihm die Hand hin und er ließ sich von ihr hochziehen und in einen dunklen Hauseingang bringen. Sobald er stand, ließen die Schmerzen in seinen Lungen nach und bald war seine Atmung wieder völlig normal.

»Ich heiße Mason.«

Eng gedrängt standen die drei für ein paar Momente in dem Hauseingang, während Daniel die Straße im Auge behielt. Schließlich drehte er sich um und sah sie an.

»Ich störe euer gemütliches Beisammensein ja nur ungern, aber inzwischen haben sie gemerkt, dass wir weg sind. Ich glaube, wir sollten weiter.«

Mason hörte wütendes Gebrüll hinter sich. Und dann sah er, wie einige Häuserblocks von ihnen entfernt schattenhafte Gestalten auf sie zukamen.

»Kannst du wieder laufen?«, fragte Aries.

»Es wird schon gehen«, erwiderte er. »Wo wollen wir eigentlich hin?«

»Ans Meer«, sagte sie. »Dort treffen wir uns mit den anderen. Aber zuerst müssen wir die Bestien abhängen.«

Er glaubte nicht an Schicksal oder Vorsehung oder die ganze Scheiße, von der sie im Kino immer redeten. Doch als Aries das Meer erwähnte, fragte er sich, ob Chickadee etwas damit zu tun hatte, dass er dieses Mädchen getroffen hatte.

CLEMENTINE

Sie hörte die Schritte, rechnete aber nicht damit, dass der Typ direkt in sie hineinlaufen würde. Sie und Michael waren um die Ecke gebogen, um sich das vierstöckige Parkhaus anzusehen und herauszufinden, ob es eine Möglichkeit gab, in das große Kaufhaus dahinter zu gelangen. Es war schon spät und sie suchten einen Platz zum Schlafen.

In dem Moment, in dem Clementine um das Gebäude herum war, rannte ein Junge mit zerzausten schwarzen Haaren genau in sie hinein. Sie prallte mit dem Kopf gegen sein Kinn und fiel nach hinten auf Michael, der sie gerade noch auffing.

Sie sah Sterne, doch bevor sie Zeit hatte, sie zu zählen, packte der fremde Junge ihre Hand.

»Wenn ich du wäre, würde ich jetzt mitkommen«, rief er. »Sie sind direkt hinter uns.«

»Hetzer«, sagte Michael.

Clementine sah über die Schulter des Fremden. Er hatte recht. In einiger Entfernung waren zwanzig oder dreißig von den Ungeheuern, die schnell näher kamen.

»Wir müssen uns verstecken«, rief ein Mädchen mit langen kastanienbraunen Haaren, das sich zu ihnen gesellte. Hinter ihr liefen noch zwei Jungen, die beide ziemlich fertig aussahen. Einer vor ihnen war übel zusammengeschlagen worden und hielt seine verletzte Hand an die Brust gepresst.

»Wir wollten in das Parkhaus«, sagte Michael. »Da drüben. Wir dachten, wir können von dort aus in das Kaufhaus gelangen.«

Das Mädchen und der Junge mit den kurzen Haaren wechselten einen Blick.

»Dort sitzen wir in der Falle«, sagte sie.

»Das Kaufhaus ist dennoch ein gutes Versteck«, sagte er. »Wir können nicht ewig vor ihnen weglaufen.«

»Und woher wissen wir, ob die beiden in Ordnung sind?«, sagte der Junge, der zusammengeschlagen worden war, mit einem misstrauischen Blick auf Michael.

»Und woher wissen wir, ob *ihr* in Ordnung seid?«, fuhr Clementine ihn an.

»Wir rennen vor ihnen weg, falls dir das noch nicht aufgefallen sein sollte.«

»Für so etwas haben wir jetzt keine Zeit«, sagte der Schwarzhaarige. »Wir müssen das Risiko eingehen.«

Das Mädchen wandte sich an Clementine. »Also dann los, einverstanden.«

Sie rannten über die Straße und betraten das Parkhaus. Neben der Schranke führte eine schmale Betontreppe direkt nach oben. Über ihren Köpfen konnten sie eine überdachte Fußgängerbrücke erkennen. Wenn sie es bis dorthin schafften, würden sie vielleicht einen Eingang in das Kaufhaus finden.

Bis zur Fußgängerbrücke waren es drei Stockwerke, und als sie oben waren, keuchten alle. Das Mädchen stellte sich mit leiser Stimme als Aries vor. Dann flüsterte sie die Namen der anderen.

»Ich bin Clementine«, flüsterte sie zurück. »Und das da ist Michael.«

»Habt ihr euch jetzt alle brav vorgestellt?«, fragte Daniel. »Ich habe es langsam satt, ständig neue Gesichter zu sehen. Wie viele andere werde ich heute Abend noch ertragen müssen?«

»Keine Angst«, erwiderte Aries. »Sobald wir in Sicherheit sind, kannst du dir von mir aus einen Stein suchen, unter den du dich verkriechst.«

Michael und Clementine wechselten einen Blick. Was für eine Auseinandersetzung zwischen den beiden hatten sie da gerade unterbrochen?

Von unten drang Geschrei zu ihnen herauf. Die Hetzer verteilten sich, um nach ihnen zu suchen. Es war nur noch eine Frage der Zeit, bis sie die Treppe fanden.

»Wir sind am Arsch.«

Clementine wusste nicht, was Daniel meinte, bis sie einen Blick auf die Fußgängerbrücke warf. Sie war völlig zerstört; die Fensterscheiben waren zerbrochen, die Bodenverschalung gerissen. In der Mitte befand sich ein Loch, groß genug, um hindurchzufallen. Die Konstruktion sah aus, als würde sie jeden Moment zusammenbrechen.

»Sie wird unser Gewicht nicht aushalten«, sagte Jack. »Das Ding da trägt nicht einmal ein Baby.«

»Und wenn wir einer nach dem anderen gehen?«, schlug Aries vor.

»Es war so eine gute Idee«, sagte Clementine. »Das Erdbeben hatte ich ganz vergessen.«

»Du hast von unten also nicht erkennen können, dass die Brücke kaputt ist?«, fragte Daniel. »Wieso hast du nicht einfach mal nach oben gesehen?«

»Hey, schnauz sie nicht so an!«, rief Michael. »Es ist schließlich nicht ihre Schuld.«

»Ich glaube, es wird gehen«, meinte Mason. Er zögerte keine Sekunde. Clementine hielt den Atem an, als er die Fußgängerbrücke betrat und sich in der Mitte hielt, wo die Konstruktion vielleicht am stärksten war. Als er das Loch erreichte, machte er einfach einen großen Schritt darüber, als wäre es ein Schlagloch in der Straße anstatt eines tiefen Falls drei Stockwerke hinab auf die Straße darunter. Nachdem er die andere Seite erreicht hatte, bedeutete er den anderen nachzukommen.

»Angeber«, murmelte Daniel.

Jack ging als Nächster, dann war Aries an der Reihe, gefolgt von Daniel. Jack hatte am meisten Schwierigkeiten. Vor dem Loch blieb er gute dreißig Sekunden stehen, bis seine erstarrten Beine wieder funktionieren wollten.

»Du bist dran«, sagte Michael.

Als Clementine die Fußgängerbrücke betrat, spürte sie auf ihrem Gesicht den Wind, der durch die zerbrochenen Fensterscheiben wehte. Der Boden unter ihren Füßen schien zu schwanken, doch sie versuchte sich einzureden, dass sie sich das nur einbildete. Das Metall knirschte unter ihrem Gewicht, doch es hielt. Als sie das Loch sah, begannen ihre Beine zu zittern.

Lieber Heath, ich glaube, ich muss mich gleich übergeben.

Der Gedanke daran ließ sie fast hysterisch werden. Aber er gab ihr auch Kraft. Wenn sie ihren Bruder gefunden hatte, würde sie ihm davon erzählen, und er würde stolz auf sie sein, weil sie den Mut gehabt hatte, so etwas Gefährliches zu tun.

Sie überquerte die Fußgängerbrücke und Michael folgte ohne Probleme.

»Das Kaufhaus ist offen«, sagte Mason.

»Vielleicht sind ein paar von ihnen da drin«, wandte Jack ein.

»Wir müssen das Risiko eingehen«, erwiderte Clementine. »Sie sind schon auf der Treppe. Ich kann sie hören.«

Sie rannten durch einen Korridor und an einem Blumengeschäft vorbei in das Kaufhaus.

Es war hell erleuchtet.

»Was zum …« Clementine blieb stehen, die Hand auf ihrer Taschenlampe. Über ihr brannten Neonlampen und tauchten das Kaufhaus in ein grelles Licht.

»Ein Generator«, sagte Aries. »Es muss ein Generator sein. Es gibt seit Wochen keinen Strom mehr. Aber wer war das? Die Verrückten?«

»Vielleicht«, meinte Daniel. »Schwer zu sagen. Fenster gibt es nur im Erdgeschoss. Auch wenn man das Kaufhaus den ganzen Tag anstarrt, würde einem nicht auffallen, dass Licht brennt. Es könnte sein, dass sich hier noch andere verstecken.«

»Aber warum hier?«, fragte Jack. »In einem Kaufhaus, das keine Lebensmittelabteilung hat? Ziemlich witzlos. Vielleicht haben sie ja vor, etwas früher auf Weihnachtsshopping zu gehen.«

»Das gefällt mir nicht«, sagte Daniel. »Ich habe ein schlechtes Gefühl bei der Sache. Lasst uns den Eingang in der Granville Street suchen. Ich glaube, wir hätten schon vor zehn Minuten gehen sollen.«

»Einverstanden«, erwiderte Aries. »Mir ist das hier zu unheimlich.«

Sie rannten in die Mitte des Kaufhauses, zu den Rolltreppen. Als sie an der Sportabteilung vorbeikamen, warf Clementine einige Schaufensterpuppen um. Mit Mützen bedeckte Köpfe und spärlich bekleidete Oberkörper knallten auf den Boden. Ein Badmintonschläger segelte durch die Luft und ein Arm aus Plastik polterte die Stufen der Rolltreppe nach unten.

»Eins sag ich euch«, rief Jack, während sie die Rolltreppe nach unten liefen. »Schaufensterpuppen werde ich nie wieder so ansehen wie vorher. Die Dinger sind einfach gruselig. Sogar die mit der Unterwäsche.«

Sie hatten gerade einmal den ersten Stock erreicht, als sie entdeckt wurden. Am Ende der Rolltreppe im Erdgeschoss stieß einer der Hetzer einen lauten Schrei aus; eine Frau, die ein blutdurchtränktes Sommerkleid trug.

»Planänderung«, brüllte Michael.

»Mir nach«, rief Aries. »Wir nehmen die Treppe.«

Sie rannten auf die Lederwarenabteilung zu. Als sie bei den Strumpfwaren ankamen, blieben alle abrupt stehen. Jack holte mit seinem Baseballschläger aus.

»Was zum Teufel …?« Masons Reaktion beschrieb die Situation am besten.

Die Fläche vor ihnen war komplett leer geräumt worden. Hunderte von Schlafsäcken lagen auf dem Boden, so dicht aneinander wie Sardinen in der Dose. Überall waren leere Getränkedosen, verpackte Lebensmittel und blutige Kleidungsstücke verteilt. In einer Ecke hatte jemand Lebensmittel und Tütenmahlzeiten aufgestapelt. Clementine bückte sich, ohne zu überlegen, und hob eine weggeworfene Stoffpuppe auf. Auf den rosigen Wangen der Puppe klebte eingetrocknetes Blut.

»Eine gigantische Pyjamaparty«, murmelte Michael. Er trat gegen einen Haufen aus schmutziger Bettwäsche.

»Das erklärt den Generator«, sagte Mason. »Sie wohnen hier. Und wir sind direkt in ihr Nest geschlüpft.«

Aus der Richtung der Rolltreppen hinter ihnen hallte das Stakkato rennender Schritte durch die Etage.

»Die Hetzer kommen«, stammelte Clementine.

»Ich würde dich ja gern fragen, warum du sie so nennst, aber für eine nette Unterhaltung haben wir jetzt wohl keine Zeit«, sagte Jack. »Ich glaube, in einer Situation wie dieser hilft nur noch wegrennen.«

Es gab keinen Widerspruch.

Sie liefen auf ein beleuchtetes Ausgangsschild zu und fanden die Treppe. Bis ins Erdgeschoss war es nur noch ein Stockwerk. Als sie die untere Ebene erreicht hatten, rannten sie in Richtung der Kosmetikabteilung. Clementine hatte um diesen Bereich immer einen großen Bogen gemacht, da sie gegen Parfüm allergisch war und es hasste, wie die verschiedenen Düfte sich mischten. Selbst jetzt, Wochen nachdem der letzte richtige Kunde in dem Kaufhaus gewesen war, stiegen ihr die schweren Gerüche unangenehm in die Nase. Sie unterdrückte einen heftigen Niesreiz, rannte direkt auf den Ausgang zu und versuchte, eine der Glastüren zu öffnen. Die Tür bewegte sich keinen Zentimeter.

»Abgesperrt!«, rief sie.

»Die hier auch«, sagte Michael, der frustriert beide Hände gegen das Glas drückte. »Wir brauchen etwas Großes, um sie aufzubrechen.«

»Ich glaube, wir brauchen einen anderen Ausgang«, sagte Daniel. »Seht mal!«

Clementine hatte es zuerst nicht bemerkt, weil es draußen dunkel war und das Licht sie blendete. Doch als sie jetzt einen Blick auf die Granville Street warf, sah sie, dass der Gehsteig voller Hetzer war. Es waren Dutzende, vielleicht sogar hundert. Sie standen völlig ruhig da und beobachteten das Kaufhaus.

»Das war's dann wohl«, sagte Mason leise. »Das Spiel ist aus.«

»Nein«, widersprach Clementine. »Es muss noch einen anderen Ausgang geben.« Sie drehte sich um und warf einen Blick auf die Kosmetikstände, doch die Hetzer waren schon dort. Sie kamen durch die Gänge zwischen den Ständen auf sie zu. Mindestens zwanzig von ihnen verteilten sich auf der Etage und grinsten wie blöd.

»Wir sind umzingelt«, murmelte Aries.

»Es war ein guter Kampf«, sagte Michael.

»Es ist noch nicht vorbei«, fuhr Clementine ihn an. »Es muss noch eine andere Möglichkeit geben.« Sie warf einen Blick über die Schulter und stellte fest, dass immer mehr Hetzer auf der Straße erschienen.

Michael nahm ihre Hand.

»Nein!«, schrie sie. »So will ich nicht sterben!«

Einer der Hetzer machte einen Satz auf sie zu und wollte ihr seine Finger ins Gesicht stoßen. Sie spürte, wie Michaels Hand sie nach hinten riss, doch er war nicht schnell genug. In dem Moment, in dem das Ungeheuer nach ihr griff, stieß Mason sie beiseite und rammte den Hetzer von vorn, sodass dieser zu Boden ging.

Es war das Zeichen, auf das die Ungeheuer gewartet hatten. Sie kamen alle gleichzeitig auf die Gruppe zu. Clementine hörte, wie sie hinter ihr gegen die Glastüren am Eingang hämmerten. Glas splitterte und plötzlich spürte sie einen kalten Luftzug im Genick.

MASON

Er hatte den Kerl kommen sehen und schaffte es gerade noch, Clementine wegzustoßen, bevor er mit der Bestie zusammenprallte. Der Schmerz in seiner verletzten Hand war furchtbar, doch er biss die Zähne zusammen und kämpfte gegen die Übelkeit in seinem Magen an. Der Hetzer stürzte zu Boden, stieß sich den Kopf und wurde bewusstlos. Was allerdings keinen großen Unterschied machte. Hunderte andere standen noch.

Hinter ihnen splitterte Glas. Bevor er sich umdrehen konnte, fiel ihm eines der Ungeheuer in den Rücken und zwang ihn auf die Knie. Jemand packte ihn an den Haaren und riss seinen Kopf unsanft nach hinten, bevor Jack sich dazwischenwarf und so heftig auf den Hetzer einschlug, dass dieser losließ.

Mason nickte Jack zum Dank zu; für mehr war jetzt keine Zeit, denn immer mehr Hetzer strömten durch die eingeschlagenen Glastüren in das Kaufhaus hinein.

Mason begann, mit seiner unverletzten Hand Faustschläge zu verteilen. Er sah, wie Clementine und Michael zu Parfümflaschen griffen und diese auf die Ungeheuer warfen. Daniel wurde von mehreren Verrückten gleichzeitig angegriffen, die sich gegenseitig in die Quere kamen, als sie versuchten, ihre Beute als Erster zu erledigen. Jack und Aries standen dicht nebeneinander, die Baseballschläger hoch über dem Kopf erhoben, während die Angreifer immer näher kamen.

Das war das Ende.

Ein weibliches Ungeheuer rannte von hinten auf Mason zu. Aus den Augenwinkeln heraus sah er Metall aufblitzen, als sie ein Messer hob und damit auf sein Gesicht zielte. Sie schrie wie am Spieß und ihre verfilzten Haare fielen ihr über die Schultern. Mason wich dem Messer aus, trat ihr gegen die Beine und brachte sie zu Fall. Mit seiner unverletzten Hand versetzte er einem zweiten Angreifer einen Faustschlag auf die Nase und kämpfte sich dann durch die Menge bis zu der Stelle, an der sich Aries und Jack gegen ihre eigene Gruppe von Ungeheuern zur Wehr setzten.

Er erreichte sie zu spät und konnte nicht mehr verhindern, dass der Baseballschläger auf Jacks Hinterkopf niederging. Als das Aluminium des Schlägers auf Knochen traf, schrie Aries auf. Jack ging in die Knie und prallte gegen eine Vitrine mit Kosmetikprodukten.

Mason hechtete nach vorn und schaffte es, Jack aufzufangen, bevor dieser zu Boden stürzte. Er hielt ihn fest und nach einer Sekunde stand Aries neben ihm und schob ihn weg, damit sie den verwundeten Jungen in ihre Arme nehmen konnte.

Jack hatte die Augen geschlossen.

»Oh Gott«, flüsterte sie. »Oh Gott. Jack. Nein.«

Der Hetzer, der Jack angegriffen hatte, packte Mason an den Haaren und riss ihn zurück. Mason befreite sich, hob eine Parfümflasche vom Boden auf und schlug sie dem Hetzer auf den Kopf. Dann wankte er zu Aries zurück. Jack lag reglos in ihren Armen. Aus der Wunde an seinem Kopf strömte Blut, das ihre Bluse langsam dunkelrot färbte.

Es gab keine Möglichkeit, das, was Mason jetzt zu ihr sagen musste, schöner zu verpacken.

»Lass ihn los!«, rief er. »Wir brauchen dich. Du kannst dich um ihn kümmern, wenn wir hier fertig sind.«

Aries ignorierte ihn. In ihren Augen standen Tränen. Er streckte eine Hand aus, berührte sie an der Wange und zwang sie, ihn anzusehen.

»Er ist nicht tot«, sagte Mason. »Er atmet. Du darfst ihn jetzt nicht aufgeben. Er wird sterben, wenn du nicht kämpfst, um ihn zu retten.«

Aries blinzelte ein paarmal, als ihr klar wurde, was er zu ihr gesagt hatte. Schließlich nickte sie und ließ Jacks Kopf vorsichtig auf den Boden sinken. Noch im Aufstehen griff sie nach Masons blutigem Baseballschläger, holte aus und traf einen der Hetzer an der Schulter.

»Du hast recht!«, schrie sie, während sie wieder ausholte. »Er wird nicht sterben. Das werde ich nicht zulassen.«

Mason grinste sie an. Das Mädchen hatte Mut.

Plötzlich ging ein lautes Ächzen durch das Kaufhaus. Stahl dehnte sich, noch mehr Fensterscheiben zerbrachen und der Boden hob sich, als hätte die Erde ihren Mund geöffnet und einen gigantischen Rülpser ausgestoßen.

»Erdbeben!«

Das Gebäude begann zu zittern. Kosmetikprodukte und Parfümflaschen rutschten aus den Regalen und in der Luft lag der betäubende Geruch von tausend unterschiedlichen Düften.

Die Hetzer hörten auf zu kämpfen. Viele von ihnen warfen sich auf den Boden, rollten sich hin und her und stammelten Worte, die niemand verstand. Einige begannen zu schreien, ein unheimliches, hohes Geräusch, das tief aus ihren Kehlen kam. Über ihnen brach ein Teil der Decke auseinander. Gipsbrocken regneten auf sie herab.

»Die Decke kommt runter!«, brüllte Michael. »Alle raus!«
Aries und Michael packten den bewusstlosen Jack, nahmen ihn zwischen sich und schleppten ihn durch ein eingeschlagenes Schaufenster.

Mason rannte zu den Türen. Er sprang über die am Boden liegenden Hetzer und hechtete durch die zerbrochene Glasscheibe einer Tür auf den Gehsteig hinaus. Die Granville Street wurde in die Höhe gehoben: Beton riss und platzte auf, große Löcher entstanden, in denen Straßenlaternen und geparkte Autos verschwanden. Ein Hydrant platzte und schickte eine Fontäne aus Wasser senkrecht in die Luft.

Sie wankten auf die Kreuzung mit der Georgia Street zu, während sich das Kaufhaus ein letztes Mal aufbäumte und dann in sich zusammenfiel.

Der Himmel über ihnen öffnete sich und es begann zu regnen. Zuerst waren es nur ein paar Tropfen, doch nach kurzer Zeit wurde aus dem leichten Schauer ein gewaltiger Wolkenbruch.

Es waren zwar noch einige Hetzer auf der Straße, doch die meisten von ihnen saßen im Kaufhaus in der Falle. Die, die im Freien waren, lagen fast alle am Boden und wurden von heftigen Zuckungen heimgesucht.

So schnell, wie es begonnen hatte, war es auch wieder zu Ende. Die Erde hörte auf, sich zu bewegen. In einiger Entfernung gingen die Alarmanlagen geparkter Autos los und Mason konnte einen Hund bellen hören. Der Regen prasselte immer noch auf den Gehsteig. Seine Haare und Kleidung waren völlig durchnässt.

»Sie kommen wieder zu sich«, sagte Clementine. Sie hatte recht. Mehrere der Hetzer hatten sich aufgerappelt und standen mit einem verwirrten Ausdruck auf ihren schmutzigen Gesichtern da.

»Wir sollten uns aufteilen«, rief Aries. »Wir haben mit den anderen verabredet, dass wir uns am Second Beach im Stanley Park treffen. Du weißt doch, wo das ist, oder?«

In dem Moment, in dem sie den Stanley Park erwähnte, konnte er das Foto in seiner Gesäßtasche spüren. *Mason und Mom in der Sonne.* Er musste sich schwer beherrschen, um es nicht herauszuholen und dummes Zeug über Vorsehung und Schicksal zu stammeln.

»Ich hab schon mal davon gehört«, murmelte er schließlich. »Ich weiß, dass der Strand irgendwo in der Innenstadt ist. Wir müssen ganz in der Nähe sein. Aber ich weiß nicht genau, wie ich da hinkomme.«

»Wir auch nicht«, erwiderte Clementine.

»Dann bleiben wir wohl besser zusammen.«

»Ich habe eine bessere Idee«, sagte Daniel. »Wir werden nicht allen von ihnen davonlaufen können, auch wenn es jetzt nicht mehr so viele sind. Aries, nimm deine Freunde und geh zum Second Beach. Der Streuner und ich bleiben noch eine Weile hier und lenken sie ab.«

»Nein«, widersprach Aries. »Du lässt mich nicht wieder allein.«

Streuner? Mason konnte den Typ mit jeder Minute weniger leiden. Trotzdem hatte der Widerling recht. Ein Ablenkungsmanöver war genau das, was sie jetzt brauchten, und er konnte dafür sorgen.

»Ich bin dabei«, rief er.

»Dann sind wir uns einig«, sagte Daniel. Er ging auf Aries zu und legte ihr eine Hand unter das Kinn. »Ich habe dir mein

Wort gegeben und dieses Mal werde ich mein Versprechen halten. Wir treffen uns am Strand.«

Sie wollte protestieren, doch Jack rief leise ihren Namen. Clementine und Michael stützten ihn von beiden Seiten und versuchten, ihn auf den Beinen zu halten. Aries beugte sich zu ihm und er flüsterte ihr etwas ins Ohr. Es musste funktioniert haben, denn sie nickte und verschränkte dann die Arme vor der Brust.

»Wehe, du kommst nicht«, wandte sie sich wieder an Daniel. Sie wollte ihm ihren Baseballschläger geben, doch er weigerte sich, ihn anzunehmen.

»Behalt ihn. Du wirst ihn brauchen.«

Aries ging wieder zu den anderen. Michael hatte Jack auf den Rücken genommen. Sein Gesicht war gerötet von der Anstrengung, doch er sah stark genug aus, um den Jungen eine Weile tragen zu können. Jack war nur halb bei Bewusstsein und klammerte sich mit letzter Kraft an Michaels Schultern. Er würde auf keinen Fall selbst gehen können.

Mason hoffte, dass sie es schaffen würden.

Er sah zu, wie sie die Granville Street hinuntergingen. Er wusste, dass er das Richtige tat, aber warum hatte er dann solche Angst?

Daniel hielt ihm eine Rolle schwarzes Klebeband entgegen und sagte: »Gib mir deine Hand!«

Mason streckte seinen Arm mit den gebrochenen Fingern aus. Daniel untersuchte die Hand kurz.

»Das wird wehtun«, warnte er. Dann zog er vorsichtig an den Fingern und richtete die Knochen.

Mason biss die Zähne zusammen und versuchte, die Schmerzen zu ignorieren. Ihm wurde übel.

»Damit eins klar ist«, sagte Daniel, während er anfing, zwei von Masons Fingern mit dem Klebeband zu umwickeln. »Ich habe dich aus einem ganz bestimmten Grund ausgesucht. Die Hetzer, oder wie auch immer du sie nennen willst, kommen. Sie werden mit allen Mitteln kämpfen. Es gibt nur eine Möglichkeit, mit ihnen fertigzuwerden.«

»Schon klar«, erwiderte Mason. »Du musst nicht um den heißen Brei herumreden.«

Daniel war mit dem Klebeverband fertig und warf die Rolle auf den Boden. »Das dürfte fürs Erste halten.« Er zog etwas aus der Tasche. Das Metall schimmerte im Mondlicht. Er hielt Mason das Messer hin.

»Ich bin kein Kil–« Falsch. Er war einer.

»Ich weiß, dass du es kannst. Deshalb habe ich dich auch ausgesucht. Du bist stärker als die anderen. Du hast die Dunkelheit gespürt.«

Mason nahm das Messer. Die Klinge war schwerer, als er erwartet hatte.

»Fühlt sich gut an, nicht wahr?«

»Nein.«

»Lügner!«

Mason stieg das Blut ins Gesicht. »Worauf willst du eigentlich hinaus? Du sagst eine ganze Menge, aber nichts davon ergibt Sinn. Ich bin nicht wie diese Ungeheuer. Ich mache mir nichts daraus, andere zu töten. Und es ist mir im Übrigen egal, was du denkst.« Er brauchte einen Moment, bis ihm klar wurde, dass er nicht nur Daniel, sondern auch sich selbst davon zu überzeugen versuchte.

Daniel lächelte. »Du hast recht. Du bist keiner von ihnen. Aber du hast das Potenzial dazu. Ich sehe es in dir drin. Zurzeit bewegst du dich auf einem schmalen Grat. Es ist nur eine Frage der Zeit, bis dich etwas auf eine der beiden Seiten zieht. Du musst dich entscheiden, wer du sein willst. Du kannst hier für eine gute Sache kämpfen und anschließend zu deinen neuen Freunden gehen, um ein Leben zu beginnen, bei dem du sauber bleibst, oder du kannst den Stimmen nachgeben, die dir immer wieder vorwerfen, was du Schlechtes getan hast. Entscheide dich. Mein Vorschlag wäre, es einfach zu vergessen. Schluck es runter! Egal, was du getan hast, es ist bei Weitem nicht so schlimm, wie du denkst!«

Mason wich zurück und drückte sich an die Wand hinter ihm. »Wer bist du? Woher zum Teufel weißt du das alles?«

»Ich bin nur jemand, der eine Menge sieht, und du, mein Freund, bist für mich wie ein offenes Buch.« Daniel zog ein zweites Messer aus der Tasche. »Also was ist jetzt? Bist du ein Krieger oder nur eine Missgeburt? Folge deinem eigenen Weg!«

Die Worte hingen in der Luft.

»Ich bin dabei.«

ARIES

Die Wellen schlugen brüllend am Strand auf. Sie stand ein paar Schritte davon entfernt da und starrte auf das dunkle Wasser hinaus. Das Geräusch war laut, aber doch irgendwie besänftigend. Ihre Augenlider wurden schwer und ihr Herzschlag war so langsam wie schon die ganze Nacht nicht. Es war unmöglich, sich der beruhigenden Wirkung des Meeres zu entziehen.

Hinter ihr im Osten lugten die ersten Strahlen der Morgensonne durch die Bäume. Bald würde es hell sein. Dann mussten sie gehen. Tagsüber war es draußen nicht sicher. Das wussten sie alle.

Sie verwendeten ihre gesamte Energie darauf, wegzulaufen und sich zu verstecken. Im letzten Monat war so unfassbar viel passiert. Aries hatte schon fast vergessen, wie es früher war, bevor das hier alles angefangen hatte. Ganze Tage hatte sie mit Sara zusammen im Einkaufszentrum verschwendet, Hunderte von Stunden damit vergeudet, über irgendwelche albernen Dinge zu kichern. Es wäre so schön, wenn sie die Uhr einfach zurückdrehen könnte.

Zeit war kostbar. Es war nie genug davon da, um ein bisschen davon entbehren zu können.

Waren ihre Eltern noch irgendwo da draußen? Würde sie je die Chance bekommen, nach Hause zu gehen und nachzusehen?

Sie hatten es bis an den Strand geschafft, wo die anderen schon auf sie gewartet hatten. Joy, Nathan, Eve und sogar Colin – sie hatte sich so gefreut, sie alle lebend wiederzusehen. Und jetzt, wo Michael und Clementine sich ihnen angeschlossen hatten, waren sie noch stärker.

Jack lebte noch, doch er konnte nichts mehr sehen. Als der Hetzer ihn mit dem Baseballschläger getroffen hatte, war irgendetwas mit seinem Gehirn passiert. Seine Augen nahmen nur noch Schwarz wahr.

»Das ist nicht gut«, hatte er vorhin gesagt, als Aries ihm geholfen hatte, sich in den Sand zu legen.

»Das wird schon wieder.«

»Ich halte euch nur auf«, meinte er. »Das kompliziert alles.«

»Du komplizierst nie etwas«, antwortete sie. »Du bist der Einzige, der alles einfacher macht. Ohne dich schaffe ich es nicht.«

Sie lächelte und es verletzte sie, dass ihm nicht bewusst wurde, wie gern sie ihn hatte.

Aber er lebte. Sie wusste nicht, ob er je wieder sehen würde, doch damit würden sie schon fertigwerden.

Sie würden eine Familie sein und Aries würde alle zusammenhalten. Sie würde dafür sorgen, dass sie am Leben blieben.

Jetzt mussten nur noch Mason und Daniel kommen, dann konnten sie losgehen und nach einem neuen Versteck suchen. Sie hatte Daniel geglaubt, als er gesagt hatte, er würde kommen. Dieses Mal hatte seine Stimme anders geklungen. Ehrlicher.

Sie ging wieder zu Jack und legte vorsichtig den Arm um ihn, wie ein guter Freund das tun würde. Dann kuschelte sie sich an ihn und spürte die Wärme seines Körpers. Michael hatte sein Hemd zerrissen und einen Verband daraus gemacht. Jacks Kopf sah aus, als würde er einen flachen karierten Turban tragen.

»Wie geht es dir?«, fragte sie.

»Ich habe rasende Kopfschmerzen«, antwortete er. »Und habe ich schon erwähnt, dass ich blind bin? Abgesehen davon geht es mir eigentlich ganz gut.«

Das Lachen blieb ihr im Hals stecken.

»Wir müssen bald von hier weg«, sagte er.

»Ich weiß. Aber ein paar Minuten können wir schon noch warten.«

»Weißt du schon, wo wir hingehen werden?«

»Wäre es nicht schön, wenn wir einfach hierbleiben könnten?«, meinte sie. »Wir sollten Strandgutsammler werden und unsere Tage damit verbringen, Muscheln aus dem Sand zu graben.«

»Klingt traumhaft«, entgegnete er. »Aber ich bin allergisch gegen Schalentiere.«

Sie kicherte.

»Eve hat Shaughnessy vorgeschlagen«, sagte sie. »Das ist das Nobelviertel drüben bei der Universität. Wir könnten uns eine von diesen großen Villen mit einem Pool nehmen. Das wäre bestimmt toll.«

»Ich bin dabei«, erwiderte Jack. »Ich habe immer gewusst, dass mir ein Leben in Reichtum vorherbestimmt ist.«

In einiger Entfernung schoss ein Reiher auf das Wasser zu und fing einen Fisch. Möwen schwebten faul über dem Meer. Ihnen war egal, dass die Welt um sie herum in Trümmern lag.

»Wir müssen nach anderen Überlebenden suchen«, sagte Aries. »Wir müssen uns organisieren.«

»Vielleicht finden wir meinen Bruder.« Clementine hatte sich zu ihnen gesellt. »Er sollte eigentlich in Seattle sein, aber er ist hierhergekommen. Er hat mir eine Nachricht hinterlassen. Darin stand, dass sich viele Überlebende in der University of British Columbia gesammelt haben.«

»Das wäre möglich«, sagte Jack. »Die Uni ist auf der anderen Seite der Bucht. Da drüben, rechts von euch. Wenigstens glaube ich, dass sie rechts von euch ist. Ich bin mir nicht ganz sicher. Haltet nach Bäumen Ausschau! Das ist der Jericho Beach. Die UBC ist ganz in der Nähe. Wir haben gerade darüber gesprochen, uns ein neues Versteck in Shaughnessy zu suchen.«

Die Mädchen blickten über das Wasser. Auf der anderen Seite der English Bay konnten sie die Uferlinie erkennen.

»Hey!« Eves Stimme drang zu ihnen herüber. »Sie sind da!«

Aries drehte sich um. Mason und Daniel kamen die Treppe zum Strand herunter. Sie nahm Jacks Hand und drückte sie. »Ich bin gleich wieder zurück.« Dann folgte sie Clementine, um den beiden Jungen entgegenzulaufen und zusammen mit den anderen zu begrüßen.

Alle waren froh und glücklich. Plötzlich wurde ihr klar, dass sie zum ersten Mal seit Wochen sah, wie jemand lachte. Es war ein schönes Gefühl. Nur schade, dass es nicht lange dauern würde.

Eine schwere Zeit lag vor ihnen. Sie machte sich nichts vor. Aber sie würden schon damit zurechtkommen. Sie hatten einander und sie würden eine Möglichkeit finden, das zusammen durchzustehen.

Sie waren eine Gruppe.

Aries erreichte Daniel und Mason als Erste. Ihre Kleidung war mit dunklen Flecken übersät und der Geruch nach Rost überdeckte sogar das salzige Aroma des Meeres.

»Frag nicht!«, sagte Daniel. »Ich werde dir nämlich nichts sagen.«

»Ich bin froh, dass ihr hier seid!«, sagte sie ehrlich erleichtert und blickte abwechselnd von Daniel zu Mason.

»Dann sollten wir jetzt los!«, rief Nathan. »Wenn wir in das Nobelviertel wollen, müssen wir ein ganzes Stück laufen. Vielleicht sollten wir ein Geschäft suchen, in dem wir uns den Tag über verstecken können, und dann nach Einbruch der Dunkelheit weitergehen. Ich werde Jack tragen, das macht mir nichts aus.«

»Ganz in der Nähe ist ein Starbucks«, warf Eve ein. »Vielleicht schaffen wir es, Kaffee zu machen. Für einen Espresso würde ich so ziemlich alles geben.«

»Ja, klar, und dann können wir den ganzen Tag auf alten veganischen Keksen herumkauen«, erwiderte Nathan. »Wäre ein Seven-Eleven denn nicht sinnvoller?«

»Was ist mit einem Safeway?«, meinte Mason. »Auf dem Weg hierher sind wir gleich an zwei davon vorbeigekommen.«

Die Gruppe fuhr fort, ihre Pläne zu diskutieren. Aries hörte mit einem breiten Grinsen auf dem Gesicht zu. Sie war stolz darauf, dass sie so weit gekommen waren. Doch dann legte Daniel seine Hand auf ihren Arm und zog sie mit sich.

Aries ging mit ihm ein Stück am Strand entlang. Er sagte kein Wort. Sie wusste, was jetzt kam.

»Sag es nicht!« Sie setzte sich auf einen Baumstamm, der so groß war, dass sie mit den Füßen kaum den Boden berührte. »Du wirst nicht mit uns mitkommen.«

»Du kennst mich viel zu gut.« Daniel setzte sich neben sie. Als er sich zu ihr beugte, berührten sich ihre Knie.

»Werde ich dich wiedersehen?«

»Ich denke schon.«

»Gut.«

Er lächelte. »Dann kommt jetzt also kein Protest von dir?«

Sie sah auf das Meer hinaus, wo der Reiher immer noch sein Frühstück verzehrte. »Du wirst dich nicht ändern. Und das akzeptiere ich.«

»Du wirst deine Sache gut machen, Aries«, sagte er. »Die Leute werden sich an dich erinnern.«

»Das hoffe ich«, erwiderte sie. »Ich werde es jedenfalls versuchen. Wir wollen doch alle unsere Spuren im Leben hinterlassen, oder nicht? Manchmal wollen wir einfach nur, dass die Menschen sich daran erinnern, dass wir hier waren.«

»Du könntest deinen Namen in den Sand schreiben.«

Sie lachte. »Das dürfte nicht viel Eindruck machen.«

Er legte seine Hand an ihre Wange. »Du wirst Berge versetzen.«

Ihr stockte der Atem. Sein Blick fand den ihren und er sah direkt in ihre Seele hinein, als würde er dort nach etwas suchen, das er verloren hatte. Es kribbelte auf ihrer Haut, als seine Hand zu ihrem Nacken wanderte und ihren Kopf zur Seite drückte. Langsam löste sich die Welt auf, bis es nur noch ihn gab.

Seine Lippen berührten die ihren. Aries schloss die Augen, doch es war viel zu schnell wieder vorbei. Als sie sie wieder aufmachte, starrte er sie an. Sie wollte lächeln, doch ihr Gesicht erstarrte. Wie konnten seine Augen gleichzeitig so hell und so dunkel sein?

Daniel stand auf und zog ein Messer aus der Tasche. »Wir sollten hier unsere Spuren hinterlassen.« Er kniete sich vor den Baumstamm und schnitzte mit dem Messer ihren Namen in das Holz. Dann schnitt er seinen eigenen Namen hinein. Als er fertig war, hatten sich die anderen zu ihm gesellt. Sogar Jack, der von Michael und Clementine gestützt wurde.

Sie fragten nicht einmal. Stattdessen nahm einer nach dem anderen das Messer und hinterließ seinen Namen in dem Holz.

ARIES

DANIEL

JACK

CLEMENTINE

COLIN

JOY

NATHAN

EVE

MICHAEL

MASON

Als sie fertig waren, traten sie zurück und bewunderten ihre geschnitzten Namen.

»Jetzt ist es offiziell«, verkündete Daniel. »Es gibt uns.«

Aries' Aufmerksamkeit wurde von einer kleinen Bewegung, die sie aus dem Augenwinkel wahrnahm, abgelenkt. Sie richtete ihren Blick darauf und entdeckte zwischen den Bäumen im Jericho Park auf der anderen Seite der Bucht winzige Gestalten.

Aries stand auf und ging näher zum Wasser. »Was ist das da drüben?«

»Hier.« Clementine griff in die Tasche und zog ein kleines Fernglas heraus. »Es hat einen Sprung, funktioniert aber noch.«

Aries nahm das Fernglas und sah hindurch. Es dauerte einen Moment, bis sich ihre Augen darauf eingestellt hatten, doch dann konnte sie den Park auf der anderen Seite der Bucht erkennen. Zwischen der Baumreihe kamen Menschen hervor und liefen zum Strand. Männer und Frauen – und sogar einige Kinder.

»Da sind Leute«, sagte sie.

»Hetzer?«

»Nein, ich glaube nicht.« Sie beobachtete, wie ein Mann ein Fernglas an die Augen setzte und zu ihr herüberstarrte. Die Fremden am Strand drängten sich um ihn, als er die Hand hob und ihr zuwinkte.

»Sie sind viel zu weit von uns weg«, sagte Michael.

»Aber nah genug, dass wir sie finden können«, erwiderte sie. »Sie und andere. Es wird noch andere geben.«

»Kann ich mal das Fernglas haben?«, fragte Clementine. Aries gab es ihr.

»Er ist nicht dort«, stellte Clementine nach einer Weile fest. »Aber ich werde ihn finden.«

»Ich werde dir dabei helfen«, versicherte ihr Michael.

»Wir werden dir alle dabei helfen«, sagte Aries.

Sie sahen nach drüben, bis die Leute wieder zwischen den Bäumen verschwanden. Es spielte keine Rolle, dass sie gingen. Aries wusste jetzt, dass es sie gab. Sie würden sie finden.

»Wir sollten gehen«, sagte Nathan schließlich.

Sie nickte. Als sie sich ihren Freunden zuwandte, fiel ihr sofort auf, dass Daniel verschwunden war. Es überraschte sie nicht. Aber es war nur eine Frage der Zeit, bis er wieder auftauchen würde. Sie war sich ganz sicher.

MASON

Er setzte sich in den Sand und zog Schuhe und Socken aus. Dann versuchte er, seine Jeans aufzurollen, bekam die Hosenbeine aber nicht über die Waden. Aber das machte nichts. Die anderen waren noch bei dem Baumstamm gewesen und hatten geredet, als er sich davongeschlichen hatte und zum Wasser gegangen war. Er wollte allein sein, wenn er es tat. Er stand auf und der Sand fühlte sich kühl und matschig zwischen seinen Zehen an.

Das Meer lag vor ihm. Es war gigantisch. In der Ferne konnte er eine Insel und ein paar Tankschiffe sehen. Er fragte sich, ob jemand auf den Schiffen war.

Der Wind riss an seinen Haaren und dröhnte in seinen Ohren. Ein scharfer Geruch nach Salzwasser und Seetang stieg ihm in die Nase. Kühler Sand klebte an seiner Haut.

Er hielt sich gar nicht damit auf, erst einmal den Zeh ins Wasser zu stecken und die Temperatur zu prüfen. Er lief direkt ins Meer hinein. Das eiskalte Wasser berührte seine müden Füße und schwappte an seine Knöchel. Schnell atmend ging er weiter, bis seine Jeans nass wurde und seine Knie unter Wasser waren.

Dann schloss er die Augen und spürte das Meer.

NICHTS

Wir haben unsere Namen in den umgestürzten Baum geschnitzt. Unser Zeichen. Unser Beweis dafür, dass wir noch am Leben hingen. Dass wir nicht kampflos in die Nacht gehen wollten.

Wir waren Anführer, Mitläufer, Krieger, ja sogar Feiglinge. Und einige von uns waren Verräter.

Bei diesem Spiel gibt es keine Gewinner.

Aber es gibt ein Morgen.

DANKSAGUNG

Mein Dank gebührt:

Alison Acheson für ihre Unterstützung und ihr Talent als Lehrerin. Und den wunderbaren Teilnehmern meines Seminars »Schreiben von Kinder- und Jugendbüchern« an der University of British Columbia.

Mimi Thebo von der Bath Spa University dafür, dass sie meine Mentorin und meine Inspiration ist.

Kaliya Muntean und Fiona Lee, die wunderbare Musen und großartige Freundinnen sind.

Matthew und Shauna Hooten dafür, dass sie mich so tatkräftig unterstützt haben.

Ruth Alltimes von Macmillan dafür, dass sie eine herausragende Lektorin ist und eine Engelsgeduld mit mir hatte.

David Gale und Navah Wolfe von Simon & Schuster für ihre fantastische Lektoratsarbeit.

Und meinen Agentinnen Julia Churchill und Sarah Davies. Ohne sie wäre das alles nicht möglich gewesen.

Es begann als Spiel und wurde zu einer tödlichen Gefahr

ISBN 978-3-7855-7028-9

Du denkst, es ist eine harmlose
Reise in die Vergangenheit, ein Spiel.
Doch dann greift die Vergangenheit
nach dir und gibt dich nicht mehr frei.
Ist tatsächlich ein uralter
Fluch wiedererwacht?